CW00793954

CES RÊVES QU'ON PIÉTINE

Sébastien Spitzer est journaliste. *Ces rêves qu'on piétine* est son premier roman.

SÉBASTIEN SPITZER

Ces rêves qu'on piétine

ÉDITIONS DE L'OBSERVATOIRE

© Éditions de l'Observatoire / Humensis, 2017.
ISBN : 978-2-253-07353-6 – 1re publication LGF

À mon père, Billy, emporté par une cardiomégalie,
typique des mégalos qui ont un cœur trop grand.

*"Put off that mask of burning gold
With emerald eyes."
"O no, my dear, you make so bold
To find if hearts be wild and wise
And yet not cold."*
                    The Mask, W.B. YEATS [1].

---

1. « Pose ce masque d'or brûlant / Avec ses yeux d'éme-raude. » / « Oh non, très chère, / Tu montres trop d'audace / À chercher si les cœurs peuvent être sauvages et sages / Sans être jamais froids », « The Mask », W.B. Yeats, *The Green Helmet and other Poems*, 1910.

1

Un pas. Une pierre. Un chemin de poussière. Un printemps qui bourgeonne. Au fond bruit un torrent.

Des bruits. Mille pas. Tous aussi mal cadencés.

« Il y aura bien une halte, plus tard, pense-t-il. Cette longue marche forcée s'arrêtera un jour. »

Aimé sent la brise, infime et infiniment douce. Il se gonfle, écarte les bras, incline ses paumes comme des voiles pour capter le moindre souffle, sa misaine, sa trinquette. Il dodeline de la tête et décolle cette veste aux fibres cartonneuses, gavées de saisons froides et sèches.

Il sait qu'ils sont des milliers comme lui, à arpenter les routes des territoires de l'Est. Des cohortes de guenilles maculées de mois de crasse, tiraillées par le manque. La faim, la soif, les proches, l'avenir. Des cadavres en mouvement. Survivants, comme lui. Il en reste. Ils sont là. Ils marchent en colonnes ordonnées. Aimé baisse la tête. Il profite des minces silhouettes qui lui font un peu d'ombre. Il ferme les paupières un instant pour chasser ces gouttes acides qui lui piquent les yeux. Se reprend. Pas le choix. Pas le temps. Pas le droit de se laisser aller. S'il ferme les yeux trop long-temps, il risque de faire un pas de côté et de sortir du rang. Il a retenu la leçon. Pour survivre, il faut s'oublier. Oublier l'épuisement. Oublier les blessures. Oublier ce creux au bide. Oublier ses besoins et les odeurs d'urine et de merde qui leur collent à la peau parce qu'ils n'ont pas d'autre choix que de se chier dessus, sans perdre la cadence. Aimé a été fort. Au village, on venait le chercher pour renforcer les ponts. Après ces mois de détention, réduit à la plus simple expression de lui-même, il trouve la force de marcher encore, malgré ses semelles en loques, ces cailloux qui lui esquintent la plante des pieds. Engagé depuis des semaines dans cette longue marche fantoche. Mais convaincu qu'au bout de lui il y a encore une lueur. Que cela va finir. Qu'il retrouvera un jour ses champs, entre Brno et Olomouc. Les collines de blé, la vigne du printemps, le houblon. Tenir. Marcher. Échapper au souvenir des coups de tuyau d'Eben-der, vicelard, tenace, haineux à force de faire jaillir les suppliques des détenus sous lui. Ne plus craindre ces coups qui s'abattaient au hasard sur les dos, les reins, les cuisses, les couilles qui finissaient par ressembler à des tomates anciennes, rouge vieux. Oublier l'effroy-able garde manouche qui frappait en hurlant : « Je chie sur vos ancêtres. Tous ! Tous ! » et s'acharnait sur tout ce qui rampait encore. Aimé a passé d'épouvantables nuits jusqu'à l'évacuation du camp. « Tiens bon ! »

Il se renforce à la vue de cette petite fille et de sa mère qui s'accrochent quelques rangs devant lui. Il faudra pouvoir dire tout ça, un jour. Raconter. Faire mentir Ebender. Prouver qu'il avait tort. Qu'ils survivraient ! Ne fût-ce qu'un seul ou la trace d'un.

Ce vendredi d'avril, le retour du soleil réveille les odeurs dans les champs. Aimé les retrouve, malgré toute la poussière. La soif. La sueur. Le souvenir des collines de Moravie.

Ses chevilles sont arthreuses. Son dos pèse un Everest. Ce haillon de coton rêche qu'il porte lui cisaille l'entrejambe, les aisselles. Le soleil bastonne et soûle. Le bruit des pas change. La tête de sa colonne franchit un petit pont bancal. Il suit. Ses poutres sont pourries. Ça passe. Il ne fait même plus craquer les planchettes ! Aimé respire la bouche fermée pour éviter de se déshydrater. Il marche, longtemps, au même rythme, lancinant, hypnotique, droite, gauche, droite, gauche, balance à peine ses bras. S'économise. Impératif : garder les yeux ouverts, les mains croisées devant lui, en signe de soumission. Son pantalon tombe. Mais Aimé n'a plus de pudeur. Tous ses mystères sont levés, broyés par ce brouhaha de semelles de bois, de vieilles grolles et de sabots.

Dans quelques semaines, Aimé pourrait avoir trente ans. C'est l'âge du soldat qui encadre sa colonne. Il envie son teint frais, ses lèvres rouges. Il n'a pas l'air d'avoir soif. Son œil est vif. Le soldat est à sa colonne. Il la surveille. Cet œil auquel rien n'échappe.

Sur le bord du sentier, il aperçoit une pomme de

terre. Et salive en pure perte. Le gardien reste près de lui. La mort. La tête lui tourne. Ses jambes flageolent pour une patate à portée de main.

Deux mètres. Un mètre. Il suffirait de se pencher un peu. À peine. Le gardien se met à siffloter et détourne la tête, un instant. Maintenant. Aimé s'incline, l'attrape et la cache dans sa paume. Le gardien esquisse un sourire. Sait-il ? Il sourit tellement qu'il ne peut plus siffloter. Il ne crie pas. Il ne lui tombe pas dessus. Il garde le rythme de sa colonne, fait quelques mètres et lui glisse à l'oreille : « Cette pomme de terre, tu n'en auras plus besoin. » Il lui adresse un coup d'œil complice. Presque un clin d'œil. *« Die Kartoffeln brauchst du nicht mehr. »* Ce soldat s'appelle Rose. C'est son vrai nom. Rose. Aimé l'a reconnu. Il était à Stöcken, comme lui. Il a fait des centaines de kilomètres. Presque autant que le rouleau de cuir qu'il a caché dans la doublure de sa veste. La mémoire des camps. Témoin écrit de leurs vies effacées.

*

Une capitale assiégée. Des ruines d'illusions. Un théâtre qui s'effondre. Voici le Konzerthaus. Les derniers fonctionnaires perçoivent leurs traitements. Les maîtres d'école font classe à des pupitres sans têtes blondes. Des trains vides déboulent devant des quais de gare déserts. Malgré tout. Les apparences sont sauves.

À quarante-cinq ans, deux mariages, sept enfants,

trois villas, deux berlines, dont une somptueuse Hispano-Suiza, une cuisinière, des caves où vieillissent les plus grands crus d'Europe, des films par dizaines tournés tout à sa gloire, des robes de soie, des milliers de photos d'elle, Magda s'y connaît en apparences. Elle est même passée maître dans l'art de fourber son monde, de duper les plus simples, de berner les glorieux, trigaudant des faussetés pour préserver sa place, son profit, son mieux-être. Puissante et respectée.

Mais, cette fois, Magda se remballe. Non qu'elle ait trouvé plus fort. Pas du tout. Il n'en existe pas, de femme plus grande qu'elle. Si Magda se remise, c'est parce que des millions d'hommes, de femmes, et parfois même d'enfants, lui sont tombés dessus. C'est une moitié du monde qui a juré sa perte, et tout ce qu'elle incarne. Il y a quelques mois, un incident cardiaque lui a déjà fait perdre un peu de sa plasticité. Une indolence au coin de la bouche. Une inertie de l'œil qui l'oblige à se verser des gouttes, plusieurs fois par jour.

Magda s'avance vers le parvis du Konzerthaus, l'un des joyaux de la ville, splendeur néoclassique, foyer de l'âme de Strauss et du divin Schubert. Ce n'est plus qu'une triste bâtisse saccagée par les bombes au phosphore, toit fendu comme un crâne qu'on aurait pris en traître.

Ce soir, c'est la dernière. Ils sont presque tous là. Tous les puissants du régime. Les stucs et les drapés ont cramé. Les trompe-l'œil sont des barbouillages d'huiles et de suie qui ne trompent plus personne. Il y a du monde dans le hall. Trop. Magda a perdu l'habitude de se noyer dans le brouhaha des convenances, au milieu de poitrines toutes bardées d'excellence et de grand-croix.

L'orchestre déboule par une porte latérale, comme un essaim portant tout un tas d'archers, de baguettes, d'anches. Il s'ordonne. Les cordes, d'abord, puis les vents et enfin viennent les percussions. Le public se glisse entre les fauteuils sauvés du désastre. Comme elle leur fait l'honneur d'être là, parmi eux, Magda prend tout son temps pour déplier le programme imprimé sur du mauvais papier. C'est une denrée rare. On manque de tout.

Cette mise en scène est absurde. Tout est fini. Magda porte une robe en soie taillée sur mesure, un chignon assemblé de main d'orfèvre et des auréoles sous les bras, qu'elle cache. Elle les déteste, tous.

Le chef d'orchestre salue. Il marque un temps. Elle est assise, prête, presque. Le chef attend qu'elle ait fini de rabattre son châle sur ses genoux. Elle se déhanche, s'aligne sur sa chaise… Voilà… Bien droite. Bien digne. Parfaite. Le chef en queue-de-pie se retourne, lève sa baguette, arme les cordes et les vents, et le premier violon lance ses salves de notes. Le musicien debout a les yeux fatigués, des cheveux blancs et rares, mais son geste est précis. Magda écoute ses trilles et son esprit s'exile. C'est plus fort qu'elle. C'est bien plus fort que tout ce qu'elle vit depuis des mois. Lui revient en mémoire le souvenir interdit de ce jeune garçon qui venait jouer chez Viktor et Liza.

16

Comment s'appelait-il, déjà ? M... Mmm quelque chose. Ça reviendra. Sa mémoire est infaillible. Elle peut compter sur elle, hélas. Elle n'a rien oublié, malgré l'épais silence dont elle entoure ces souvenirs-là, de sa jeunesse, d'eux, de lui. Il jouait la chanson de la Terre d'or : *Oh, musicien, prends ton violon ! Joue encore ! Joue-moi la mélodie de la Terre d'or*, qui les rendait plus ivres que tous les vers de Yeats.

Ensemble, tous les trois réunis, et lui qui les faisait danser avec son petit violon, Liza, Viktor et elle chantaient, tapaient des mains, bondissants et joyeux. Les pieds légers et le cœur beau dans un salon étroit tapissé de kilims. Les deux fenêtres ouvertes. Des livres aux murs. De la vodka. Des plaques au cyanotype de verre de leur père assassiné. Et la voix de Viktor qui prenait toute la place. Qu'il chante ou bien qu'il récite, sa voix raflait la mise. Magda était tombée amoureuse de cette voix, d'abord. Quelle honte ! Elle en frissonne. Elle est plongée si loin dans le passé. Loin de cette salle et de tous ces dindons. Elle était amoureuse de ses moindres inflexions. De sa petite mélodie qui se glissait en elle. Puis elle s'est mise à l'écouter, vraiment. Raisonnant. Elle a aimé ce que disait Viktor. Son sens de l'engagement. Ses formules ambitieuses pour une autre politique. Il se plaignait d'être coincé dans ce Berlin replié sur lui-même. Il était différent de tous les autres hommes, plus sensible à ses yeux, plus beau, plus éloquent, plus fort, plus enveloppant, plus tout. La jeunesse de Magda était marquée de ce fer-là, de cette rencontre.

Comment oublier leur ami qui venait jouer chez eux de son violon comme s'il était né avec, au creux du cou ? Son instrument lui prolongeait le bras. Son *fiddle*. Fidèle *fiddle*. Comment s'appelait-il ? Mickha ? Elle hésite. M quelque chose. Marek... Non... Mar... Markus ! Ça lui revient. Oui. Markus !

Le regard de Magda s'aligne sur l'instant présent, balaie la scène, le violon et tous les autres musiciens derrière. Speer à côté, là, contre son épaule droite. Ce soir, c'est la dernière. La dernière du philharmonique. La dernière apparition publique de tous ces dignitaires. Magda est droite, affiche sa mine de rien. Elle est la seule femme présente. Les autres, les hommes, sont tous bien galonnés, boutonnés, bardés de médailles et de plans de fuite. Certains cachent moins bien qu'elle leur impatience. Le *Tod und Verklärung* commence. L'image de la chute pour finir en beauté. Les rêves s'effondrent quand ils deviennent passionnants. Quand ils nous crochent, nous happent, sans prévenir.

*

En équilibre sur le talus, Aimé aperçoit une ombrelle dressée sur une robe jaune colza. Une femme se tient au bord de la route, assise sur un tabouret de ferme. Ses pieds gonflés par de mauvaises veines débordent de ses ballerines.

Cette femme sous ces dentelles, c'est la comtesse

von Blochwitz. Elle habite le château voisin. Et les champs tout autour appartiennent à sa famille depuis la nuit des temps.

Sa rétine imprime un chignon blanc et une main pleine de bagues. Il ne doit pas regarder. Il n'a pas le droit de voir. C'est la règle. Aimé n'existe plus. Cette vieille dame qu'il a vue fait partie d'une litanie de témoins, de bedeaux, de commis, de curieux impassibles, pressés au bord des routes et des voies ferrées, le temps de les voir passer. Aimé fait partie d'un spectacle. Un sinistre défilé. Il se souvient des rires qu'il a pu déclencher, des moqueries acides, parfois, des menaces, des questions des plus jeunes. Depuis qu'il a quitté le camp de Stöcken, il est passé devant des familles entières, des ouvriers, des villageois, des notaires, des paysans qui brandissaient leurs fourches, des prêtres qui se signaient, des enfants qui coursaient son wagon pour lui cracher dessus, emportant avec lui des lambeaux de leur haine. Aimé n'est pas surpris. Il connaît cette curiosité malsaine. C'est une jouissance morbide. La vieille toise ceux qui vont mourir. Ça lui procure du plaisir. L'idée qu'elle va vivre, et pas eux, pas nous, pas moi, se dit Aimé. Il a vu que les soldats la saluaient. Elle leur a rendu leur salut, chaque fois, d'un mouvement discret de son ombrelle. C'est chic, retenu, élégant, entre soi. C'est une provocation pour ceux qui vont mourir. Mais lui, Aimé, s'en moque. Il marche dans les pas d'anciens professeurs, d'avocats, de commerçants et de paysans. Il y a des femmes qui le suivent. Même cette gosse qui marche avec sa mère.

Une gamine. Il connaît bon nombre de détenus. Il a parlé avec eux dans les usines. Il sait que leurs femmes ont porté les plus belles robes, les étoffes les plus rares. Qu'elles étaient belles, bien plus que cette vieille qui sourit en les regardant passer ! Aimé s'accroche. Cette douleur qu'il éprouve à chaque pas, celle qui lui brûle les pieds parce qu'il n'a plus de semelles, cette douleur, c'est sa déclaration, sa patente. Comme un certificat d'humanité. Je souffre, donc je suis. C'est la maxime des prisonniers.

Et s'il a une boule à la gorge, si ses yeux se voilent d'un soupçon de nostalgie, c'est parce que les champs qu'il traverse lui rappellent ceux de son pays, de ces années bénies à récolter le blé, à le sarcler, à le battre, à faire sauter ses grains et secouer les tamis pour retenir l'ivraie. Il a été arraché comme une mauvaise herbe, un nuisible, une pousse adventice dont il fallait se débarrasser sous peine de tout gâter. Condamné pour faute ontologique à des travaux de forçat qui l'ont rendu malingre.

Le soleil étire les longues ombres portées de la forêt. Elles empiètent sur le champ et leurs pas laissent au sol des tas de signes en creux : des points de suspension pour la marche ; des guillemets pour chaque halte.

« Marche… ! »

« Halte… ! »

En haut de la butte, toute sa colonne s'arrête. Aimé détend son cou. Relève un peu la tête. Il est au pied d'une vaste grange, en briques rouges. Elle mesure dans les vingt mètres de long sur quatre ou cinq de hauteur. Aimé sent l'odeur qui s'étire tout autour. Âcre. Pointue. Celle de la paille qu'on vient de couper. Il va sûrement dormir ici. Au mieux, à l'intérieur, sur ce lit de paille géant. Probablement devant.

D'autres le rejoignent, bien alignés. Un bras tendu d'une file à l'autre. Tous attendent. Raides. Noueux. Comme une forêt de roseaux. Aimé est à quelques pas seulement d'une porte à double battant. D'autres colonnes s'arriment. Ils sont près de mille, maintenant. Les soldats en écho se mettent à aboyer.

« Assis ! Assis ! »

Les mille détenus se ratatinent. Aimé replie ses jambes pour se mettre en tailleur. Il ramène discrètement sa main gauche en cuillère et croque un bout de la patate. Cela fait deux jours qu'il n'a rien mangé ni bu. Tant pis pour la chiasse qui viendra. Il peut bien se vider, il n'a plus rien à perdre.

À l'autre bout de la grange, des miliciens du *Volkssturm*, reconnaissables à leur brassard rouge, entreposent des caisses.

« Je ne vois rien. Qu'est-ce qu'ils transportent ? » demande Aimé au garçon accroupi à côté de lui.

Pour forcer sa réaction, il lui tend un morceau de patate.

« Des munitions ! » répond-il.

Ces caisses pourraient contenir des mitraillettes. Il voit une arme toute en longueur, avec son manche en bois et un gros bulbe absurde au bout. Peut-être un bazooka.

«Tu sens l'odeur ? coupe un autre.

— Oui.»

Aimé la sent. Entêtante. C'est bien celle de l'essence. Deux soldats à moto transportent des bidons. Vingt litres chacun. Tous les détenus ont la tête tournée vers eux. Quelques soldats. Des dizaines de bidons qui passent de main en main puis disparaissent de l'autre côté. Une rumeur enfle. Des dos s'agitent. Ils s'inquiètent d'une allumette. De la moindre étincelle. Quelques-uns se lèvent et prennent la fuite. Épars. Ils font quelques pas vers la forêt et se désarticulent. Leurs corps encaissent le mauvais plomb, des tirs précis, plein champ. Torse, tête, torse. Ball-trap facile. Une balle perdue, coup de pied au cul. Les soldats s'amusent comme ils peuvent.

Aimé n'a pas bougé. Il propose un morceau de patate à l'inconnu de gauche. Cela fait longtemps que les détenus ne se disent plus merci, d'autant que les bidons poursuivent leur course, de main en main.

*

Magda a soif, la bouche pâteuse. Mal à la tête. Un martèlement en dedans, lancinant. Invisible. Qui creuse un peu plus les rides qu'elle a au front. À l'entracte, elle suit le flot noir des costumes et des bottes, bien clinquantes, bien cirées, des boutons brillants jaune laiton, des épaulettes de cuivre, des médailles, des croix de cravates. Dans ce couloir criblé d'impacts de balles, ils échangent des propos sibyllins. Elle capte

22

des mots par-ci par-là : « Pas-de-Calais », « percée », « troupes », « Ike », qui s'anagramment et s'emmêlent. Elle est distraite et fixe la grande nappe blanche dressée sous d'immenses chandeliers d'apparat, des seaux à champagne ruisselant de gouttes glacées, des verres, des pâtisseries, des viennoiseries de circonstance. Son général de voisin lui tend une coupe. Depuis son attaque, elle a perdu en acuité auditive. Les mots s'embourbent quand il y a trop de monde. Ils forment un bruit de fond. Magda s'accroche aux rares aigus, aux bouts de mots qui traînent, pour deviner les phrases. Encore faut-il qu'elle le veuille. Ce soir, tout ce qu'elle daigne saisir, c'est cette nouvelle coupe qu'on lui offre. Elle se colle au banquet. Elle plane, hautaine, parmi l'écho des verres et des conciliabules. Il fait si chaud… Elle tend le bras de nouveau quand elle aperçoit son bon vieil ami Speer, avec sa gueule carrée, sa mâchoire au cordeau, ses yeux bruns et cette énergie qui ont fait de lui l'un des plus grands hommes de ce siècle. Il se glisse à sa droite. C'est lui qui a organisé la dernière du philharmonique. Comme tout bon chef de meute, il la sent. Il la sait. La devine. Ils se reniflent. C'est pour cela qu'elle l'apprécie. Pour ce qu'ils n'ont plus besoin de se dire. Un amiral passe près d'elle et se soumet au baisemain de rigueur. Magda finit sa troisième coupe et sent la vague chaude de l'ivresse. Son mal de tête s'estompe.

Speer distribue de petites capsules de cuivre.

« Au cas où… », dit-il.

Il en a fait fabriquer des centaines.

«Au cas où…»

Chacun empoche deux ou trois capsules de poison. Pour eux et pour leurs proches. Femmes. Enfants. Maîtresses. Gitons. Chiens. Tous ceux qui ont compté avaleront leur cyanure, parce qu'il faut du courage pour lever un canon contre une tempe et presser la détente.

La sonnerie de fin d'entracte met un terme à tout ce cirque. Speer lui donne le bras et la conduit dans la salle. Elle est assise à sa droite. Au premier rang. Dans leur dos, des trous sont apparus. Des officiers se sont carapatés juste avant que résonnent les hautbois du *Crépuscule des dieux.*

Une série d'explosions fait trembler les pendeloques du Konzerthaus. Magda entend les crissements de chaises contre le marbre, des réflexes d'évitement. Mais personne n'ose sortir. Cette musique est sacrée. La préférée de leur grand maître à tous.

Les musiciens achèvent le *Crépuscule* par une série de fausses notes.

Le chef serre sa baguette à deux mains contre lui et se retourne pour récolter les derniers applaudissements de sa carrière. Il a le visage blême. Magda applaudit très mollement, à contretemps. Elle lui en veut d'avoir bissé le *Crépuscule* alors que dehors, et sans doute au-dessus d'eux, les bombardements ont repris. Elle ne se joint pas à la clameur. Une ovation de bravade. Des bis, des rappels, qui sonnent faux, pétris de trouille.

« Bravo ! Bravo ! »

Magda hait cette chorale ventriloque, ces ambitieux, ces orgueilleux, éberlués à l'idée de devoir rendre les armes, les médailles, les honneurs, les trains de vie et les wagons de biens spoliés, les femmes soumises et le champagne, le caviar, les amants, la victoire et le rêve d'une Allemagne immortelle.

Elle s'impatiente. Sa bouche articule « Vite ! Vite » à la place des vivats.

Elle reconnaît le sifflement des Katiouchas. Leurs stridulations menaçantes. Les orgues de Staline imposent leur tempo. Elles sont tirées des portes de la ville, tenant les Berlinois à portée de massacre. L'hiver dernier, Magda a vu des photos des exactions de Nemmersdorf, en Prusse-Orientale. Elle sait le sort qui est réservé à ses concitoyens. Elle a vu la photo de ce paysan crucifié par deux fourches à la porte de sa grange. Elle a lu le récit de ce père : des Mongols des steppes avaient débarqué chez lui, gueules bridées, criblées de vérole, sale haleine, des yeux de loup, les bras couverts de leurs butins divers – montres, bracelets, colliers enroulés jusqu'aux coudes –, et ils avaient forcé sa fille unique. Un soldat après l'autre, comme une horde sur elle. Toute la journée. Ils avaient ligoté ce père qui ne voulait plus voir et montaient les uns après les autres à la chambre de sa fille. Il sentait leurs corps moites, leurs bouches immondes qui puaient l'alcool et les rires inhumains. Le père meurtri racontait qu'il était mort en vérité. Son cœur battait encore, mais pour rien. En vain. Et puis, ils avaient continué

25

dans la ferme d'à côté. À Nemmersdorf, à la fin de la journée, on n'entendait plus, dehors, que le silence étrange de la déréliction.

Les derniers mois de cet hiver, Magda a vu les gares de Berlin se gonfler des misères de l'Est, de Prusse, de Silésie, des Biélorusses aussi, et des Tchèques. La ville finit boursouflée, déformée par les éléments de la débâcle, des charrois brinquebalants, des cabanes de toile dans les rues, des déplacés fourbus, des mendiants, des ambulances pour rien et des récits de ce que les autres, les Russes, les Mongols, les Slaves des steppes étaient capables de faire. L'indignation a changé de camp… Son fils, Harald, lui manque. Il est si loin ! Pourvu qu'on ne lui fasse pas de mal.

*

Rouge. Rouge cramoisi. Orange. Ocre de Sienne. Et tout ce bleu. Cet immense bleu impalpable d'en haut. La nuit va bientôt venir. Avec ses ordres. Ses râles. Le froid ennemi qui s'installe. Aimé profite de cette vision du ciel, le plus beau des spectacles, celui des matins et des soirs répétés, du soleil qui réchauffe, des chants de la nature, des trilles liquides du chardonneret, des miaulements longs de la buse. À l'air libre. Le nez au vent, accroupi, il s'emplit le crâne de prosodies radieuses, d'art brut, d'indices de vie avant que la nuit tombe. Il a toujours peur du noir. Un coup de sifflet résonne. Des soldats se mettent à crier :

« Debout ! Vite ! Debout. »

Il faut toujours faire vite. Il se déplie. Son genou craque. Il sent que son corps est tari. Normal que ses articulations peinent. Debout, il devine l'ombre d'un avion qui passe au-dessus de leurs têtes. Des cris, encore, des cris. Des tirs en l'air, pour rien. Il est trop loin. D'autres tirs claquent. Deux détenus ont dû s'endormir, ou crever de fatigue. Leurs corps traînent comme des échecs en marge des colonnes. Aimé les imagine criblés de petits trous morbides. Il fait nuit. Bientôt, on ne verra plus rien. L'avion s'éloigne.

Un bruit de roulement lourd déferle. Métallique. Les battants de la grange sont ouverts. Aimé fait partie des premiers pressés dedans. C'est plein de paille. Il en a jusqu'aux genoux. Ça empeste l'essence. Le foin lui colle jusqu'au mollet. Colonne après colonne, ils sont compactés à l'intérieur. Cent par cent. Des chutes. Des cris. Des mains qui cognent les murs pour éprouver leur résistance. Des regards qui courent après d'autres portes, des fenêtres, des issues. Aimé a repéré une ouverture au fond. Les détenus la bastonnent, tirent, poussent, cherchent une prise pour la mettre en pièces. Elle est fermée. Barricadée du dehors. Il tourne sur lui-même, cherche encore. En vain. Ils tournent et battent tous en vain. Ils savent qu'ils vont brûler.

Les soldats réduisent les deux battants de la porte principale. Des détenus leur sautent dessus pour forcer le passage. Les soldats vident leurs chargeurs à bout portant. Aimé se couvre les oreilles. La nuit est criblée de jaune, de rouge, du bout de leurs canons qui se vidangent de balles. Ses tympans sont à vif. Il se ramasse en boule, le front englué dans la paille. De l'essence plein la gueule. Les tirs cessent. Les chargeurs sont renouvelés et lui se redresse. Il a besoin de respirer. S'essuie et se badigeonne, malgré lui, encore plus d'essence à la face. Il retrouve cette femme et sa fille près du mur. Elle protège l'enfant. Les battants claquent dans son dos. Une vague de détenus se précipite. Ils grimpent les uns sur les autres, s'emmêlent, s'ascensionnent rageusement, glissent entre les planches des mains, des doigts, des ongles, des dents cassées peu sensibles aux échardes, et recommencent du bout des doigts abcédés contre le bois trop dur, à s'en retourner les ongles, et finalement s'esquintent et dérouillent, tous autant qu'ils sont, sur ces voliges robustes, chicanées de ferraille au goût acide et âcre. Certains y jettent leurs dernières forces de poings, de pieds, de têtes, d'épaules et de victimes balancées sur la porte dans l'espoir qu'elle cède. De l'autre côté, des crosses font leur entrée en scène et s'abattent sans prévenir sur les traînards, les épuisés qui ne se rendent plus compte de rien. Ils s'écroulent les uns sur les autres, les uns après les autres, dégringolent. Certains rescapés de l'hécatombe ont eu le temps de reculer. Les soldats ne ferment pas la porte. Qu'attendent-ils ? Aimé sent des coudes qui le poussent, des mains qui le tirent et des pieds qui l'écrasent. Il tient bon, mais d'autres sont piétinés.

Trois soldats s'avancent à coups de crosse. Un officier les suit. Il retrousse quelque chose. On dirait une cigarette. Il tire dessus une savoureuse bouffée, ferme les yeux, sourit, fige l'instant de son plaisir, puis la jette entre lui et eux, dans cet espace de foin qui sépare les maudits des bourreaux. Aimé est projeté à terre. On lui marche dessus. On hurle dans toutes les langues, de peur et de colère. Les cris de ceux qui sont debout et de ceux qui s'écrasent se confondent.

« Au feu ! Au feu ! »

Mais rien ne se produit.

Les trois soldats n'ont pas bougé.

Aimé trouve une prise sur une veste. Tire. Se relève. Il regarde, fasciné par cette mort qui leur tourne autour. Les soldats grattent d'autres allumettes et les noient dans la paille qui ne prend pas. Ils s'obstinent. Aimé sent les autres dans son dos qui s'agitent, ils s'avancent. La pression s'est inversée. Un groupe d'hommes saute sur les soldats et leurs boîtes d'allumettes. L'un d'eux se laisse prendre. Les détenus le déchirent comme une feuille de papier. Son uniforme est réduit en charpie. Sa ceinture vole en l'air. Son arme finit par changer de main et finalement retombe sous le tir de riposte de ses frères d'armes. Les soldats reculent, d'autres fusils se pointent le temps de fermer les battants.

Aimé sent la fumée. Des flammes s'immiscent entre les cadavres. C'est un brasier qui se met à lui brûler la gueule. Il tourne dans tous les sens. Bute sur les autres. Il tombe. Se relève. Tombe encore. Ses doigts brûlent, mais il se dit qu'il n'a pas le choix. Il alterne : main droite, main gauche et avance les doigts sur le visage pour protéger ses yeux.

Le feu grossit au cœur de cette prison de bois. Il est vif et bouffe le peu d'air respirable. Ses flammes font plus de quatre mètres de haut.

Si Aimé vit encore, si son cœur se cadence d'une prosodie acharnée, il ne se relève plus. Ce ne sont pas ses muscles qui se sont dérobés. Ça vient d'ailleurs. Comme un interrupteur. Il lâche de l'intérieur, la vie rompue, à genoux malgré lui. Il n'avait pas imaginé cette fin. Il avait vu des champs. Les champs de Moravie. Les fermes qu'il arpentait avec sa mère pour acheter du lait et faire du porte-à-porte pour vendre du fromage ou du beurre, de la crème… Il entend les cris des autres autour, des pleurs, des appels au secours. Il sait qu'un soldat a tiré sur la vitre d'une fenêtre. Mais il n'a pas vu la grenade exploser dans la grange. Des lambeaux de chair alentour, saigneux, pégueux, les corps trop exposés. Du sang répandu. Un plasma chaud. Âcre. Des échappées de vie, des lambeaux d'âmes, d'hommes et de femmes, et d'enfants. Des râles, puis un silence sidéré. Les nouveaux rescapés, étonnés de toujours respirer, de sentir cette pulsion de vie en eux, dans leur cage thoracique. Combien de temps encore ?

Les soldats vident leurs sacs à grenades. L'espoir est une folie. Ses mains sont collées à son visage. Son dos est à vif. Une tunique de Nessus. Mais il se fout de cette souffrance. De son derme brûlant. De ses vaisseaux crispés, recroquevillés par des milliards de connexions de nerfs. C'est la peur qui fait mal. La peur que la mort prenne son temps.

Une grappe d'hommes s'accroche au poteau de soutènement. Ils se franchissent, s'enjambent, s'écrasent, se haïssent et s'agrippent, hurlent pour chasser cette peur qui leur attaque les membres, cracher ce mal qui cherche à les engloutir. Il n'y a plus d'entraide, plus de fraternité. Un groupe d'êtres enragés.

Aimé agonise, le nez, la bouche collés au sol. Encore quelques inspirations. Pénibles. Il tousse à s'en crever la gorge. Il n'y a plus rien devant ses yeux. Il a été gaillard. Il a travaillé dur. Il laisse une femme, pas d'enfant, pas de dettes et Rocca, sa chienne, cadeau de son père. Aimé et les autres savent qu'ils vont mourir, tous les mille. Tous les anciens du camp et ceux qui les ont rejoints la veille.

Ensemble.

Il serre le poing. Il a passé vingt-huit mois, trois semaines et quatre jours en camp. Peut-être cinq. Oui. Cinq. Il a tenu longtemps pour un homme qu'on disait condamné d'avance. Mauvais poumons. Asthmatique. Il sent sa joue collée par terre. Il a mal. Ça passera. Il entend. Il devine. Pourquoi s'agitent-ils ? Ils n'ont donc pas compris. Il n'y a plus rien à espérer. C'est la fin. Il a fait ce qu'il a pu.

*

Aux alentours du Konzerthaus, les batteries antiaériennes scrutent le ciel, chatouillant les nuages pour qu'ils crachent leur secret, flirtant avec le moindre bout de nuit pour éluder les bombes. Un immeuble brûle sur la place. Des pompiers sont déployés. Une brise de printemps fait danser les flammes. Celle-ci n'est pas tombée loin. À un quart de seconde près…

Magda rajuste son feutre cloche. Six soldats dévalent les marches autour d'elle. Un officier lui donne le bras. Il y a toujours un médaillé pour lui donner le bras. Sa voiture s'avance. Son chauffeur sort pour lui ouvrir la porte. L'habitacle embaume le cuir noble et le bouquet de fleurs coupées de ce matin. Des rouges, des blanches. Ce n'est pas encore la saison des pivoines, ses fleurs préférées.

Elle rabat coquettement sa robe pour cacher ses cuisses de mère de famille lasse. L'officier, dont elle ignore tout, se penche à sa fenêtre. Comme un dealer de coin de rue, il s'inquiète de savoir si elle a «ce qu'il faut». Magda inspecte la poche de son manteau et montre la boursouflure formée par la capsule de poison.

«Et vos enfants ?»

Magda opine. Tout est en ordre. L'officier la salue et se dépêche de finir de perdre sa guerre. La berline redémarre. À l'arrière, Magda reste un moment le front collé à la vitre. Elle aime regarder la ville en contre-plongée. Elle a planqué une flasque dans le vide-poches cousu derrière le fauteuil du chauffeur. Elle est en cuir noir, presque vide.

«Ne fermez pas cette fenêtre ! dit-elle. Il fait si chaud ce soir, ne trouvez-vous pas ?»

Pendant que ce qui reste de la capitale défile sous ses yeux, elle croise les doigts. Il faudra tout reconstruire. Harald fera ça très bien.

Elle pense à son bonhomme de fils, si beau, si fort ! Si seulement il pouvait être là, près d'elle. Si seulement il n'y avait pas eu cette guerre. Il se tiendrait à côté d'elle, sa main dans la sienne. Ensemble, ils partageraient le ciel et les poèmes de Yeats :

Si seulement je pouvais prendre les broderies du ciel,
Ciselé de lumière d'or et d'argent,
Les voiles bleus et pâles et sombres
De la nuit et de la lumière et de la pénombre,
Je les étendrais sous tes pas :
Mais moi, qui suis si pauvre, je ne possède que mes
*   [rêves ;*
Je les ai répandus à tes pieds ;
Marche doucement, car tu marches sur mes rêves [1].

---

1. « He wishes for the cloths of heaven », W.B. Yeats, *The Wind Among the Reeds*, 1899.

2

Reste la nuit. Épaisse. Lourde. Vide à tous ceux qui ont peur, à ceux qui désespèrent, se trompent. Cette nuit est aussi pleine que les autres. Féconde. Mystérieuse. Imprévisible. Elle s'est insinuée de l'autre côté des murs. L'heure des souffles de vie. L'heure des silences.

Dans cette vaste grange se jouent les scènes d'une farce affreuse. Ses murs portent des ombres aux gestes répétitifs : bras écartés, chute, bras écartés… et les mitrailleuses lourdes crachent d'autres salves, au pif.

L'heure de Judah a sonné.

Le jeune homme est tiré du néant par un corps tombé sur lui. Bouillant. Infect. Inerte. Un dos avec des bras autour. Une tête lourde. Inutile. Bouche ouverte. Un corps nu. Tombé de la poutrelle, là-haut. Se lever. Respirer. Observer. Le jeune garçon se réveille et entend des chants polonais, tchèques, français. Les survivants comme lui fredonnent des airs lointains et *L'Internationale*. Ils chantent avant

qu'on les achève, blessés, souffrants, épuisés de survivre. Judah se tapit. Sans faire de bruit. Il inspire un
grand coup. Sans tousser. Voilà. Comme ça ! Ne pas
entendre les pleurs. Même pas mal ! Les flammes sont
raccourcies, les lueurs à l'intérieur s'estompent. Bientôt, il pourra tenter sa chance.

Deux autres silhouettes attendent. Judah devine
celle d'une enfant. À ses flancs, c'est la femme qui
s'est tournée vers lui, et l'observe au milieu du chaos.
Elle semble si calme. Elle murmure quelques mots à
l'oreille de la petite. Elles attendent quelque chose…
On dirait qu'elles ont un plan.

Judah entend les chiens rendus fous. Les soldats
rôdent dehors. Ils traquent les fuyards. Combien de
chiens ? Un. Deux. Peut-être trois. Ils clabaudent,
grognent, grattent, claquent leurs canines à vide et
labourent de leurs griffes les parois extérieures. Puis
les bêtes à fuyards se détendent et s'élancent à l'affût
d'une nouvelle proie. C'est le moment. Judah a repéré
une fracture entre deux planches. Il la palpe, éprouve
sa résistance. C'est jouable.

Le souvenir de sa mère lui redonne des forces.
Elle est restée chez eux, à Komarom. Son visage. Ses
mains. Ses paroles et ses caresses.

Judah se ravive. Lentement. Il sait que d'autres
attendent comme lui. Combien sont-ils ? Douze.
Treize. Quatorze. Non, treize. Celui-là est mort
debout. Ils se taisent. Tous écoutent le silence. Les
chiens ont dû se coucher sur leur proie. Dans la
grange en creux, il n'y a plus de gémissements. Ne

bruit que le crépitement des braises et du bois attaqué. Judah se rassemble, prend appui sur ses bras et fait rouler les corps massés au-dessus de lui. C'est si lourd. Une jonchée de cadavres enchevêtrés. Il s'étonne qu'un mort pèse si lourd, bien plus lourd qu'un vivant. Judah force pour filtrer l'air, épais, chargé de tout ce qui se dévore. Il ramène ses bras. L'homme qui l'entrave a le ventre creusé, les mains collées au visage. Quelque chose dépasse de sa veste. Judah se penche, le fouille et découvre un bout de cuir. Un rouleau. Comme un voleur, il scrute les environs. Croise le regard de la femme à l'enfant. Il brille. Elle l'a vu. Elle tourne la tête et parle encore à la petite. Il peut. Il a le droit. L'autre est mort. Il ne vole rien. Il n'a pas besoin de ce rouleau. C'est machinal. Il récupère. On ne sait jamais. Tout peut servir encore, tant qu'il a les mains libres.

Judah découvre une liasse de papiers gras, gondolés, inégaux et crasseux, puis la remballe. Il regardera plus tard, quand il sera dehors, à la lumière du jour. Il se lève et avance vers le mur. Il se faufile entre les corps. Il en écrase. Des voix s'élèvent et lui intiment de ne plus s'agiter. Judah passe outre et progresse vers la brèche. Il n'est pas le seul. Une voix d'homme lui intime l'ordre d'attendre. Il parle sans peur. Sa langue est celle des camps, un sabir de yiddish et d'allemand.

« Ils sont tout près. Je viens de les entendre. On sortira plus tard. »

Judah évalue le bois du mur. Il est sec. Pas très épais. Ses planches devraient céder. L'homme se rapproche de lui. Il a une pointe d'accent hongrois, comme lui. Il lui tend un morceau de tissu, un bout de veste arraché et imbibé d'essence.

« Frotte-toi avec.

— Pour échapper aux chiens ? » demande Judah.

L'œil de l'inconnu se vrille. Ils parlent la même langue.

« Vite ! »

Pendant que Judah s'exécute, il se détend et dit qu'il s'appelle Miroslav, qu'il vient de Pécs, à l'ouest du Danube, qu'il est avec deux autres Hongrois et un Polonais. Ses acolytes sortent de l'ombre. Ils étaient devant lui quand ils ont traversé la forêt. Miroslav est le plus grand des quatre. Il a de beaux restes avec ses larges épaules. Un physique de leader.

« On sortira dès que ça canardera, dit-il. On profitera du bruit. »

Judah n'a que quinze ans. C'est un jeune homme. Dans le camp, il a tenu grâce à son père. C'est lui qui lui disait ce qu'il devait faire, comment survivre, boire lentement, voler, se taire, comment courber l'échine pour absorber les coups, comment ménager ses forces en évitant les gros travaux. Il valait mieux prendre un coup de fouet plutôt que de se faire embrigader pour les travaux de terrassement. Beaucoup étaient morts à la tâche. Mais il est mort, son père. La maladie du plomb lui a pris la raison, puis les muscles et son dernier souffle. Judah a survécu sans lui, plus méfiant, plus résistant sous le fouet, à n'écouter personne. Pas même ses codétenus, capables de l'envoyer au mal pour gagner quelques jours. La lutte pour la survie est un combat contre tous. Ce n'est pas une guerre. Ce n'est pas une bataille. La lutte pour la survie est un spectre total. Mais ce soir, il s'est glissé dans l'ombre de ce meneur. Le nombre dissipera les chiens.

Une chouette hulule.

Judah relève la tête vers un demi-corps suspendu au-dessus. Les pieds, les jambes, une moitié de torse pendeloquent à trois mètres du sol. Le reste a disparu de l'autre côté de la lucarne. Pantin lamentable.

Dehors, des bruits de pas, une course, des tirs, et des soldats qui hurlent en allemand comme si c'étaient eux les traqués. C'est le moment que Miroslav et ses hommes attendaient. Judah et le grand Polonais tirent un coup sec sur la planche et en arrachent un morceau long comme le bras. Ils ont créé un passage assez large. Miroslav les pousse vers l'extérieur en rappelant ses consignes.

« Courez jusqu'au ruisseau, dit-il. Ne vous retournez pas ! On se retrouve là-bas, aux rochers. »

C'est son tour. Judah se faufile. Sa chaussure accroche la paroi. Il force. La perd. S'expose un instant le temps de la ramasser et se lance à toutes jambes. Maintenant. L'appel. La chance. Gêné par ce pied nu et sa chaussure en pogne, Judah file aussi droit que possible. Il étouffe la douleur de ses poumons mis à l'épreuve. Il a la gueule ouverte, inspirant, expirant, inspirant sans que ses lèvres se touchent, sans que ses cordes vocales s'en mêlent, grande ouverte, toute grande ouverte… Vite. S'accrocher. Ne pas tomber.

Ne pas se retourner. Droit devant. C'est un miracle. Il y croit. Il puise tout au bout de ses jambes, des muscles de ses cuisses qui brûlent, des articulations de ses chevilles qui encaissent une surface retorse, tour à tour creuse et pleine, dure et molle, selon le tassement de la terre. Son pied nu glisse sur des bouts de terre amalgamée, des débris de feuilles, d'herbes, des racines à peine saillantes et des tiges qui crèvent au passage la plante à vif de ses pieds. Judah brûle. Des poumons, des muscles, de la pointe des pieds. Il poursuit. Il s'obnubile. Ne compte que cette masse noire devant, à deux cents mètres. La forêt de Miroslav. Il y est presque. Il oublie les balles maladroites qui lui courent derrière, ricochant sur la terre. L'une d'elles bourdonne près de son oreille. Il fait une embardée et redresse sa course dans le couloir de sprint qu'il vient de se figurer, droit vers les masses d'arbres.

Plus que quelques foulées, se dit-il. Il vise les arbres. Ils sont larges. Épais. Leurs troncs le protégeront des tirs allemands. Toutes ces balles qui filent ! Ces plombs brûlants ! Ces déchirures ! Les blessures ! Et le sang ! Il vient de rattraper une ombre. Un bras se tend vers lui.

« Courez sans vous retourner », avait prescrit Miroslav.

Judah évite les doigts de l'homme qui cherche à l'agripper. Le malheureux a été maté net par le craquement de sa cheville. Ligament arraché. Judah ralentit, et entend le sifflement d'une minuscule pointe de cuivre qui s'enfonce dans le dos de l'homme. Son bras retombe. Judah prend conscience qu'il a mal, vise la masse noire et reprend sa course. Pas longtemps. Quelques mètres. Sa cuisse gauche est fauchée. Il n'a pas le temps de penser, s'effondre, cherche la cause. Pas de chien. Aucune odeur de sang. Mais une douleur diffuse qui vient de l'intérieur. Une crampe. Rien de grave. Il roule sur le côté. Un rescapé le double. Puis un autre. Aucun ne s'est arrêté. Sa crampe va passer. Il s'allonge de tout son long pour éviter de faire cible. Un infime renflement de terre le protège. Il sait comment s'y prendre pour faire disparaître cette crampe. Il en a eu d'autres au football.

Trois fois par an, les Hongrois de Komarom jouaient contre les Slovaques d'en face, ceux de Komarno, la ville située de l'autre côté du pont. Judah faisait partie de l'équipe des Ours de Komarom. Un jour, les Ours étaient menés. Deux à rien. Il ne restait plus que dix minutes de jeu. Le jeune Hongrois jouait avant, centre, attaquant, ailier. L'entraîneur de l'équipe n'arrêtait pas de revoir tout son dispositif d'attaque. Judah donnait tout pour l'équipe sous les yeux de son père, perché dans les tribunes. Cela faisait des lustres que les deux villes frontalières s'affrontaient dans le stade, situé à mi-chemin. Sur un tir plein cadre qui manqua de réduire la marque, Judah s'était retrouvé à terre, paralysé par une douleur pointue. Son entraîneur avait traversé le terrain. En appuyant sur ses orteils, jambe tendue, il était parvenu à l'effacer. Et le joueur vedette de l'équipe des Ours s'était remis à galoper d'avant en arrière, défenseurattaquant. L'équipe avait perdu le match, mais lui avait gagné ses galons de capitaine. Comme son père.

Ce soir, cinq ou six ans plus tard, Judah n'a plus de clous aux semelles. Il est allongé au milieu de cette nuit de fuite. Il tend sa jambe. Il l'étire. Il tire sur ses orteils à nu et parvient à effacer sa crampe. Il se chausse, se relève, fait quelques pas et parvient à l'orée du bois. Les soldats n'ont pas apprécié cette série d'évasions. À l'abri de son tronc, Judah voit au loin les gerbes des lance-flammes. Ils se vengent. Il n'y aura plus de fuyards. L'incendie reprend vite. Il avale la charpente et le toit. Les anciennes poutres de soutènement. Il balance vers le ciel des bouts de nacre rouge et rose, des myriades d'éclats luminescents, réduction symbolique de toutes les âmes restées dessous. Un feu de sacrifiés.

Les chants ont cessé, désormais. Le cul collé à son tronc d'arbre, occupé à débarrasser son pied de tout un tas d'épines, d'aiguillons, de petits cailloux, Judah imagine les derniers instants de ceux qui sont restés dedans.

Le halo du brasier s'affaisse petit à petit. De vagues silhouettes prospectent pour d'autres chasses à l'homme. Elles portent des uniformes neufs. Comme les yeux de Judah s'habituent à cette étrange nuit, alternant ombres et éclairs, il reconnaît un détenu de son block. Sa démarche syncopée, balançant l'épaule gauche en même temps que le pied gauche, ses grandes oreilles très décollées. Il a troqué sa veste rayée contre l'uniforme des soldats, le vert-de-gris de ceux qui avaient tué sa femme au village, avant, quand il avait une vie. Il en parlait souvent, au block, de sa femme, tuée dans un raid allemand. Ce soir, il a chaussé leurs bottes, enfilé leur veste, arbore leur cartouchière à l'épaule. De loin, Judah devine qu'il a remonté ses manches pour s'acquitter de sa tâche, comme bien d'autres avant lui. Il tient en joue deux types à moitié réchappés. Les jambes coincées sous la paroi de la grange. La tête et les épaules sorties. Ils s'extraient, s'agenouillent, lèvent les mains et supplient. Il vide son chargeur, comme si cela allait de soi. Il course d'autres rampants, crachant, expectorant à chaque coup de feu d'autres « *Kurwa ! Kurwa*[1] *!* » comme pour s'en rédimer.

Judah serre ses poings. L'écorce du tronc lui fait mal au dos. Dans les boyaux de Neu-Dachs, il en a vu, des Juifs, des témoins de Jéhovah, des communistes, des fous, des criminels, polonais ou allemands, bastonner d'autres comme eux, de toutes leurs forces, les contraindre à creuser contre l'espoir d'être libérés plus tôt, avant les autres. Ceux qui passaient ce pacte arboraient une croix rouge, peinte dans leur dos, sur leur veste à rayures. Le pire, le plus redoutable d'entre eux, s'appelait Olejak. Il portait des éperons et tuait à coups de botte. Rapide et froid.

Judah traverse la forêt. Des peupliers, des trembles longilignes, agiles, aux fines branches ramassées. Il en

---

1. « Putain ! Putain ! » en polonais.

poussait partout chez lui, des blancs, des gris aussi. Il reconnaît leurs troncs jeunes et lisses. Une lune joue à cache-cache dans les arbres et fait briller les frondaisons. Il fait plus doux, enfin, ce soir d'avril.

La forêt de Gardelegen s'étend sur une cinquantaine d'hectares. Judah avait lu les panneaux, en descendant du train. Roxförde, Burgstall. Il était à quelques centaines de kilomètres de chez lui, de Komarom.

En suivant la déclivité, il parvient au ruisseau. Le point de ralliement. Cela fait des mois qu'il n'a pas bu à sa soif. Il s'accroupit, joint les mains. Sa cuisse est encore douloureuse. Il s'installe à croupetons pour délier son muscle. Sur une pierre aplanie, à l'écart, il pose le rouleau de cuir. Grâce aux reflets de la lune, il devine des feuilles manuscrites, peut-être des lettres, puis savoure cette eau fraîche. Légère, presque frivole. Elle est chargée de minéralité. À peine herbeuse. Il fait rouler des gorgées d'eau entre son palais et sa langue. Il s'asperge le visage, se retourne, fait couler de l'eau sur sa nuque. Depuis qu'il a évacué le camp, Judah s'est desséché. Dans le train d'abord, pendant ce long trajet. Puis pendant l'interminable marche à la sortie de la gare. Il a passé des cadrans d'heures sous un ciel sans pitié, chaud et sec. Les colonnes ont soulevé des tonnes de poussière. La poudre fine des sentiers s'est insinuée partout, dans les oreilles, les yeux, les muqueuses.

Il écarte les pans de sa veste et s'asperge le torse, les épaules, les omoplates et les bras, la gorge, la nuque encore, les reins encore.

Judah boudine son pantalon au-dessus de ses mollets, se lave les pieds, doucement, pourvu que l'instant dure. Judah a une petite chance de retrouver sa maison, sa maman. L'eau du torrent se faufile entre ses doigts de pied. Qu'il lui semble loin maintenant le temps du froid, des nuits d'appel, debout, sans bouger un orteil, pas une once de sa chair, quand il faisait moins dix, un froid de mort, parfois moins quinze degrés, frissonnant de tout son long à s'en casser les dents, à souder chaque pièce de lui, à faire bloc pour affronter l'air glacé qui ne demandait qu'à se glisser dans le moindre recoin de lui. Puis il fallait y retourner, descendre dans la mine, accroché au chariot, et cracher sur ses mains pour qu'elles n'y restent pas collées. Judah a survécu à l'hiver impitoyable des montagnes silésiennes.

En amont du ruisseau, une silhouette s'accroupit. Il pense d'abord à une vieille femme, avec ses épaules pointues et sa façon de vaciller sur ses jambes. Elle cherche l'équilibre. Mais ses gestes sont rapides. Ses mains vont et viennent du ruisseau à la bouche. Judah ferme sa chemise et s'approche.

La vieille, qui n'est pas si vieille, est la femme de la grange. Celle qu'il a vue s'échapper par l'étroite brèche dans le mur. Il remarque la petite près d'elle.

Est-ce qu'elles ont vu d'autres rescapés ?

La femme pointe un lieu situé plus haut. Judah pense à Miroslav et se rassure. Elle se remet à boire.

Qu'il patiente, elle va le guider. La petite porte

une veste grise et des cheveux en arrière, comme une queue de rat coupée court. Judah lui donne trois ans. Peut-être quatre, à peine. On lui avait soutenu que des enfants vivaient en camp. Des femmes y accouchaient, pleines de leur vie d'avant. D'autres devenaient grosses. Il y avait beaucoup de viols. Mais très peu survivaient aux excès de travail, de mauvais coups, de mépris, au manque de tout, de nourriture, de sommeil et d'espoir, et aux fausses couches.

La petite miraculée calque ses gestes sur ceux de sa mère, buvant au même rythme qu'elle, s'aspergeant le visage, puis les bras dans une chorégraphie impeccable. Le front. Les cheveux. La petite a un corps d'enfant et des mouvements d'adulte. Elle a des yeux de panda, écarquillés. Une tache lie-de-vin lui barre le front jusqu'à l'arête du nez.

Judah scrute l'horizon.

La femme frotte une nouvelle fois ses jambes. Dans le même mouvement, elles se relèvent.

Et lorsqu'il tend la main vers la fillette, celle-ci s'esquive et le tient en respect. Judah remballe ses tendresses. La mère marche lentement. Elle traîne la jambe. Judah les suit.

«Comment t'appelles-tu ?» demande-t-il en yiddish.

Elle se racle la gorge. Judah reformule sa question, en allemand cette fois.

«Comment vous appelez-vous ?»

La femme hésite.

«Moi, je m'appelle Judah.»

Elle maugrée.

En équilibre sur les cailloux, la fillette derrière elle, la femme répond qu'il n'a qu'à l'appeler comme il veut, et la prendre pour ce qu'il veut. Ça lui est bien égal. Les hommes, les autres, lui ont donné tout un tas de noms. Quant à Dieu, ses protégés, ses saints ou ses prophètes, elle n'en a plus rien à foutre.

« Tu as de la chance, poursuit-elle, essoufflée par ce balancement du torse qui pondère sa jambe folle. Tu es un homme. Les hommes ne changent jamais de nom. Mon nom n'existe plus. Je l'ai perdu depuis long-temps. »

Une cabane est en vue.

« Ça doit être là », dit-elle.

Les derniers mètres sont les plus durs pour elle. Il faut gravir un monticule, ses pieds glissent, elle manque ses prises et son visage se tord. Judah vou-drait l'aider.

« Courage, on y est presque », dit-il.

Elle parvient à se hisser près de lui, en haut du bloc de pierre. La petite les rejoint sans peine.

« Et votre fille ? demande-t-il.

— Quelle fille ? Je n'ai pas d'enfant, ment-elle. Il n'y a pas d'enfant, c'est compris ? »

Judah est désemparé. Il la trouve jolie, cette femme, avec ses yeux brun d'algues et ses pommettes hautes. Elle a les yeux écartés. Un nez fin et busqué par des mauvais coups, sans doute. Un peu étrange, mais jolie.

Judah s'excuse. Il n'a pas l'habitude des femmes.

3

«Vous aurez une vie de reine et puis… et puis… Mais qu'est-ce que c'est… ?»

La vieille cartomancienne s'était rejetée en arrière, levant des yeux de folle.

«Non ! Non… c'est affreux !»

Magda rumine le souvenir de cette sorcière arc-boutée sur sa cyphose.

«C'est affreux ! Non… Partez, partez !» ordonna-t-elle en plaquant ses deux mains dans le dos de Magda, pour se débarrasser d'elle et de tout ce qu'elle charriait. C'était il y a trente ans.

Magda était jeune fille, une tête pleine de mèches blondes et un quotidien maigre. Elle habitait deux étages au-dessus, logée par les services sociaux dans un immeuble sans charme de la Hohenzollernstrasse. Berlin était convalescent. C'était après la guerre, la Première Guerre mondiale.

Magda passa dix fois par jour devant le palier de la médisante. Sa porte restait close. On n'entendait plus un souffle, plus le moindre bruit, plus de badauds ni de clients tentés par l'aventure, la lecture de leurs mains ou des cartes de tarot. Tout se passait comme si la pythonisse avec ses airs lugubres de crapaud rabougri, carrée, les cheveux courts et blanc jauni, s'était calfeutrée derrière sa porte.

Un hiver, la voyante du second disparut. Elle avait fui pour de bon, loin de Berlin et de ce qui s'y tramait contre les gens comme elle.

Une grande guerre plus tard, Magda a perdu le sommeil. Cette fois, elle sait qu'elle va devoir renoncer aux floraisons qui viennent, aux pommiers de son jardin, aux grappes de lilas, aux fleurs de jasmin qu'elle cueillait avant l'aube quand elles embaument le plus. Le jasmin ! Magda prête à cette fleur, que les femmes de Damas, de Shanghai ou du Tamil Nadu cultivent depuis des siècles, des vertus lénifiantes.

Les immeubles de la ville dégoulinent de fuites. Les toits laissent passer tout ce qui tombe du ciel. Berlin n'a plus de cinémas, ni de théâtres, ni de salons cossus. La ville est ciblée par les bombes au phosphore et les vols en rase-mottes, toujours plus près du centre, de sa maison, de sa chambre, de son oreiller qu'elle enroule autour de sa tête pour gommer les bruits qui tombent du ciel… Elle dort tout habillée. Elle se coiffe, sort de sa chambre, longe le couloir désert et quitte la promesse de ce nouveau printemps pour son dernier refuge.

Derrière la vitre de sa berline sans pavois, trivialisée, l'aide de camp de Magda se fraye un chemin entre

les éboulis, les gravats et les rares civils qui traversent
çà et là. Ceux qui n'ont pas pu fuir. Il roule au pas.
Ça l'agace. Il évite chaque écueil. Il prend soin de la
voiture. Il évite les rayures, protège son dernier jeu de
pneumatiques.

« Quelle importance ? » pense-t-elle. Cette voiture
de fonction n'aura plus de fonction, bientôt. Alors, à
quoi bon ? Au volant, Magda aurait roulé plus vite,
droit. Elle serait déjà arrivée. Elle a toujours été
pressée. Happée par l'horizon. Si ambitieuse. Mais
aujourd'hui, elle file vers un cul-de-sac. Pour la première fois de sa vie, elle n'a plus le choix.

Ils approchent de la nouvelle chancellerie. Ce bâtiment est un monstre d'orgueil. Un bloc. Marbreux.
Écrasant. Pensé pour réduire chacun de ses visiteurs.
Pour accéder au bureau du chancelier, il faut emprun-
ter une galerie deux fois plus longue que la galerie des
Glaces, à Versailles. Son sol est en marbre poli, luisant, dépourvu du moindre tapis, de la moindre aspé-
rité afin de rappeler aux visiteurs que tout équilibre
reste instable, que le sol peut toujours se dérober sous
les pieds du plus fort. Cette nouvelle chancellerie a
été la grande œuvre de son bon ami Speer. Construite
pour surpasser Notre-Dame de Paris, faire la nique
à la belle cathédrale, et durer plus de mille ans. Elle
se retrouve, désormais, sous le feu continu de la moitié des armées du monde, bien décidées à réduire en
charpie le rêve de Speer et de son maître.

La berline s'arrête. Les murs du bâtiment sont

taraudés. Le jardin, un champ de ruines où se déglinguent des racines à découvert et une pelouse cuite par le phosphore, le soufre, le salpêtre, la pentrite et le plastic. L'aide de camp coupe le moteur, déverrouille la portière arrière et invite Magda à le suivre. Il connaît les lieux. Il file droit vers une étrange guérite, un téton de béton dressé dans un coin du jardin.

« C'est l'entrée ? »

Une sorte de colombier, sans grandeur, presque rural.

Il doit y être. Son mari aussi, avec leurs six enfants. Magda rassemble ses chevilles sur la dalle de l'entrée. Deux soldats bien dressés saluent la femme la plus célèbre du monde. Elle pense encore à la vieille folle qui prédisait : « Une vie de reine, et puis, et puis… » Elle en est là. L'instant de l'abîme.

Quelques marches, un gouffre, puis un couloir qui s'enfonce dans le noir. Devant cet escalier, elle est transie de froid. Son ventre se bile. Elle doit prendre appui.

« Madame ? »

Plonger dans ce bunker. Se résoudre à la fin et se défaire de tout, tout ce qui avait fait d'elle une grande dame, respectée, exaltée, prise pour modèle par des millions de femmes. Magda n'aura plus de printemps, ni de villa, ni de jardin, ni de jasmin.

« Madame ? » s'inquiète son aide de camp.

Que veut-il ? Qu'elle lui déballe tout à trac ce qui lui glace les sangs, ce qui l'encombre, qu'elle lui dépaquette ses angoisses ? Cela fait si longtemps qu'elle ne s'est pas livrée. Magda voudrait ravoir sa dignité. Elle se reprend, s'avance vers la gueule sépulcrale et le chasse d'un coup de coude. Qu'il se taise, ce gobe-mouches tout juste capable d'ouvrir une porte ou de tenir un manteau ! Si par miracle il s'en sortait, il pourrait faire le groom, le chef de rang ou le gigolo… Il a bien le physique et les manières qu'il faut… Les aides de camp sont des loufiats à qui on a prêté une arme. Elle déteste les serveurs. Elle déteste les livrées. Elle abomine ceux qui vivent au pourboire, à la *dringuelle*, comme ils disaient à Bruxelles.

La gloire l'a portée quinze années durant. C'est long, quinze ans. Elle s'y est habituée.

Dans le réduit de béton, il règne un silence de messe dite. Des murmures, des voix étouffées, la peur épaisse. Ses talons sondent les lieux. Une preuve de vie. Les réfugiés du bunker se cachent. Le bruit est leur premier ennemi.

Elle refuse le bras de son aide de camp, la bouche trop sèche pour cracher toute sa mésestime. Son corps s'en charge. Elle accélère. Le pauvre reste trois pas en retrait. Au milieu du couloir, des tapis sont répandus. Ce bunker est une planque, un refuge secret. Plus bas, Magda devine l'odeur du thé. Adolf ne boit plus que ça. Elle sent aussi l'encaustique des meubles rapatriés d'urgence et passe devant une cuisine, une pièce avec six lits superposés, un couloir qui s'étire et d'autres portes. Elle est surprise par une volée de soldats courant vers la sortie. Elle reprend sa descente. Ils sont tous là, les derniers figurants de ce qui reste du Reich.

Une explosion retentit. On l'entend malgré les mètres de béton, assourdie par ces milliers de tonnes de terre qui les protègent des labours en surface. Un grondement venu de loin, mais clair. Magda pose sa main sur son ventre pour calmer de nouveaux spasmes. Elle a ce qu'il faut. Ses pilules. Dans l'une des douze valises envoyées avant elle. Elle se caresse le ventre et croise quatre autres soldats, le cou ceinturé de cartouches. Des têtes de roquettes dépassent de leurs sacs. L'un d'entre eux, sans doute leur chef, fait éclater le silence de rigueur pour claquer les talons et salue, avec l'accent pointu et un « rrr » de fond de glotte. Magda décrypte son profil, bourbonien, grosses lunettes, une brochette de médailles franco-allemandes : croix de guerre, croix de fer, croix de chevalier, et, plus que toutes ces fantaisies, l'impatience affichée d'en découdre. Elle a remarqué ça, dans l'œil de certains hommes. La hâte de retourner se battre, le plaisir de la guerre. Une excitation de gosse. L'œil gourmand du chien d'attaque. Magda se colle au mur pour céder le passage.

« Des Français ! précise l'aide de camp. Ils tiennent la place là-haut. Ils sont féroces. Ce sont des loups ! »

On ne lui parle que de ça, des loups, des aigles, de l'audace et de la vaillance, ressassées à outrance. C'est le printemps là-haut, tout va germer de nouveau et elle souffle de la buée. Elle a la chair de poule. Dans ce couloir étriqué, elle doit marcher sans faire de bruit,

les chaussures à la main. Elle a les oreilles qui bour-
donnent. Elle croise la chienne Blondi et cette grande
gigue d'Eva qui joue les hôtesses de couloir.

L'aide désigne une pièce:

«Le bureau de votre mari.

— Et ma chambre? s'inquiète-t-elle.

— Vous êtes plus haut. On est passés devant tout
à l'heure. Votre chambre est près de l'entrée, à côté
de celle de vos enfants. À deux pas de la cuisine, c'est
pratique.

— Très pratique», laisse-t-elle tomber en faisant
demi-tour. Elle n'a que faire de cette visite guidée. Elle
a le temps. Des jours. Peut-être des semaines. Prendre
son mal en patience, le tromper, lui faire faux bond.
Elle a à faire. Elle veut se parer pour la fin. L'une de
ses malles contient des dizaines de livres, ses pilules
et des jeux de cartes pour les parties de patience, de
solitude et de chance.

Sa chambre mesure cinq pas de côté sur six ou sept
de long. Pour déguiser les concrétions du mur, des
tableaux ont été accrochés, des pastels, des sanguines
et des huiles admirables. Des bougeoirs de piano sont
fixés au mur. Le sol est recouvert d'un plancher et de
tapis divers. Elle retrouve sa coiffeuse, son armoire
laquée noire, ses malles empilées et un lit, simple. Sa
table de chevet et une pile d'une dizaine de livres. À
portée de main. Dans le miroir, elle croise son reflet
châtain clair. Magda rajuste son chignon du plat de
la main. Elle plisse ses yeux gris d'orage. Elle est un

peu cernée. Redresse et gonfle sa poitrine, teutonique.
Elle n'a jamais été la plus belle femme du pays, mais
elle a de l'allure. Une beauté hors d'âge, imperméable.
Magda se plaît encore. Elle lisse son tailleur sur ses
hanches. Elle a porté beaucoup d'enfants. Sept en
tout : Harald, Helga, Hildegarde, Helmut, Holdine,
Hedwig, Heidrun. Les prénoms des six derniers commencent par un « h », à la gloire de ce régime qui a fait
d'elle une grande dame. Celui aussi de Harald, son
aîné, né quand rien n'était encore, avant le putsch de
la Brasserie, avant les premiers faits divers qui feraient
parler d'eux. Ses enfants servent la grande cause. La
sienne, bien sûr, mais aussi celle de l'Allemagne tout
entière. Ils seront sacrifiés. Ils tomberont avec elle.
Mais s'il devait n'en rester qu'un, ce serait Harald, le
premier. Harald a tout vécu près d'elle.

Le dortoir des enfants est à côté. Ils ont fermé leur
porte pour jouer avec Blondi, la chienne, et son chiot.
Ils se passent une balle pour faire tourner les chiens.
La vieille chienne salive. Elle la veut, cette balle ! Elle
manque déjà d'exercice. Les cinq filles de Magda
portent des jupes blanc et bleu. Le garçon, Helmut,
est en pantalon gris. Ils portent tous des souliers bien
cirés. Magda y tient beaucoup. Elle veut leur éviter sa
souffrance passée.

Au pensionnat de Vilvoorde, Magda portait la
blouse, se tenait droite, pesait ses mots et récitait ses
prières, comme toutes les autres gamines. Pareille aux
autres. Presque. Ses chaussures la trahissaient. Du
mauvais cuir, du cuir bouilli. Celles des autres pen-

sionnaires étaient toujours cirées, en bon cuir, ou vernies pour les plus riches.

La honte de Magda naquit à ses extrémités. Petit à petit, elle finit par la gagner tout entière. Constitutive, enchevillée, envahissante, elle lui fit courber l'échine, baisser les yeux, le ton, la voix, l'orgueil. Comme sa mère, Auguste.

Sous ce prénom trop grand pour elle, sa mère faisait la bonne à tout : faire les chambres, faire la cuisine, faire les sols et les fenêtres, faire l'argenterie, faire comme si de rien n'était, faire comme si cela allait de soi de se faire prendre en levrette par le patron, en soubrette, au gré des jours, de ses pulsions, de ses humeurs.

« Sachez, ma bonne, qu'il faut que ça brille ! » répétait son patron.

La bonne se soumettait à lui ainsi qu'à sa maison bourgeoise de la Bülowstrasse. Quelquefois, elle sortait. Traînait seule dans les bars. Suivait le grand brun qui l'avait fait rire. Revenait tôt pour être présente à la tâche. De bon matin. Ressortait quand le patron n'avait plus envie d'elle. Croisait un regard bienveillant, finissait dans ses bras. Repartait. Son petit pécule en poche, elle allait faire la belle du côté des boutiques. Reprenait sa tâche, travailleuse. Une vie au ras de la vie des autres. Joli petit brin de femme, réduite à l'affaissement d'elle, docile et dominée, fille facile, cuisse légère, son patron et les hommes l'aimaient bien, cette Auguste. Jusqu'à ce qu'elle tombe enceinte. Elle garda le secret. Quelques mois. Quand son patron comprit, il s'affola et la chassa d'emblée. Quelques mois. Se ravisa. Pris de remords, il la fit revenir, l'épousa, sans reconnaître l'enfant. Ils divorcèrent. Auguste décrochait une pension, de quoi vivre sa vie et envoyer sa fille à Vilvoorde, chez les sœurs.

Magda se souvient d'un quai, gris, triste, comme la chambre de ce bunker. Le jour de son départ, sa mère avait accroché une pancarte à son cou. Elle pleurait en écrivant son nom pour que les sœurs la trouvent à sa descente du train. Auguste bafouillait en disant qu'elle l'aimait. Elle l'embrassait et s'excusait, elle n'avait pas le choix. Magda garde en tête l'odeur des doigts de sa mère qui sentaient fort la petite monnaie, la ferraille à vil prix de ceux qui n'ont que cela en poche. Magda ne comprenait pas. Auguste la fit monter, l'installa sur un banc près de la vitre et repartit. La gamine se retrouva dans le roulis d'un train lancé vers la Belgique, embringuée dans une cabine pleine d'inconnus qui zieutaient sa pancarte, sa petite valise et sa bouteille de lait. Depuis ce jour-là, Magda voyage toujours côté fenêtre, le front contre la vitre, pour voir le paysage défiler en contre-plongée. Un quai plus loin, à Bruxelles, deux soutanes l'accueillirent en français. Comme Magda n'y entendait rien, la plus longue se contenta de lui adresser un gros sourire. Magda s'accrocha à sa manche et se laissa conduire. À Vilvoorde, elle découvrit un lieu morne au ciel bas, pieux, à portée de main du Seigneur. Magda est née Maria Magdalena, comme la putain dans la Bible, la pute du roi des Juifs. Elle a vu le jour à Berlin, avec le siècle, d'une mère bonne et légère et d'un emboîtement douteux. Une fille dite naturelle. Non reconnue. Élevée par des ursulines belges. Très vite, les religieuses la surnommèrent Magda pour éviter les rires, et les moqueries aiguisées par ce nom lourd à porter et par ses nippes de pauvre.

Le pensionnat s'articulait autour d'une trinité de granges grises : le dortoir des sœurs, celui des filles comme elle et le dernier, plus petit, aux fenêtres rares et barrées, pour les simples d'esprit. Toutes les ouvertures étaient tournées vers la cour en gravier.

Ici, Magda avait beaucoup de sœurs et une mère supérieure. Mais pas d'amie. Aucune. Les autres pensionnaires l'évitèrent d'emblée. Un matelas à vieux ressorts au milieu du dortoir. Une chaise en guise de chevet et une bible pour confesse. Pendant ses années d'internat, Magda se leva aux aurores, récita des prières, étudia, un peu, apprenant le français, plutôt bien. Au coucher, elle priait de nouveau, debout, à genoux, les mains jointes sur son matelas, parmi les autres petites filles comme elle, pensionnaires, réduites à leur portion de prière, d'une voix, d'une même voix qui les rendait toutes anonymes.

La première fois que sa mère lui rendit visite, elle n'avait que ça en tête : s'assurer que Magda savait ses prières, son catéchisme, qu'elle croyait fort en Dieu. Auguste s'installa au premier rang de l'église le jour de sa bénédiction, radieuse, augmentée de quelque chose qui ressemblait à du soulagement. Elle tirait un antidote étrange de sa petite fille en aube, croix de bois au cou, les mains bien jointes. Quand la cérémonie fut terminée, elle s'empressa de baiser les mains de la mère supérieure, puis elle sauta dans le train, laissant sa fille aux sœurs.

Magda garda la même place au dortoir. Somnolente les hivers et songeuse au printemps. L'été, elle ratissait le gravier de la cour pendant de longues heures, pour absorber la pluie, pour dessiner des cercles, des spires, des enroulements de têtes et d'yeux. Elle aimait ces dessins et le bruit des graviers passés sous les dents métalliques du râteau. Quand il fallait le ranger au fond de la remise, elle collait aux sandales de la mère supérieure, glanant quelques mots, un petit peu d'attention. La pauvre femme avait tant de choses à faire. Il y avait le jardin, les commandes à passer, les fournitures scolaires, les programmes à établir, les impayés à recouvrir et de l'argent à récolter chez les bonnes âmes. Magda recevait peu de lettres. Un colis de temps en temps. Sa mère ne savait pas écrire. Magda ignorait presque tout d'elle. Mais chaque soir, dans ses prières, elle se jurait qu'elle serait différente, qu'elle porterait de beaux souliers, puis de belles robes, que son mari ferait la pluie et le beau temps, que des jardiniers passeraient le râteau chez elle et qu'elle n'aurait plus jamais à partager sa chambre, qu'il n'y aurait plus de promiscuité, de pensionnaires, qu'elle pourrait se coucher à pas d'heure, et se lever très tard, qu'il n'y aurait plus de matines, de laudes, de primes ou de vêpres, qu'il n'y aurait plus de cloches et de timbales, de carillon, de couvre-feu, d'angélus.

Les murs du bunker la rappellent.

Baaamm !

Magda est seule dans cette cellule de béton.

Baaamm !

L'aide de camp lui propose de déplacer ses malles. Ses enfants jouent à côté. Elle n'a pas faim.

« Quelle heure est-il ? »

Elle ne sait plus. Elle est désorientée. Et ça bourdonne encore. Elle ne prie plus. Elle n'y croit plus, mais autour d'elle, dans cette chambre, ça résonne et ça gronde. Eux chuchotent, se tassent, étouffent, attendent.

Baaamm !

Ce sont les orgues de Staline.

« Ce diable de rouge ! » lâche l'aide de camp.

Comment cette guerre a-t-elle pu leur échapper ? Tout allait tellement bien. Magda avait chassé ses doutes. Plus d'ombre, de menace larvée. Magda s'était hissée sur des montagnes de certitudes, comme Speer et ses palais du Reich. Elle était devenue grande, hors de portée d'Auguste et loin des croche-pieds du sort.

Baaammm. Baaammm.

On frappait à la porte, interrompant la classe.

« Marie-Madeleine Behrend ? »

Magda reboucha son stylo et suivit sœur Mathilde dans le couloir. La sœur lui redressa le col, tira un peu sur sa jupe d'uniforme et passa le doigt sur sa langue pour effacer cette tache qu'elle avait sur la joue.

59

Magda reconnut sa mère, à l'entrée. Elle sentit son cœur se serrer, rien que d'entendre son nom : Auguste Behrend, et tant pis si elle manquait de manières, si cela ne se faisait pas de débarquer comme ça. Elle était impatiente. De l'autre côté de la baie vitrée qui donnait sur l'accueil, Magda tournait la tête dans tous les sens pour voir le plus d'elle possible.

« Arrête de te tortiller ! J'y arrive pas ! » dit la sœur, qui s'échinait encore à effacer la tache. Elle cracha sur son pouce et lui frotta la joue, creusant sa peau sous la pression. Elle sentait son haleine, l'odeur extravertie de la peau qu'on mouille, des pores qui se dilatent, et eut un mouvement de dégoût quand la sœur recommença.

« C'est de l'encre, c'est vraiment pas malin. De quoi auras-tu l'air ? »

Magda se jeta dans le creux de sa mère.

« Ma chérie. Ma petite fille ! Enfin, je suis là avec toi ! »

Auguste était splendide dans ce manteau de vison. On eût dit une vraie dame, comme dans les magazines. Enveloppée comme elle l'était de la tête aux pieds, on ne voyait plus ses hanches, sa taille abîmée par le travail, son dos déjà courbé. Son port de tête était digne. Ses chevilles avaient du style, dans ces bas couleur chair. Cela faisait si longtemps que Magda n'avait pas vu sa mère. Presque deux ans.

Quand elle retomba sur ses pieds, Magda réalisa qu'il y avait un homme derrière le vison de sa mère. Il avait la trentaine, des lunettes papillon en écaille

claire qui lui donnaient de faux airs sérieux. Il entretenait aussi une fine moustache en virgules et, tout
au bout de lui, portait des gants en cuir brun clair
constellés de picots.

«C'est qui ?»

Sa mère rougit.

«Je te présente M. Richard…»

Elle le scruta.

«Nous allons nous marier.»

L'homme l'enveloppa d'un regard bienveillant.
Comme s'il la connaissait.

Elle fixait timidement ses gants.

«Tu ne dis rien ?

— …

— Elle est petite, murmura-t-il.

— C'est de l'autruche !» s'enorgueillit Auguste,
fière de son homme qui fleurait bon le cuir, les épices
et la fourrure sauvage.

«Je reviendrai bientôt, pour te chercher, ajouta-
t-elle. Tu veux bien ? Quand nous serons installés, je
voudrais que tu viennes vivre avec nous.»

Magda recula d'un pas pour mieux voir l'homme.
Il laissa s'envoler quelques paroles polies. Il parlait
comme les maîtres, avec des mots choisis, des phrases
bien cadencées.

Le soir qui suivit, quand elle eut fini de boucler sa
valise et que les sœurs éteignirent la lumière, Magda
pleura beaucoup. Elle pleura le père qu'elle n'avait
pas eu. Elle regretta de ne pas avoir mieux regardé
celui-là. Quelle était la forme de son nez ? Avait-il

de belles dents ? Ses yeux étaient-ils vraiment gris, comme les siens ? Dans son lit de pensionnat entouré d'une toile de lin tendue, Magda ferma les yeux, de toutes ses forces. Respirant en silence. Sans renifler, pour ne pas fâcher la surveillante, qui ne tolérait aucun bruit quand les autres dormaient. Elle n'avait pas d'amie. Personne à qui parler de cette nouvelle vie de famille. Le souvenir de cet homme au regard doux aiguisait toutes ses hontes.

« Quelque chose ne va pas ? »

Magda est de retour au bunker, à la guerre, aux bombes et à ses lourdes malles qu'il faut déballer. Son front est strié de son trouble intérieur. Il faut l'effacer. Ne plus jamais se souvenir. Cela ne passerait jamais ?

« Ça va. Rien de grave », prétend-elle en reprenant le tri de ses livres d'insomnie. Elle fait une nouvelle pile sur sa table de chevet. Ils sont pleins de notes, de bouts de papier coincés entre les pages.

L'aide de camp a fini. Il ferme la malle et lui tend son cadenas.

Le calme est revenu. Elle a soif. Dans la cuisine, en face, elle découvre la réserve. Des centaines de bouteilles de vin, de champagne, d'alcools divers. Elle a cette bouche pâteuse qui réclame quelque chose de fort à boire. Son aide de camp la sert.

« Ça suffit, merci. »

Dans le couloir, elle voit Helga et le chiot Wolfie se précipiter vers elle. Ils ont les mêmes yeux gris muraille.

«Maman! Maman, regarde comme il est mignon!»

Helga est sa fille aînée. Elle a douze ans. Elle est grande pour son âge. Personne ne sait d'où elle tient ça. Elle tend vers elle une petite boule de poils. Le dernier-né de la chienne d'oncle Adolf. Un petit chiot ravissant de cinq mois. Pataud. Joueur. Magda le prend dans ses bras. Elle comprend ses enfants qui peuvent passer des heures à jouer avec lui. Il lui mordille les doigts, lèche ses cheveux. Helga retourne jouer avec les autres.

«On dirait qu'ils s'amusent bien, ici», remarque l'aide de camp. Magda acquiesce. C'est vrai. Ils sont tous arrivés la veille et posent peu de questions. Ils sont avec leur père, leur chienne Blondi, son chiot, une vingtaine de soldats armés jusqu'aux dents et leur mère les a rejoints. Ils semblent à leur aise.

Ne manque plus que Harald, se dit-elle. Son grand bonhomme tout beau a été fait prisonnier, trois mois plus tôt. Elle n'a aucune nouvelle.

«Il y a bien des lois pour protéger les prisonniers de guerre, n'est-ce pas? demande-t-elle.

— Oui, il y en a, répond l'aide de camp. Les Anglo-Saxons sont plutôt légalistes. Les Russes, en revanche…

— J'espère, j'espère», dit-elle. Aux dernières nouvelles, l'avion de son fils a été abattu. L'équipage a eu le temps de sauter avant le crash. D'après la Croix-Rouge, ils sont tombés aux mains des Italiens. Harald est protégé. Il est «prisonnier de guerre».

C'est pour lui qu'elle pleure le soir venu.

En regagnant sa chambre, Magda donne congé à son aide de camp.

«Vraiment?

— Oui.»

Il peut rejoindre ses troupes ou son chef, qu'en sait-elle. Claquement de bottes. Bras tendu. Un temps d'hésitation, puis le soldat se carapate.

«Si celui-là était un animal, pense-t-elle, il ne serait ni un loup ni un aigle, mais un misérable rat.»

L'aide de camp regagne la berline et roule aussi vite que possible, slalomant entre les barrages et les dentelles de briques. Trois kilomètres plus loin, il se fait cueillir par une patrouille de l'Armée rouge. Le soldat stoppe net, ouvre sa porte, sort lentement, les bras levés bien haut avec un mouchoir blanc fiché entre l'index et le majeur. Le mouchoir touche le sol quelques secondes après son crâne, percé par une ogive de 7,65. Les Russes sont les premiers surpris et répliquent en dispersant leurs douilles aux environs, visant les toits, d'où semblait provenir le tir. L'ordre émanait du bunker. Il a été lancé dès sa sortie. L'aide de camp n'a pas vu le coup venir.

4

Ma fille,

J'aimerais tant que mes mots aient un peu de sens à tes yeux. Non qu'ils aient du poids. Je n'y prétends pas. Je souhaiterais qu'ils retiennent un instant ton attention et confondre ton silence avec un simple malentendu.

Mes lettres sont des boomerangs. Elles me sont toutes revenues. J'ai profité de la nuit pour glisser des mots sous ta porte. Ils sont restés lettre morte. J'ai laissé un colis en poste restante pour toi. Je m'y rends de temps en temps, pour voir s'il a été retiré. L'employé me connaît. C'est un brave homme. Un peu désorganisé. Il met toujours un temps infini à fouiller dans ses carnets pour retrouver sa trace. Mais il ne faut pas s'y tromper. Le brave étourdi finit toujours par remettre la main dessus, hélas. Ton colis n'a pas bougé. Il se couvre de poussière entre deux étagères.

Je vois bien autour de moi que les temps sont à la destruction, aux grandes cérémonies, que tout est balayé, conjuré, épuré. Mais ce colis contient les petits trésors que tu gardais chez nous. Ta gourmette, le médaillon que je t'avais offert pour tes dix ans, quelques livres et tes dessins d'enfant. L'un d'eux nous représente tous les trois, main dans la main, formant une farandole, une vraie famille : toi, ta mère et moi. Nous avons l'air heureux.

Je sais que ta mère est venue vivre chez toi. Tu sais comment la prendre. Tu sais comment te faufiler au gré de ses humeurs changeantes, temporiser pendant l'orage, t'ouvrir à l'accalmie. Pas moi. Je n'ai pas pu. Je n'ai pas su. J'aimerais tant que tu me croies.

Les alliances sont de subtiles alchimies. Mais parfois, malgré les qualités de chacun, elles sont vouées à l'échec. C'est l'un des grands secrets de la nature. Il en va ainsi de certains gaz, comme le xénon (l'« étranger », en grec) et l'hélium. Ils sont qualifiés de nobles par les chimistes. Ils ont des qualités intrinsèques et inaliénables. Mais il est impossible de les combiner.

Ta mère est un soleil. Elle a la pureté de l'or et la dureté de la pierre noble. J'ai essayé de me fondre, mais je suis resté un étranger pour elle. J'ai travaillé dur. À l'atelier, j'ai fait tanner des peaux, j'ai importé des fourrures de renards bleus d'Arctique, de visons brun-roux d'Alaska, d'hermines. As-tu toujours le manteau de renard que je t'avais fait faire ? Le blanc t'allait si bien ! Aujourd'hui, j'ai tout perdu. Ta mère, et dernièrement mon stock.

Le mois dernier, trois gamins sont entrés dans ma boutique. Ils ont lancé leurs slogans hostiles et je les ai laissés dire. Ils ont brandi leurs bras et j'ai gardé les miens bas. Tu connais mon peu d'intérêt pour tous les jeux d'adresse! Ils sont sortis en tirant mon rideau.

Les trois sales gosses ont raboulé une semaine plus tard. Ils ont surgi dans mon dos et brandi des bâtons. L'un d'eux avait une barre de fer. Ils ont brisé ma vitrine, déchiré mes cuirs et sont partis avec toutes mes fourrures. Les gens passaient, interloqués, devant l'atelier mis à sac, des clients, des anonymes. Personne n'osait entrer.

Viktor m'a transmis des mots pour toi. Des tendresses. Je crois qu'il attend de tes nouvelles. Sa sœur Liza m'a dit qu'elle espérait le rejoindre. Elle a du cran. Sacrée bonne femme! Elle survivrait seule dans le désert. C'est une Bédouine urbaine. Elle se débrouille de rien. Un canapé. Un vêtement. Pas comme moi.

Mon assureur vient d'embarquer pour l'Amérique du Nord. Mon bailleur a résilié notre contrat. Aujourd'hui, l'atelier est en pleine rénovation. À la place, il va y avoir une boulangerie. C'est bien, une boulangerie! C'est national, les viennoiseries! C'est socialiste, les forêts-noires! Un petit couple d'artisans, bien conformes, bien aryens. Pas comme moi.

Les enfants ne crient plus à la sortie du lycée de l'Artilleriestrasse. Ils rasent les murs, discrètement.

Les mariages sont célébrés dans les arrière-cours. Les gens n'osent plus chanter.

Te souviens-tu des jours bénis où nous marchions dans le quartier des Granges? Pas un bruit les soirs de fête! Nous étions seuls au monde. On n'entendait que nos pas. Les prostituées marchaient sur la pointe des pieds et les buveurs de schnaps passaient leur tour.

Aujourd'hui, ces mêmes rues ne bruissent que de menaces, de cris, de slogans imbéciles, d'airs martiaux et de talons claqués à la mode impériale.

J'ai perdu l'appétit.

Je cache le peu de foi qui me reste.

Je suis en train de me perdre.

Je ne suis plus qu'un gaz. Un xénon dans ma ville. Un gaz peut-être noble, mais plus sûrement inerte.

5

La lune recouvre la forêt d'une lueur apaisante. Seul le torrent s'agite, froissant son lit, comme un incorrigible môme, toujours à faire des siennes. Pour les trois rescapés, c'est une nuit neuve qui s'annonce. Une nuit sans prédateur.

Pendant que la femme soigne sa jambe, Judah s'approche de la cabane. Les vitres de ses fenêtres sont couvertes de pollens, de toiles d'épeires, de moucherons et de larves, de toutes les poudres excrémentielles de la forêt, qu'il balaye de la manche. Au plafond, noyé dans la semi-obscurité, il distingue une forme gourmande et saugrenue. Une épuisette, suspendue à des crochets. Comme sa vue s'acclimate, il voit que les mailles de ses filets sont lâches. Contre le mur, à côté, une rangée de cannes à pêche arquées contre le mur. Sur la pointe des pieds, Judah aperçoit des petites boîtes en fer. Une dizaine. Rangées sur l'établi. Elles sont étiquetées en allemand. Des fils de nylon dépassent de l'une d'elles. Une autre, un peu plus grosse, contient des pattes d'insectes, des bouts d'ailes, des appâts qui dépassent, une autre est pleine de plumes, de poils, de fétus de paille destinés à affoler les truites, faire jaillir hors de leur lit d'eau les carpes ou les saumons.

Les trois petites marches du perron sont des planches de guingois, moussues, qu'il imagine spongieuses, gorgées d'une vie minuscule. Aucun indice de pas. Les seules visites reçues par cette cahute miteuse sont celles des coléoptères et des termites. Un bon abri pour reprendre des forces.

« Stop ! » ordonne une voix dans le noir.

Judah retient son coup d'épaule.

« N'ouvre pas ! »

C'est Miroslav, le petit chef des fuyards. Il se déplie dans les fougères et s'avance vers lui.

« Ne touche pas à cette porte, répète-t-il. Elle est peut-être piégée ! »

Miroslav lui explique que, depuis le début de leur débâcle, les Allemands truffent leurs arrières de tout un tas de saloperies. Des explosifs, des mines, des poisons, des chausse-trappes ou même des collets de braconnier.

Sa troupe de survivants est à proximité. Les uns sont allongés. D'autres, adossés aux arbres. Au milieu d'eux, une casserole d'eau puisée dans le ruisseau. C'est toujours rassurant, un groupe avec un chef. La force et le nombre. Mais quelque chose bagueule en lui. Judah éprouve une soudaine frousse intime. Son pouls s'emballe. Son souffle se contracte. Il regarde encore et compte comme au *shtetl*: «Pas sept, pas huit, pas neuf, pas dix!» Le jeune homme recommence. «Pas sept, pas huit... pas dix, avec moi.» Éloigner le mauvais œil qui fixe à tout jamais les nombres. «Pas dix! Non!» C'est le nombre du tourment. Une condamnation.

Dénombrer, c'est attirer le «mauvais œil». On ne dénombre pas les Juifs. On ne les désigne pas. Ils sont. Ils existent. Ils vivent. Les chiffres qu'on leur a tatoués sur la peau sont une désignation mortelle, un doigt comptable qui les livre à la mort. On ne compte pas les Juifs.

Judah s'est forgé une batterie de sentinelles, des signaux d'alarme, des alertes symboliques censées le protéger. Au camp, il se levait toujours du pied droit, pour éviter de finir dans le groupe terrassement, chargé des gros travaux. Il ne récitait jamais la prière du soir. Et quand il croisait des corbeaux, il s'arrêtait de respirer, fermait les yeux et attendait que leurs présages disparaissent. Judah se protégeait en codant le quotidien. C'est son père qui lui avait soufflé cela. Une combinaison secrète de rituels toujours simples pour penser à autre chose, comme le décompte de ses pas en descendant à la mine, ou l'improvisation de chants quand les gardiens hurlaient. Il reprenait leurs ordres, les menaces. L'un d'eux disait tout le temps: «Je vais te tuer si tu recommences.» Et Judah reprenait dans sa tête: «Je vais te tuer si tu recommences / Je suis un âne plein de colère / M'entends-tu braire? Hi-han,

hi-han / J'ai des sabots et j'suis pas beau / Je fais
hi-han quand il fait beau / Je vais te tuer si tu recommences / Hi-han, hi-han, cesse donc de rire ! »

Ils étaient dix rescapés. Dix hommes, lui compris. Dix, comme le soir de sa bar-mitsva, quand ils
l'ont enlevé. Ils avaient réuni le *mynian*, le nombre
d'hommes pour prier. Dix. Défini dans les textes.
Dix. Tous morts. Sauf lui. Dix, comme les victimes
d'Olejak, dans une forêt plus loin, plus froide, l'hiver
dernier quand il évacuait le camp. Toutes les nuits,
Olejak se levait pour tourner autour d'eux. Judah
l'avait vu ôter son gant et pointer une nuque, celle
d'un détenu assoupi. Il compta : « Un ! » La neige
avala le premier filet de sang. Olejak poursuivit, malgré le froid, la nuit. Il pointa une autre tête. Tira, à
bout portant. « Deux ! » Jusqu'à dix. Quand il passa
dans son dos, Judah attendit, sans bouger. Il avait
rassemblé ses épaules contre ses oreilles, crispé déri-
soirement ses paupières de toutes ses forces, cessant
de respirer. Il entendit les bottes crisser et poursuivre
dans son dos. Olejak se coucha. Le lendemain, il
fallait reprendre la marche sans enterrer ces corps.
Croquer d'autres bouts de pain rassis. Boire la neige.
Judah tenait bon jusqu'au soir qui suivait. Emmitou-
flé dans sa couverture militaire, il entendait Olejak
qui reprenait sa ronde lugubre. À pas de loup, il se
glissait dans leur dos et tuait, par dix ! Quand ils
furent parvenus à l'orée de la forêt, Olejak rassembla
un groupe d'hommes. Les traînards. Il les fit allon-

ger par terre. Sur le ventre. Et tira ses dernières cartouches.

La neige fondit. À la fin de l'hiver, la terre révéla les cadavres, et des myriades d'insectes, fourmis, mouches, blattes, et belettes, rats et mulots sylvestres à l'œuvre pour effacer les stigmates des meurtres d'Olejak. Quelques violettes ont dû pousser çà et là, comme ici, près de la rive. Des violettes. Les fleurs préférées de sa mère. Il pourrait en cueillir quelques-unes. Il va bientôt la retrouver. Ça lui ferait plaisir, un beau bouquet de violettes. À condition de partir.

« Si je te suis, je meurs, pense Judah. Nous mourrons. C'est écrit. »

Miroslav hausse vaguement les épaules et s'enfonce dans la nuit où les autres l'attendent. La femme à l'enfant se rapproche de Judah et s'assied près de lui. Elle place entre ses jambes la petite, qui tombe de fatigue. On dirait une Shiva avec deux paires de bras et de jambes. Elle arrondit son dos pour réchauffer la fillette. Son épaule touche celle de Judah. Elle s'intéresse à lui. Il retient sa décision. Tant qu'ils restent à l'écart…

C'est elle qui comble le vide. Elle lui pose la seule question qui pèse. Celle qu'ils se posent tous.

« Comment t'es-tu fait prendre ? »

Judah convoque le souvenir de son père. Un conseil. « Le monde se pose l'éternelle question / Tra la la la la la la / On répond / Tra la la la la la la / Et si l'on veut on peut dire / Tra la la la la la la / Le monde se pose l'éternelle question / Tra la la la la la la[1]. »

La femme attend toujours. Tendre. La petite respire fort. Elle change d'appui sur ses fesses. Miroslav est loin. Judah relâche un peu son souffle et s'appuie en arrière pour détendre son dos. Il répond de sa voix de mue, dit qu'il est né Stark, à Komarom, en Hongrie, un jeudi 24 octobre, « le jeudi noir des riches, des banquiers américains, des Rothschild », comme disait son grand-père avec une pointe d'envie. Judah prononce « Rott-Schild », découpant les syllabes de cette métonymie de la fortune. Les banquiers à l'écusson rouge, *rot Schild*. Riches depuis la nuit des temps. En 1929, le jour de sa naissance, des Rothschild et beaucoup d'autres s'étaient jetés dans le vide, les poches vides, les coffres vides, parce que c'était la crise et qu'ils étaient ruinés.

« Mon père était associé à un gentil dans le commerce du vin. Un bon commerce. Nous ne manquions de rien. Il y avait même des livres à la maison et de quoi payer le médecin quand mon grand-père tombait malade. Nous étions tous assez heureux. En hiver, le soir de ma bar-mitsva, des soldats du régent ont tapé à notre porte. Ils ont fait beaucoup de bruit avec les crosses de leurs fusils. Ça tambourinait fort », dit-il en frappant du poing sur la terre.

---

1. *Fregt di velt di alte kashe : Tra la la la la la la. Entfert men : Tra la la la la, Un az men vil ken men zogn : Tra la la la la la la. Oy fregt di velt di alte kashe : Tra la la la la la la.*

Ses coups rendent des bruits sourds, étouffés par ce sol recouvert de mousse gorgée d'humidité. Mais la femme est attentive. Elle les entend. Elle voit la scène.

« J'ai eu très peur. Et puis, c'est allé vite. Quand mon père a ouvert, ils se sont rués dans la maison. Ils n'ont pas posé de question. Ils nous ont embarqués, tous les hommes, mon père et moi, mes deux oncles, mes cousins qui jouaient avec moi dans l'équipe de foot de Komarom. »

La femme ne le coupe pas. Elle se balance d'avant en arrière, une main sur la tête de la petite. Judah détaille ses mains. Elles sont déliées. Comme celles de sa mère.

« Je n'ai même pas eu le temps de l'embrasser, dit-il.

— Qui ça ? demande-t-elle.

— Ma mère. Je n'ai pas pu l'embrasser ! Les soldats nous ont tassés dans des trains pour la Pologne. Mon cousin est mort de froid, à côté de moi. C'était la première fois que je voyais un mort. Et il avait mon âge ! Sur le quai de l'arrivée, on a reçu d'autres coups. Olejak nous a sélectionnés, mon père et moi, pour son camp. Je suis devenu un homme au fond d'une mine. »

Judah décrit les couloirs de la mine et les casiers qu'il remplissait de cristaux de galène intimement mêlés à des masses de blende brune, les bâtons de dynamite qui leur crevaient les tympans tout le jour, les wagonnets, les trémies suspendues de la mine à la fonderie et le plomb. Des tonnes. Extraites pour l'industrie allemande, les batteries des sous-marins, des radios, des fusées.

«Mon père est devenu fou, à cause de ces sulfures, de tout ce plomb qu'on respirait. Il délirait, il racontait n'importe quoi. Il ne me reconnaissait même plus à la fin. Il est resté dans les grottes du Hartz. Nous l'y avons enterré. Mort de plomb. Mais son esprit est loin, maintenant. Tu as soif?»

Judah descend au ruisseau en comptant ses pas. C'est une pente très inclinée. Il a remis son compteur en route.

«Suis-je fou?» se demande-t-il. Tout ce plomb manipulé ! Tout ce poison dans le sang !

Sur le bord du ruisseau, un homme s'accroupit tout près. Ce n'est pas Miroslav. Il parle, lance quelques mots que Judah laisse tomber. L'inconnu se relève et s'en va sans demander son reste. Judah remonte juste après.

La femme n'a pas bougé. La petite est toujours étendue au creux d'elle.

«J'ai un mauvais pressentiment, dit-il.

— Je ne comprends pas ?

— Fais ce que tu veux. Moi, je préfère m'éloigner.»

Il ramasse le rouleau de cuir et redescend la pente. Il traîne. Il l'attend. Elle a réveillé l'enfant.

«On va où?» grimace-t-elle. C'est sa jambe qui la lance. Elle dégotte un bâton pour s'en faire une canne.

«Alors? Où va-t-on?»

Judah a repéré un amas de gros rochers, près du lit du ruisseau. Ils sont presque arrivés.

À quelques mètres du but, la petite se retourne. Judah a entendu les mêmes piétinements qu'elles, des bruits de pas, des craquements de brindilles. Une course, puis un fatras de tirs plus haut. Ils plongent vers les rochers. Des traits de poudre strient la forêt. Ils ont de la chance, ils sont cachés dans le trou du cul de la forêt. Des cris. En allemand. En hongrois. Des chiens aboient. La petite est effrayée, mais la main de Judah l'entrave.

« Pas crier ! » dit-il.

Elle hoche la tête.

Ils ont trouvé le bon abri. D'un minuscule interstice, Judah peut observer la scène. Miroslav, frappé au sol, qui dévale toute la pente, deux silhouettes filent vers le nord, rapidement rattrapées par des bruits de morsures, de déchirements de tissu et de chair, de canines qui s'enfoncent jusqu'aux os et de hurlements de douleur. D'autres ont fondu dans les sous-bois. Ils seront abattus par des tirs plus tendus, bien appliqués, qui feront la fierté de leurs auteurs. Les tireurs ? Deux engagés de la dernière heure, miliciens de cinquante ans, arborant leurs brassards noir et rouge. Deux chasseurs qui connaissent bien le coin et ont ciblé « ces deux-là » comme le gibier d'une battue. Ils parlent fort en traînant les corps. Ils tirent des vanités de leurs trophées pouilleux, les bras striant l'humus, des feuillages plein le dos et la nuque. Une seule balle pour chacun !

La femme et la petite fille sont comme deux carpes happant l'air. Deux figures en sursis. Les bruits de pas s'éloignent. Les voix se taisent. Au creux de cette poche minérale, Judah prend tout son temps. Immobile. Collé à elles. Tous les trois filtrent leurs moindres mouvements, souffles ou frottements contre cette terre humide et noire. Les minutes s'égrènent, lentement, aussi épaisses que le silence qui les reclut.

La forêt reprend ses droits.

Les chiens sont sûrement loin. On n'entend que le va-et-vient de leurs respirations synchronisées. Celui du ruisseau tout près qui s'épanche. Celui des liasses de feuilles et des branches. Le vent qui joue. De rares pépiements. Des plumes d'ailes fendent l'air. Des becs cognent contre les troncs, soulèvent des feuilles, défrichent la terre en quête de vers. Des gazouillements et des chants de plus en plus présents. L'air est chargé d'humus, de sous-bois…

Judah se réveille le premier, sort une tête. Combien de temps a-t-il dormi ? Il fait nuit. Il s'est extrait de leur cachette et se remplit d'air frais. Remonte vers la cabane. Fait le tour. Se colle aux fenêtres. Et redescend les chercher.

La petite se frotte les yeux.

« Je crois que les Allemands sont partis, explique Judah. Mais ils pourraient revenir. J'ai vu des armes là-haut. Dans la cabane. Un couteau, et peut-être un fusil. C'est notre chance. »

Sur la porte de la cabane, les soldats ou les miliciens ont accroché un cadenas de laiton. Judah le triture, tente de le tordre, le teste de l'épaule. Il se recule, lève la jambe et finit par l'éclater d'un coup de pied. La porte valse sur ses gonds et Judah la rattrape de justesse, du bout des doigts, pour limiter le boucan.

Il s'avance, découvre un plancher sec travaillé par les vers et les champignons de bois. Il est méfiant, observe les anfractuosités, ne touche à rien, mais aucune trace de piège.

La masure embaume le poisson séché. Des filets de truite suspendus aux poutrelles du plafond comme des lampions de foire. Il fait signe aux deux femmes d'entrer et en décroche quelques-uns. Des truites amères, pleines d'arêtes qu'ils réduisent en bouillie entre leurs dents. Judah lèche ses doigts poisseux et repart à la conquête du lieu. Il observe les combles. Les poutres de soutènement sont larges et solides. Elles pourraient supporter leur poids. Sous l'établi, il tire sur une boule. Une bâche en toile se déploie. Elle est propre. Elle peut servir.

« Merci ! Tu avais raison. Je m'appelle Fela, dit la jeune femme. Et elle, c'est Ava. C'est un diminutif. Nous venons de Silésie. As-tu déjà entendu parler des femmes du block 24-A ? Non ? Jamais ? »

Comment en aurait-il entendu parler ? D'un camp à l'autre, on ne sait pas grand-chose. Des noms circulent parfois. Les vices de certains gardiens. Judah sait que les camps de Silésie ont une image d'abîmes. Que personne n'en revient. Les femmes du 24-A étaient-elles si célèbres ?

« Oui. En un sens, dit-elle. Elle s'appelle Ava, mais son vrai prénom, c'est Stanislava, celui de la femme qui lui a sauvé la vie. Stanislava Leszczynska. Une sage-femme. Plus sage que toutes les autres. Là-bas, les enfants étaient noyés comme des chatons ou de mauvaises bêtes estropiées de naissance. Les nouveau-nés n'avaient même pas le temps d'emplir d'air leurs poumons neufs qu'elles les plongeaient dans des bassines glacées ou leur perçaient le cœur d'une seringue médicale. Je sais. Je les ai vues faire. J'y étais souvent. Une des leurs, qui se prénommait Klara, plaçait des seaux d'eau froide près du lit des parturientes. J'ai eu de la chance. Nous avons eu de la chance. Cette femme, Stanislava Leszczynska, mérite une statue aux carrefours des plus grandes villes de Pologne. Cette sage-femme était une sainte femme. Elle a sauvé des centaines d'enfants. Presque tous ceux qu'elle a sauvés portent son prénom.»

Judah monte sur l'établi et tend la bâche sur les poutres.

Elle reste en bas. Incapable de l'aider. Elle le regarde fixer des cordes aux œilletons de la bâche. Elle le trouve astucieux. La bâche paraît solide. Ils seront à l'abri, là-haut. Moins visibles.

«Je connais bien les hommes, dit-elle. Quand nous serons sortis de cette forêt, je te raconterai notre histoire.

— Et ta jambe? demande-t-il.

— Des expériences. L'un des médecins du camp a fait de moi ce qu'il voulait. Je suis très résistante. Et surtout, je cicatrise vite. Il m'a beaucoup opérée. Il semblait content de moi, Stumpfegger.

« — La jambe seulement ?

— Oui, toujours la même. Il m'a pris un peu de muscles aussi !

— Ava ?

— Non. Elle a une bonne étoile au-dessus de la tête ! Elle a eu beaucoup de chance. »

Fela masse ses doigts de pied. Ils sont noirs, menacés de gangrène. Judah en connaît l'odeur. Elle n'est pas encore là.

Sa jambe gauche tendue devant elle comme une excroissance inutile, elle voudrait bien l'aider à finir de fixer la bâche sous les combles. Elle tente de se redresser. Mais s'effondre. Épuisée. La petite a beau lui attraper le bras, la tirer, se loger sous elle pour faire mine de la soulever, rien n'y fait. Elle s'est affalée dans un coin de la cabane.

« On va attendre. Un peu », soupire-t-elle.

Les chasseurs allemands peuvent pourtant revenir d'un instant à l'autre. Ils mettent beaucoup d'acharnement à achever leur mission. Nettoyage. Extermination. Toutes ces victimes ne comptent plus. Cela fait bien longtemps qu'ils ne sont plus humains…

« Tu peux retourner aux rochers ?

— Je peux essayer… Attends. »

Ses bras tremblent. Elle s'affale. Elle est devenue livide, fiévreuse.

« On va rester ici, le temps que tu te requinques. »

Elle ne dit rien.

Judah finit de tendre la toile. Des nœuds serrés,

d'un côté. Il rabattra l'autre pan plus tard, quand ils y seront. Du bout du bras, il hale la petite Ava, l'installe, puis se penche pour attraper la mère.

Emmaillotés trois mètres au-dessus du sol, calés contre des poutrelles, ils vont attendre la fin du jour. Fela ferme les yeux. La petite reste éveillée. Elle ne lui lâche pas la main. Judah les observe. Il compare leurs visages. Elles ne se ressemblent pas. Il détaille le front lisse de Fela. Sa nuque n'est pas striée comme celles des autres détenus. Ses épaules pointent. Sa peau est douce et entretenue. Il éprouve une honte fugace à profiter de la situation pour la renifler comme un animal, sentir ses fesses tournées, la peau de son ventre. Son odeur, les muscles qui barrent le bas de ses reins. Il ne pense plus à sa jambe estropiée. Il oublie son crâne qui a été rasé, son uniforme cradingue. Il se tient contre une femme qui a été très belle. Une femme avec un torse fier et une taille infime. Des sourcils bien tracés, des oreilles ramassées. Mais c'est son sexe qui l'agace. Judah bande. Ils se cachent. Ils sont trois. Elle est gravement blessée et lui, il bande ! Plein d'un désir qui n'a plus rien d'humain, de cette femme qui va dormir sous lui. Son ventre frotte encore une fois ses fesses. Cette chaleur-là l'apaise. Il glisse dans un sommeil peuplé de mots et d'images.

Ava assemble des plumes autour de petites perles de plomb piochées dans les pots sur les étagères. La voix de Fela la guide. Il aime son timbre suave. Il aime sa diction, son ton, le rythme de sa voix. Il imagine l'odeur d'un feu de cheminée. Elle se parfume.

Ses vêtements sont humides. Elle parle de son frère doué pour la pêche à la mouche, de sa façon de griffer l'eau avec le leurre qu'il fallait faire voler, des sauts des carpes, de leur chair, du citron… puis tourne la tête.

« Enfin réveillé ! » dit-elle.

Judah sent des effluves de menthe qui lui mouillent les yeux, l'odeur enveloppante du bois chaud et des aigreurs de baies sauvages. Il fait jour. Fela a repris des couleurs. Elle est en bas avec la petite et toutes les deux sourient. Elles ont retrouvé leur belle chorégraphie intime, celle de la rivière. Il aime le brun de leurs yeux, le bleu délavé de la bâche, les traces de peinture jaunes et ocre sur l'établi, le manche carmin d'un marteau qui traîne. Cela faisait des années qu'il n'avait pas vu autant de couleurs.

Elles ont eu le temps de descendre à la rivière, de faire sécher leurs vestes, de ramasser des fruits sauvages. Fela se tient sans vaciller. Elle dit qu'elle va mieux. Il remarque les petites taches de rousseur sur ses pommettes et son nez. Il bande encore un peu. Judah est un adolescent.

« Je t'en ai ramassé, dit-elle, en lui tendant des baies. Tu en veux ? »

Judah sourit. Il peut enfin descendre. Les baies sont amères. Il reste des feuilles de menthe.

« Je t'écoutais. Tu as dit que tu avais un frère ?
— Oui.
— Et Ava ?
— Fille unique.
— Comment le sais-tu ? »

Un long silence. Puis elle répond :

« Ce n'est pas très important.

— Non. Pas très… »

La pensée de Fela prend le pas sur la sienne. Comme si elle lui soufflait la suite.

« Il faut juste qu'on s'en sorte, poursuit-il, parce qu'il aime s'accorder à elle.

— Oui.

— Ensemble. »

Il est devenu un homme. Son père serait si fier.

« Oui, Judah. Ensemble », ponctue-t-elle.

Fela caresse la tête d'Ava, dont il n'a toujours pas entendu un mot.

« Elle ne parle pas ?

— Certaines femmes disent qu'elles l'ont entendue. Il paraît qu'elle parle quand elle rêve. Sinon, non. Elle ne parle pas. »

Judah observe la petite torsader des bouts de plumes rouges et bleu roi au bout d'un leurre. L'hameçon est couvert de rouille.

« Mais elle entend. Elle nous comprend. »

Il jurerait l'avoir entendue parler tout à l'heure, quand il était là-haut et qu'il dormait à moitié.

6

Dans ce sanctuaire de béton, les pales froissent l'air du bunker, le hachent, l'étirent, pour le rendre respirable. Allongée sur son lit, le dos calé contre deux coussins de velours, Magda ravale cette rancœur qui lui racle la trachée. Elle sent que sa gorge a enflé. À force de friseler ses phrases, de brider ses intonations, ses cordes vocales s'enkystent.

Elle reprend son ennui là où elle l'avait laissé, infect, chargé de cette armada d'heures poisseuses. Elle a tout essayé pour tromper cette rengaine : l'alcool, les parties de solitaire, les parties de jambes en l'air avec des gitons, des tapins de l'Alexanderplatz, le sexe et le plaisir rapide, celui qu'on prend sans souci de rendu, les décoctions calmantes du docteur Morell, les cures à Gérardmer dans les Vosges françaises, à enchaîner les bains d'eau douce, de soleil et de boue, les randonnées sur les hauts plateaux d'Écosse, épuisantes de fatigue, et les tours au club à whisky de la distillerie Milton, dans les vallées voisines du

Speyside, avec ses alambics à tomber à la renverse et ses vieux bâtiments aux toits d'ardoises inclinés jusqu'à toucher le sol.

Dans ce lit de fin de fortune, aux draps moites, enfermée vivante dans cette concrétion de minerais, de ciment, de terre mêlée d'urine de rats, de toute une zoologie de caverne, les heures de rien de Magda s'amalgament comme le plomb. Elle lit. Elle lit des heures durant pour combler ces néants. Elle en a fait descendre, des livres. Des caisses pleines. Pour se soûler de mots, d'autres mots que tous ceux qui l'entourent, que ceux des tables à cartes et du poste radio. Assoiffée de mots d'amour, de mots de mer, d'océan, de voyages. Des mots dans tous les sens et d'ailleurs d'où qu'ils soient. Elle enchaîne les volumes, comme de bons vieux alcools. Elle s'assomme. Hécatombe sur son front intérieur. Mais lui revient ce timbre, la même voix suave, grave, masculine et honnie. Viktor qui, pendant des heures, lui lisait des poèmes, des discours, de grands textes fondateurs, sans jamais dire «je t'aime». Les souvenirs partagés. Sa peau qui se dilatait. Ses jambes qui renonçaient. Ses mains moites à force de contracter le vide, d'appréhender un rêve porté par cette voix enjouée. La rate de Magda tremble. Son cœur. Sa nuque. Magda les avait laissés faire. Sans s'opposer. Viktor est mort. Assassiné. Le silence tue, dit-on, comme toutes ces heures qu'on dit petites, les petites heures du jour. Elles minent plus sûrement que tous les midis brûlants de tous les champs de bataille. Son souvenir la hante, et avec lui sa honte d'avoir aimé ce Juif !

Magda a le dos qui colle aux draps de coton d'Inde. Le plus fin. Le plus noble. Elle va les déchirer à force d'y frotter ses talons d'avant en arrière. Elle respire mal. Se lève. Elle ouvre la porte et avise le couloir éclairé nuit et jour, jour et nuit, sans cesse. Personne. Elle se sert une rasade de schnaps, le vide en quelques lampées, ferme la porte de sa chambre. Personne ne doit savoir qu'elle pleure. Ça passera. Comme le reste.

À Vilvoorde chez les sœurs, elle dévorait des vies, de saints, de Jésus, de Marie, de Lamennais, de Lacordaire, en français, en allemand. Et le week-end, quand elle retrouvait sa mère à Scarbeeck, près de Bruxelles, la petite fille qu'elle était s'enfermait dans sa chambre avec un tas d'auteurs. Sa mère ne lisait rien. Les livres étaient pour elle une perte de temps et d'argent. Peut-être même de mauvais génies. Sa fille s'enfermait avec eux. Était-ce dangereux ? Nuisible ? Magda se l'était tenu pour dit. Comme elle redoutait de ressembler à sa brave bonne de mère, elle passait outre. Elles n'avaient rien à se dire. Magda s'arrogeait le droit de ne pas être dérangée. À l'époque, Auguste caressait pour sa fille des rêves de statut et de classe. Avec tout ce qu'on lui apprenait, toutes ces langues qu'elle savait, elle deviendrait quelqu'un…

« C'est quelque chose d'être quelqu'un ! » dit-elle un soir à jeun à son nouveau mari.

Dans sa chambre de jeune fille, Magda n'avait que cela, des livres et un placard à balais en guise de garde-robe. Aucun tableau au mur. Pas de vase. Pas de bouquet possible. Juste un miroir de barbier cloué au mur et un rameau d'olivier coincé derrière.

Parfois, Auguste entrait quand il était très tard.

«Va pas te faire des suppositions !» lui disait-elle en arpentant le lit pour observer sous tous les angles l'objet de tant d'attentions. Un livre. Puis elle sortait.

Elle s'inquiétait de tout, sa mère. On eût dit une gorgone imbécile. Elle craignait l'approche des vacances, quand elle aurait du temps libre et sa fille dans les pattes. Elle avait peur du train qui risquait de dérailler, de la voiture qui tomberait forcément en panne au milieu de nulle part. Elle avait peur de la foule des trottoirs, qui marchait vite et fort, risquant de la bousculer, de celle des lieux publics, qui se moquerait d'elle parce que ce n'était pas sa place, puisqu'elle n'était personne. Il ne fallait pas qu'on la remarque. Elle évitait les regards dans les cafés et dans les restaurants parce qu'elle s'était dit qu'ils pouvaient être mauvais. Auguste avait la hantise des hommes quand il fallait dire non et qu'elle n'osait rien dire. Comment dire non ? Auguste se refusait tout et ne refusait rien. Beaucoup d'hommes la connurent. Mais elle compta pour peu. Elle était prise, Auguste, prise au piège de sa toute petite vie.

«C'est qui mon père, maman ?

— Non, mais de quoi je me mêle ? répondait-elle toujours. De quoi je me mêle ?»

L'affreuse réponse. Presque incestueuse. Cette phrase renvoyait la petite fille aux entrailles de sa mère, à ses parties intimes. Magda s'en détournait. Elle reprenait le lit, sa chambre, un livre, sans un début de réponse. Lequel était son père ? « C'est toi mon père ? » demanda-t-elle à Richard. Il tarda à répondre.

Magda feuillette un roman interdit. Celui d'Erich Maria Remarque : *À l'Ouest, rien de nouveau*. Il a été brûlé parce qu'il racontait l'histoire d'un jeune Allemand, engagé volontaire pendant la Première Guerre mondiale, dont l'enthousiasme était douché par les tranchées et ses camarades morts. Son auteur avait ramené de Verdun des cauchemars et des bleus, quelques éclats d'obus et un très grand roman sur le sort des frères d'armes. Une formidable fresque contre la morale du tambour, les vertiges du canon et du nationalisme.

Elle parcourt les dernières pages et se figure Remarque, allongé dans son lit d'hôpital, écrivant parmi les gueules cassées, et elle, dans son bunker, retranchée avec les morts-vivants d'un régime agonisant. Il ne lui reste plus que quelques pages à lire quand quelqu'un toque à sa porte. Surprise, elle le claque, rabat sa couverture dans un affolement bref. Elle tousse.

« Qui est-ce ? »

C'est Speer.

Dans le ranci de ce caisson, elle rajuste son peignoir. Son ami Speer se montre prévenant, comme à son habitude.

« Vous ne devriez pas rester là ! Magda. Il faut partir. Venez avec moi.

« — Je suis à ma place, Albert.

— Et les enfants ? »

Elle ramasse ses jambes pour s'asseoir sur le côté du lit. Il a franchi le seuil de sa porte.

« Je pourrais les emmener. On peut faire de la place dans mon avion, dit-il. »

Magda reprend sa position, claque ses draps au-dessus de ses jambes et s'empare d'un autre livre au hasard. C'est un roman psychologique de Somerset Maugham. Elle tombe sur cette phrase providentielle.

« Je suis leur maison ! »

Elle improvise à l'intention de Speer.

« Tant qu'ils seront avec moi, ils seront en sécurité. »

Speer jette un coup d'œil à sa montre. Son avion a sans doute atterri. Il aurait tant voulu que Magda se raisonne. Qu'elle laisse au moins partir ses gosses.

« C'est une question de jours, Magda !

— Pour la gloire !

— Pour la gloire ! Mais qu'est-ce que vous voulez dire ? Ce n'est pas un toast que je vous propose… On parle de vos enfants. Des six qui dorment dans la chambre juste là ! Je vous parle de leur sort et vous me rétorquez la gloire ! Je ne comprends pas… »

Magda lui rappelle qu'une vingtaine de soldats dans le bunker et des milliers d'autres là-haut se sacrifient pour eux, pour stopper la déferlante rouge, pour abattre les nervis de Joukov, pour reprendre telle ou telle rue de Berlin. Chaque jour, trente mille soldats allemands tombent au front ou dans des embuscades, troués, brûlés, dépossédés d'un bras, d'une jambe, vidés de leur sang pour la gloire, pour l'honneur du régime.

«Je ne pourrai plus rien faire pour vous, Magda.»

Elle sait. Elle sent que l'étau se resserre. La peste soit de ses phrases toutes faites! Que peut-elle faire? Elle n'a pas le choix. Il faut tenir, comme elle dans ce lit. Comme les autres là-haut qui font trembler le sous-sol. Il faut qu'ils tiennent! Qu'il crève, ce Speer, et ses manières de protecteur.

«Espèce d'artiste, va! Qu'il crève!» fulmine-t-elle, dans ce peignoir qui l'engonce.

Elle ne peut plus lire. Il ne lui reste plus que deux pages du roman de Remarque. Cela fait quinze ans qu'elle essaye de le finir. Quinze ans et six enfants plus tard, elle l'a encore en main. Elle revoit les images. Les situe, presque…

Berlin. Décembre.

Le krach avait fait trembler les banquiers et les pauvres du monde. Il avait cherché à la joindre. Il était de passage en Allemagne. Une semaine. Elle était si heureuse de retrouver Viktor!

Les tramways du Kurfürstendamm glissaient paisiblement sur leur tapis d'engrais pour un prochain gazon. L'avenue plantée d'arbres dénudés et de colonnes Morris distillait ses badauds. Les cafés. Les théâtres. Et son grand cinéma. Berlin s'en sortait plutôt bien. Elle était bouillonnante, jeune, vigoureuse, un peu paumée, comme elle.

Devant la grande salle du Kurfür, les deux amis d'enfance hésitaient entre *L'Ange bleu* avec Marlene Dietrich, à l'affiche depuis des mois déjà, et l'adaptation d'*À l'Ouest, rien de nouveau*. Hollywood avait acheté les droits du livre, pour deux millions de dollars.

Magda avait trente ans. Un premier fils, Harald. Comme elle l'aimait, ce gosse ! Elle en était si fière ! Grand, costaud, si bien élevé. Elle aurait pu se contenter de lui. Harald était né d'un premier lit. Un vieux mari, ce cher monsieur Quandt, beau comme Crésus, et un jeune avocat chargé de régler les détails de leur divorce. Elle obtiendrait bientôt une pension confortable, un grand appartement et la garde de leur fils. Magda connaissait par cœur les chansons de *L'Ange bleu*. Mais son ami Viktor penchait pour la fresque guerrière. Il avait le même âge qu'elle, avait quitté Berlin et lui confiait qu'il avait rencontré une femme. Ils allaient se marier. Ils voulaient des enfants. Une grande famille… Elle le coupa.

« Alors ? Choisis ! s'impatienta-t-elle, surtout pressée qu'il se taise.

— Deux entrées pour *À l'Ouest* ! »

La grande salle était pleine. Plus de cinq cents personnes massées devant une toile de cent mètres carrés. Des hommes, beaucoup de femmes. Un public bigarré d'élégantes et de quelconques, avec ou sans chapeau, plongés dans l'obscurité jusqu'au premier roulement de tambour. Le film débuta sur des images de défilé, des fenêtres qui s'ouvraient, les unes après les autres, puis un long zoom avant sur une salle de classe, et le maître d'école. Magda traversait un tunnel sensoriel. Aveugle, sourde, muette. Incapable de sentir cette main de lui sur son épaule.

« Magda ? Ça va ? Magda ? »

Elle reprit conscience pendant que le maître d'école du film vantait les mérites de l'engagement, du courage, de la fraternité des armes et du patriotisme. Les uns après les autres, ses élèves se portaient volontaires.

Magda s'emmitoufla dans le film, son acoustique sophistiquée, ses explosions si proches de la réalité, des cris dans les tranchées, des tirs de lignes ennemies et d'autres échos qui venaient du fond de la salle, des hurlements impromptus, des grappes d'ombres qui couraient vers l'écran pour caviarder le film. C'était le machiniste, derrière, qui était pris d'assaut. Le technicien avait beau lutter pour sauver sa bobine, des mains plus fortes que lui faisaient sauter la bande. On n'y voyait plus rien. Magda devina des uniformes bruns de miliciens qui jetaient des pétards et scandaient des slogans contre les « pacifistes », les « Juifs », les « apatrides ». Elle s'accrochait à son siège. Elle assistait au spectacle dans le spectacle, au saccage méthodique du film. Elle vit des bâtons, des sifflets, des boules puantes, et des souris jetées entre les rangs pour gâcher la séance. Elle trouva cela comique. Des mulots cavalaient bien sous son lit, chez les sœurs, au pensionnat. Elle vit les femmes bondir sur leurs sièges de théâtre, se pelotonner les unes près des autres dans l'orchestre pour échapper à cet enfer minuscule, et très inoffensif, qu'on glissait sous leurs pieds. Les premiers rangs de la salle avaient quitté les lieux. Les miliciens tenaient la scène. Il n'y avait plus de projection. Viktor resta un long moment figé. Bien calée dans son fauteuil, son écharpe relevée pour filtrer le mauvais air, Magda vit débouler d'autres hommes, armés des mêmes bâtons, des mêmes sifflets, les gueules déformées par l'envie d'en découdre. Ceux-là portaient des brassards rouge révolte, ceux des gauchistes, et des casquettes en coton gris usine. Les adversaires rituels se retrouvaient. C'était le second acte. Plus tendu. Plus hargneux.

Viktor voulait battre en retraite.

« Attends ! » dit-elle.

Les boules puantes et les rongeurs cédaient la place aux fracas des bâtons abattus sur les crânes, au choc sur les mâchoires et aux craquements d'os brisés. Les chaises volaient. Le sang coulait. De pleines poignées de cheveux. Magda aperçut des crosses aux ceintures. La situation dégénérait. Viktor voulait quitter les lieux.

« Encore un peu ! » dit-elle.

Un géant s'activait sous leurs yeux, ses manches brunes roulées très haut sur ses bras pleins de muscles. Avec son nez tout en brisées et ses arcades marquées, il avait la tronche torve des souteneurs de l'Alexanderplatz, bien rasée, bien blonde, bien brutale et un regard noir sans fond.

« Magda, ça va mal se finir, allons-nous-en !

— Va-t'en ! » murmura-t-elle. Elle aimait ce spectacle.

L'affrontement dura plusieurs minutes. Les brassards à casquette se repliaient dans la douleur des vaincus. Des blessés. Des affaissés, soûlés de coups. Au milieu de l'estrade, un homme plus petit et plus hargneux encore vociférait en claudiquant. Il portait une veste trop grande, en cuir noir, et une chemise blanche tachée de sang. Magda découvrait le gauleiter, ses yeux caves et son front haut, le représentant du parti à Berlin. On parlait de lui dans les journaux, dans les pages politiques, la chronique judiciaire et les pages de faits divers. Il occupait l'espace des quotidiens de l'époque, et toute la scène, alors, dans ce vaste cinéma.

Une casquette tentait de fuir, et lui lançait ses hommes à sa poursuite. La police, qui venait de débarquer, s'en mêla dans un élan qui semblait aller de soi, alliant ses matraques à celles des chemises brunes. Le gauleiter orchestrait le tout. Les communistes les plus chanceux sortaient en titubant, simplement menottés. Les autres attendaient sans bouger, inconscients, les civières et les soins des pompiers.

La projection d'*À l'Ouest, rien de nouveau* laissa des traces. Des chaises démembrées, encastrées en amas, un écran qui pendouillait lamentablement comme si une bande de fous furieux s'y était accrochée pour jouer les Tarzans de foire.

Le directeur des lieux s'épuisait en grands gestes inutiles, avec son crâne lustré et sa bedaine soulignée près du corps, trop riche pour faire vraiment pitié. Il venait de perdre beaucoup, une fortune saccagée en quelques minutes. Les derniers miliciens quittèrent les lieux en lui tapotant l'épaule au passage comme si tout cela n'était rien, comme s'ils s'étaient amusés et si ce n'était pas bien grave s'il y avait des dégâts. Viktor était parti. Magda rentra sans lui. Cette mêlée d'hommes en rage l'avait excitée. Elle se sentait invulnérable. Bien assise dans ce fauteuil d'orchestre, elle n'avait rien raté de cette histoire en train de se jouer, devant elle. Tous ces hommes ! Cela faisait six mois qu'on ne l'avait pas touchée.

Plus tard, elle remarqua les affiches dans la ville. Un meeting politique. Comme il allait faire beau et qu'elle n'avait pas d'engagement, elle s'avança dans l'allée pavoisée du Palais des Sports. Elle fut impressionnée par les immenses drapeaux plantés tout le long de l'entrée. Ils mesuraient deux mètres, étirés en hauteur. Leur rouge était à vif et le vent, qui faisait claquer leurs drisses, les gonflait de battements hypnotiques. Magda suivait la foule, des dos d'hommes, de femmes et d'enfants, un mouvement lent de houle en hauts-de-forme et casquettes, broches à plumes ou têtes nues, progressant pas à pas vers la bouche principale. À la porte, des rangées de questeurs secouaient leurs troncs en rythme, mêlant leurs secousses métalliques au cliquetis des drisses, aux feulements des drapeaux, aux talons, aux petits rires, aux mots rares. Des rangées de miliciens filtraient la grande entrée, troncs en pogne, sourires aux pièces, réclamant « pour le parti ! »… « pour les élections ! »… « pour l'Allemagne de demain ! ».

Magda versa au tronc avant de plonger dans la salle aux gradins noirs de monde, éclairée par des lampes titanesques pendues à des maillons de chaîne de la marine marchande. Elle dut jouer des coudes pour se frayer un chemin. Il restait quelques places sur le côté. Devant, à cinquante mètres, un pupitre était dressé. Et tout autour, toujours ces oriflammes, des couronnes de fleurs tressées de noir et rouge, un décorum soigné façon péplum hollywoodien.

Une famille s'installa à côté d'elle. La fanfare chauffait l'audience avec des roulements de tambour et des airs populaires. Les enfants à sa droite se hissaient sur le banc, impatients. Le père, un grand maigre. Sa femme, en robe parme, jolie bouche, une broche en taffetas rouge. Ils reprenaient les chants lancés par la fanfare. C'était joyeux.

Puis les cuivres se turent. Dernier coup de baguette pour le tambour-major. Magda fit comme le reste de la marée humaine : elle surnagea, hissée de son mieux sur la pointe des pieds. Les nuques tanguant devant, de droite, de gauche, pour voir le plus de scène possible. Elle reconnut l'homme à la veste en cuir noir qui s'avançait vers le pupitre.

« C'est le gauleiter », souffla le père de famille.

Son nom sonnait comme une onomatopée, un bruit de bulle, de globule qui s'achevait en queue de poisson sur une sifflante diphtérique. *Goe-bbe-lssss*. Elle retrouvait le petit homme du cinéma, avec son pied bot et son crâne de pompiste, couvert de brillantine. Les miliciens allemands s'alignèrent sur les côtés. Le chef de bande se planta devant le micro. Il rejeta sa tête en arrière, comme s'il jaugeait l'auditoire. Quinze mille paires d'yeux attendaient le coup d'envoi. Il n'eut pas un sourire, pas un mot, pas la moindre expression pendant une poignée de secondes. Son regard engloutit l'auditoire. Magda ramena ses bras croisés. Il avait des yeux de rage. Il grommela un malheur à venir, un grand désastre, en confidence tombée sur la foule. Puis il lança un slogan, repris en chœur par l'assemblée :

« Allemagne ! Réveille-toi ! »

Il s'approcha du micro et se mit à parler plus distinctement. Il évoqua le destin de ces ouvriers allemands ruinés par la dette et le *Diktat*. Il parlait de ces hommes comme s'il avait partagé leur quotidien. Son visage se rembrunit. Il s'approcha du micro et lança des questions sur l'origine de tous ces maux.

« Qui ? Qui a le droit ? Qui a imposé cela ? »

Il désignait les coupables de la crise par leur nom : le banquier Schultz, le ministre Weiss, et laissait à la foule le soin de les réduire :

« Juifs !

— Le patron Köhn et le général Kinzbergerstern.

— Juifs ! Juifs ! » râlaient quinze mille personnes à chaque nom en pâture.

C'était un roulement de locomotive qui crachait « Juif », comme « suif » à chaque tour de bielle, comme l'hélice d'un paquebot propulsant des milliers d'âmes à coups de pales fendant les flots : « Juifs ! Juifs ! »

Un grondement irrésistible qui grandissait le gauleiter. Il incarnait sa haine, se gonflait de cette rage bien branlée.

« Juifs ! Juifs ! »

« Y cause bien, fit sa voisine rose bonbon. C'est un docteur. Un intellectuel. On leur donnerait bien tout à des bonshommes comme ça ! » dit-elle en gonflant sa poitrine.

Magda pinça les lèvres sans cesser d'applaudir.

« Et vous n'avez pas vu l'autre, ajouta sa voisine à col mauve et gants crème. L'autre, il me tire des sanglots de deuil, et parfois même de ces fous rires ! J'en connais qui se sont évanouis. C'est incroyable… Vous reviendrez, n'est-ce pas ? »

Le gauleiter était en nage, les yeux creusés, les lèvres rougies, les mains offertes aux quinze mille personnes qui le portaient aux nues.

« Le sang est le meilleur ciment », dit-il sans aucune clause de réserve. Puis il quitta la scène.

Il n'y avait plus d'orchestre, plus de micro sur l'estrade, qu'un vague murmure éteint, un contentement de foule dont la masse auparavant compacte se déchirait en lambeaux dans les gradins, aux étages, derrière et devant elle. Ils avaient aimé ça. Ils avaient aimé cette puissance. Le pouvoir d'un seul homme. Au-dessus. Au-dessus des autres. C'était sexuel. Absurde, aussi. Magda avait bien observé cet homme. Elle l'avait même envisagé. Pas lui. Mais ce qu'il incarnait. Celui qui restait droit quand les autres le buvaient. Celui qui les faisait crier. Sa place à elle était là-haut. Au-dessus. Elle méritait l'estrade, la droite du chef. Elle aimait qu'on la regarde. Bientôt ce serait son tour… Qu'il était laid, sans foule. Mais il y avait la foule.

Près de la sortie, Magda longea une table recouverte d'un dais noir. Des miliciens tendaient des tracts et des stylos prêts à l'emploi. Elle écrivit son nom et signa.

« Aucun antécédent sémite ? demanda le milicien.

— Non, non ! se rengorgea-t-elle. Je suis allemande ! »

Le milicien passa au crible ses cheveux blond flamand bien tirés en arrière, ses pommettes nordiques, ses hanches.

7

Autour du cabanon, une brume s'étire toute en langueur, se requinque au-dessus du ruisseau et finalement cascade au dos des masses rocheuses. Cette brume est un haut-le-cœur. Un soubresaut gazeux. Un renvoi des entrailles du monde. C'est un trop-plein de cadavres dont cette terre est gavée. Et les arbres de la forêt l'en soulagent. Elle prend sa part du drame.

Judah décroche une besace du mur. Il soulève son rabat de toile claire et y enfourne un couteau, un crayon, une cordelette et le rouleau de cuir, l'étui à lettres enroulées au papier taraudé, gonflé par la froidure des blocks.

Ava se glisse entre eux pour sortir la première. Ses jambes s'enfoncent dans le brouillard. Elle bute sur d'invisibles obstacles, des petits rochers, des amas végétaux, et chute. Sans gravité. Elle se relève sans moufter, frotte ses genoux et se retourne. Sa peau est grenue.

Fela a repris un peu de forces. Mais son pas est encore hésitant. Ava fait demi-tour. La petite est là pour la grande. L'enfant aide l'adulte. Fela lui demande de ramasser un bâton solide. Elle préfère se débrouiller seule. Il faut qu'elle se reprenne. Le front n'est sûrement plus très loin.

« C'est par là », confirme-t-il d'un air de savoir. Il faut une direction. Un risque. Il a appris à se jeter dans le doute, à le déraciner.

Là-bas, tout ferait sens, la corvée et le travail, le chaud et les saisons, la peur et le défi, la maladie et la vie, la liberté et les proches retrouvés. Tout ça n'était plus loin. À quelques milliers de pas. Par-delà cette forêt embrouillée.

Avancer. Continuer. Oublier ces éreintements, ces courbatures et tous les mauvais coups à l'épaule, à la main, au dos, aux pieds. Oser se dire que la douleur passera, qu'elle finira par disparaître. Judah s'accroche. Les filles le suivent. Ils marchent lentement dans ce brouillard de terre qui se dissipe peu à peu, l'oreille tendue.

À souffles retenus, calmes, réguliers, au craquement bref d'une branche brisée et au chant des oiseaux. La forêt s'est soumise à leur rythme. La mousse absorbe leurs traces. Ils font courir de nouvelles ombres dans un labyrinthe d'ombres. Judah évite les grimaces de Fela. La jeune femme peine. Son visage a muté. Elle ne dit plus un mot. Personne ne parle.

Le muret devant eux s'élève sur un mètre cinquante. De l'autre côté, Judah devine un parc bien entretenu. Une herbe rase. Des massifs de fleurs prétentieuses et des tours séculaires. Ils s'apprêtent à longer l'enceinte du château d'Isenschnibbe. Les gros blocs de grès clairs dessinent une frontière ostensible, un périmètre de vanité dressé entre ses propriétaires et le reste du monde. C'est chez la vieille dame à l'ombrelle de l'autre jour, celle qui se tenait assise sur son tabouret de bois, celle qui avait tendu une main molle pour recevoir le baisemain d'un officier allemand, celle que Fela avait enviée, en se disant qu'elle aussi voudrait vivre vieille en robe et bien coiffée, celle que tous les villageois appelaient la comtesse, la comtesse von Blochwitz.

Dans le champ clos de cette demeure sans âge, toutes sortes de notabilités se rassemblaient selon l'usage : barons d'Empire, despotes locaux, élus de Weimar ou petites gloires nouvelles. Les nouveaux maîtres allemands avaient pris le pli et vidaient, comme un rituel, la cave de la comtesse. Deux jours plus tôt, quand le premier train de détenus était arrivé en gare de Mieste, elle avait fait dresser un buffet. Il y avait des soldats de rang très supérieur, une trentaine de volontaires locaux, et Thiele, le représentant du parti pour la région. Pendant qu'ils savouraient les mignons de volaille, Thiele s'était plaint de la présence en gare de ces milliers de spectres, de la vermine des camps qui traversait la région. La comtesse proposa sa grange.

« Vous n'avez qu'à les y enfermer tous et y mettre le feu ! »

Thiele et les officiers louèrent la générosité de leur hôtesse. Et portèrent toast sur toast à elle et sa lignée. Elle avait quatre-vingt-douze ans.

« Et pour ceux qui se sont échappés des trains ? » questionna Thiele.

Les volontaires présents prirent une pose dictée par les dorures et le champagne offert. Des paysans pour la plupart. Deux ou trois commerçants. Avec leurs fourches et leurs fusils de chasse, ils s'étaient juré de traquer les fuyards. Ils ne se laisseraient pas faire comme les braves gens de Weimar quand des centaines d'évadés avaient pillé la ville. La presse avait décrit des hordes de vampires, de démons que des mois de captivité avaient rendus plus mauvais que les rouges de Staline. Plus avides. Plus rageux. Les volontaires défendraient leurs biens, leurs fermes et leurs femmes.

« On les empêchera de nuire », conclut Thiele.

Il avait le sens de la litote. Le don de la menace voilée. Un art très germanique de faire passer le pire pour une nécessité. En fin de soirée, les volontaires se donnèrent un nom : la « brigade Rabauken », pour chasser ces brigands…

La comtesse se coucha tard, comme d'habitude, un peu pompette, comme tous les mercredis soir. Elle avait tenu son rang.

Fela clôt la marche, de son mieux, visage fermé. Les yeux rentrés. Claquemurée.

« Qu'est-ce que tu regardes comme ça ? dit-elle sans lever la tête. Y a quelque chose qui te gêne ? »

Sa jambe a gonflé. Sa peau est tendue comme un ballon de baudruche.

« Grimpe sur mes épaules !

— Je pisse sur ta pitié, t'entends ! dit-elle avant de lui balancer un caillou. Avance, bon sang ! Avance ! »

La pierre suit une trajectoire lamentable et retombe loin de lui.

Le muret se décline par paliers de blocs couverts de mousse. Ils sont au bout. Au loin, ils aperçoivent la grange. Il n'y a plus de flammes ni de fumée, que des murs calcinés et une structure décapitée, cernée par le va-et-vient des charrettes, lourdes, grossières, tirées par des holsteiners, des gris du Jutland. Des chevaux las, qui se traînent avec le reste, bons pour l'équarrissage. Judah voit des hommes en pantalons de ferme sortir des cadavres d'hommes ou de femmes en lambeaux. Carbonisés. Judah se crispe. Serre les dents. Une branche lui barre la scène. En l'écartant, il sent une pointe s'enfoncer dans sa paume. Des dizaines de pécores aux ordres de la milice à brassards rouge et noir, des vieillards cyphotiques, jambes cagneuses, gueules gâtées. Des relégués, des réformés, des anciens combattants qui ahanent de leur mieux sous le poids des cadavres redressés à bout de piques, à bout de pelles. Tous évitent de toucher ces membres en instance, rassemblés à la va-vite d'un petit coup de botte. Ils débarrassent la grange. Il n'y a plus de soldats visibles. Les civils finissent le sale boulot.

Judah compte. Trois charrettes. Une vingtaine d'hommes et quatre fosses à première vue. Il dénombre quatre rectangles de vingt mètres de long sur six de large. Chaque charrette remplit un quart de fosse. Les pelles aplanissent les fosses pleines. Les semelles entament des danses ignobles pour tasser une terre gavée à ras. Les paysans toussent au mieux pour chasser la puanteur ambiante. Judah connaît cette odeur. Il en a rebouché, des charniers. Elle est restée gravée dans un coin de lui, sous son derme, à jamais. Avec le bruit du dos des pelles qui cognent sur les derniers saillants d'homme, des os, des crânes, des trésors enterrés jusqu'à ce qu'une main se lève. Halte ! Parce que l'officier chef de charnier avait cru percevoir le bruit de l'or qu'on cogne. Il fallait tout défaire, creuser, casser du coin de la pelle un pan de mâchoire ou de gueule, fouiller dans une gencive pour tenter de trouver l'or.

Ils ont fini une fosse. Des bottes éparpillent çà et là des feuillages, des branches et des cailloux pour camoufler leur meurtre.

« C'était donc ça ! se dit-il. Il n'y aura pas de massacre. »

Une grange avait flambé et on la réparerait. Des morts ensevelis, cachés. C'était pour ça que la terre pleurait ce brouillard de sanglots, épais, à ras de terre.

« Qu'avons-nous fait de mal ?

— Rien, Judah. Rien de mal. Ne te trompe pas.

— Je suis né Judah, comme l'apôtre qui a vendu leur Christ.

— Le Christ.

— Je me demande parfois si ce n'est pas à cause de lui qu'ils me pourchassent. »

Sottise, pense-t-elle. Mais elle n'a plus le goût du débat. Elle a pris l'habitude de laisser dire et faire.

« Comment s'appelait ton père ?

— Frigyes…

— C'est un beau nom, dit-elle.

— Oui. C'est un prénom d'homme sage. C'est l'uni, Frigyes. Celui qui unit pour la paix. Comme un pacte. Une sorte de mariage.

— C'est un beau nom. Et nous prierons pour lui, Judah. Nous prierons quand nous serons loin. Nous dirons la prière des morts pour lui… et pour eux. »

Le Qaddish est une géographie du deuil, une traduction de la peine qui dépasse toutes les peines. Cette prière comble le gouffre entre ce qui était et ce qui n'est plus, le proche devenu lointain. C'est ce fossé insupportable que le Qaddish répare en sept mots, vingt-huit lettres, ni plus ni moins.

Fela s'est assise. Elle sort un hameçon de sa poche et s'entaille le mollet. Une incision d'un doigt de long. Du sang gicle. Sa jambe dégonfle un peu. Elle dit qu'elle ne sent plus ses orteils. Qu'elle est fatiguée de traîner cette mauvaise guibolle ! Une jambe devenue rondin. Elle coince une branche le long de sa jambe.

L'attelle. Trois tours de cordelette en bas, au milieu, et sous le genou.

« On y va ? » dit-elle avec des yeux d'ailleurs. Judah l'aide à se relever. Elle laisse faire, sans rien dire.

Ils ont du soleil plein le dos. Et le bruit de leurs pas pour seule compagnie.

8

Ma fille,

Je vis chez mon ami Baruch, le gargotier. Je l'aide à tenir ses comptes. Il a une chambre pour moi, petite, qui embaume le poisson. Je lui ai parlé de toi. Désolé. Je n'en peux plus de me cacher, de taire que j'ai une fille qui ne veut plus de moi.

Des années sans un mot.

C'est plus qu'un trou de mémoire !

Je suis devenu pauvre de toi, de tout l'amour d'un père. Tu es devenue riche en épousant ce bon vieux Quandt. Tu as un fils, dit-on, qui se porte comme un charme.

Et ce « dit-on » m'a dit qu'il s'appelle Harald et qu'il ne sait rien de moi. Est-ce vrai ?

J'ai tenu ma place de père, je crois. Baruch dit que j'étais un brave père.

Moi qui t'ai crue heureuse.

Je t'ai connue curieuse.

Je t'ai vue amoureuse.

Je t'ai sue malheureuse.

J'espère que tu redeviendras ma fille, un jour.

Laisse-moi une petite place.

Accorde-moi l'image d'un père, même à échelle réduite, comme ce temple de Salomon en carton dur rouge et or que nous avions visité, tous les deux, à Berlin. T'en souviens-tu ? Cette reproduction était l'œuvre d'un certain Schwarzbach, un de ces Juifs de l'Est qui s'était mis en tête de reproduire à l'échelle 1/70 le temple de Salomon. Il était exposé dans la librairie de la rue des Grenadiers. Sa photo était accrochée au-dessus. Il s'était échiné des années pour en reproduire chaque détail, le toit d'or, le jardin, les quinze marches des lévites et le Saint des Saints, bien sûr, la salle aux 71 trônes d'or des juges du sanhédrin. Je ne prétends pas être un des leurs et te dire ce qu'il faut faire ou non. Je suis un petit commerçant devenu comptable. Je ne te demande pas un trône d'or. Je ne te demande rien de grand. Je sais être riche de peu. Je voudrais juste un peu d'égard. Un soupçon d'estime. De considération.

Schwarzbach a mis neuf ans pour construire son temple.

Je n'ai rien construit.

Je n'ai rien bâti.

Ma vie ne tient plus qu'à l'hospitalité de Baruch.

Mais tes fondations sont les heures que nous avons passées ensemble à interroger la vie, à balayer la mystique, à gratter les mots, les idées, les grands auteurs. À marcher sans rien dire pour écouter le silence.

Je mérite bien d'être ton père, même à échelle réduite...

9

L'hiver où sa vie bascula, le tabac était rare et les ruelles sentaient fort la corne des pipes fumées. Aux monts-de-piété, on donnait l'heure pour se payer à dîner, une montre en or pour une livre de viande, un manteau pour du pain, des chaussures pour du bois de chauffe. Le troc encombrait, imposait ses règles et ses barons aux quatre coins de la ville. Le papier de l'argent avait plus de valeur que les sommes affichées dessus. Le pays tout entier s'enfonçait dans la crise, et Magda arrachait à son bon vieux mari de Quandt la garde exclusive de leur fils unique, des actions au porteur et un appartement si vaste qu'elle pouvait y loger sa mère, Auguste, sans risquer de la croiser, une gouvernante, une bonne et son coupé Wanderer dans la cour intérieure.

Magda ne manquait de rien. Trentenaire pleine d'allant, divorcée, célibataire et sans contrainte. Mais elle se sentait creuse. Elle pouvait gamberger des journées entières au volant de son coupé. Elle sillonnait sans but le bitume de la ville, traversait ses faubourgs, pavillonnaires ou miséreux. Lancée sur les routes de campagne, elle ouvrait grand les fenêtres de son automobile bleu nuit et se soûlait de vent, en été, en hiver. Le moteur lui tenait chaud. Et quand elle revenait, tout le monde dormait. Sa mère, dans sa chambre tout au bout de l'appartement, à portée de voix, mais pas de vue. Harald, son fils, à mi-chemin du couloir. Sa nounou dans la chambre d'à côté. Magda n'avait jamais sommeil.

« Quelqu'un a-t-il laissé un mot ?

— Juste cette invitation de Son Excellence », lui répondait la bonne avec sa tête pointue, toute brune, frisée, mais pas assez frisée pour combler l'extravagant ovale de son visage. Elle gardait les yeux rivés au sol comme si le lustre du parquet primait sur tout le reste. Elle était myope comme une taupe. Myope de naissance. Magda n'en savait rien. Cela l'aurait disqualifiée. Pour compenser, elle astiquait, dans le détail, le nez au sol et aux meubles rivé.

Plusieurs fois par semaine, Son Excellence le prince Auguste-Guillaume de Prusse recevait chez lui pour donner une patine mondaine à son penchant pour l'alcool. Frivole, joueur, buveur, instable, ce prince, charmant par le sang et détestable par l'esprit, vivait en marge de sa famille. Il était né Hohenzollern, mais à l'écart du trône, et entretenait une cour qui se donnait des airs de nouvelle aristocratie, de noblesse bis. Une clique d'hommes, essentiellement, attachés par le ventre et les bontés du prince, qu'ils surnommaient

« Auwi », prompt à se donner à l'un ou l'autre. Au gré de l'envie du jour. « Auwi. » Magda savait prendre la pose, tenir son rôle de femme. Elle portait de grands colliers de perles, citait Yeats, Schiller et Goethe à la demande, avait un grand sourire et aussi assez peu de convictions pour déjouer tous les pièges de l'erreur d'opinion, du mauvais goût ou de l'ignorance. Le prince et sa coterie exécraient le capital moderne, Weimar et tous ses officiers. Magda faisait siens leurs formules, leurs mépris, leurs mouvements révulsés pour tout ce qui dominait ce mauvais siècle allemand. Comme Magda attirait les hommes, beaucoup d'hommes, rarement mariés, portés sur les manières d'un prince qui en était plein, de manières, elle était la bienvenue.

« Pas d'autre message ?

— Que le bristol du prince, Madame, mais ce matin, dans la corbeille du courrier, il y avait bien une nouvelle lettre de M. Friedländer…

— Sybille ! coupa-t-elle.

— Madame ? dit Sybille en rougissant.

— Vous avez des enfants ? »

La bonne hésita entre le parquet du couloir et le tapis du salon.

« Oui, dit-elle en se frottant les mains contre ses hanches. Deux ! »

Elle cachait ses yeux noirs, parsemés de taches dorées, des cils sans distinction et une bouche généreuse. Elle avait un front lisse et logeait sous les combles, quelques immeubles plus loin. Où étaient ses enfants ? Qui s'occupait d'eux ? Comment avait-elle osé faire des enfants, elle qui n'était rien, qui n'avait pas d'homme, pas de condition ? Comment peut-on faire des enfants quand on n'est personne ? Magda s'y perdait. La seule propriété d'un corps, sans bien, sans patrimoine, confinait à l'animalité. Elle avait tant souffert avant de devenir quelqu'un. Elle lui tourna le dos pour aller se changer.

Ce soir, le prince trônait au milieu de trois gitons à la beauté alambiquée. Des dentelles d'hommes et de propos décousus qui entretenaient un bruit de fond joyeux.

« Pourquoi ne pas vous engager, Magda ? Puisqu'il vous a fait forte impression ! Allez-y ! » suggéra-t-il tout bas.

Le prince parlait court, toujours un peu penché. Auwi souffrait de fréquents maux de bide, des trous de bile. Il pâtissait d'être en marge. Mais, depuis peu, il s'était trouvé une cause. Il était national-socialiste. Sa carte du parti portait le numéro 24 ! Il revenait de Munich et dressait de son chef un portrait si enthousiaste qu'il omit de prendre la flûte qui passait sous son nez.

« Le prince a raison, ajouta l'un de ses précieux qui parlait des poignets.

— C'est un grand homme ! L'avez-vous entendu ? » demanda un autre. Il lorgnait le collier de Magda. Pas son décolleté aussi plongeant que le premier balcon du Konzerthaus. Non. C'étaient plutôt ses pierres semi-précieuses qu'il convoitait. Il n'y connaissait rien.

Toute la soirée, Auwi et ses «poignets légers» lui vantèrent les mérites de ce chef de parti. Il avait le vent en poupe. Il attirait des hommes d'affaires, des imprimeurs, des salariés, des ouvriers et des femmes, de plus en plus nombreuses. Magda n'entendait plus parler que d'eux, de ses miliciens, de leurs idées et de leur chef. La veille, lorsque le vieux Quandt était passé chez elle, il avait évoqué ses affaires, l'usine et les batteries produites, de plus en plus légères, qui devaient équiper ce qui restait de l'armée allemande. Son ex-mari avait de l'admiration pour ce chef de parti qui voulait plus de chars, plus d'avions, plus de bateaux, donc plus de batteries Quandt. Même leur fils s'emballait. Harald réclamait de suivre ses camarades de classe, de passer ses week-ends en camp de jeunesse pour jouer aux apprentis soldats.

«Allez-y, la sermonnait le prince. Ça vous occupera l'esprit.

— Mais je ne sais rien faire !

— C'est parfait. Vous verrez, ils ont besoin de gens comme vous.»

Le siège du parti était situé dans un immeuble en pierres de taille, au cœur du vieux Berlin. Le hall d'entrée sentait l'enduit et l'huile. Au sol, un plancher versaillais. À droite, les dernières marches vernies d'un escalier de bois, massif, un peu terne. Magda visa l'immense sourire du milicien de l'accueil. Belles épaules, front dégagé, veste impeccable. L'escogriffe plein de dents rassurait les curieux et les garçons de passage.

Magda se proposa comme bénévole.

Non, elle n'avait jamais milité.

Aucune notion de secrétariat.

Pas de mouvements de jeunesse !

Mais elle savait le français, l'italien et l'anglais.

«J'ai lu *Mein Kampf*, aussi ! dit-elle.

— Comme tout le monde.»

Le milicien se demandait vers quel service il allait l'orienter. Chaque jour, des centaines de personnes venaient quémander de l'aide, un boulot, un peu d'argent pour faire manger les petits… Ils attendaient tous quelque chose du parti. Magda laissa tomber qu'elle avait du temps libre et ne demandait rien.

«Parfait !»

Le milicien lui tendit un formulaire. Il fallait qu'elle réponde à tout un tas de questions sur son état civil, sa situation de famille, ses opinions politiques. Le milicien au grand sourire lui indiqua un guéridon.

Mère : Auguste, née Behrend. Employée de maison. Divorcée.

Père : …

10

Ma fille,

J'arrête.
J'arrête de tempêter.
J'arrête de gâcher de l'encre.
J'arrête de me couler l'âme à pic, la main tendue dans le vide.

J'arrête de me décrocher la tête quand je te vois passer au volant de ton automobile, que tu conduis comme un ambulancier.

J'arrête de faire des signes, de crier, de t'appeler par ton nom, par tes noms, Behrend, Friedländer, Quandt…

J'arrête de me dire que je pourrais me planter au milieu de la route, bras écartés, jambes écartées, pour que tu daignes freiner, me regarder, accepter mon sourire, peut-être me faire monter, te dire que ce n'est pas grave un divorce. Crois-moi, on s'en remet…

J'arrête de faire le pitre.
J'arrête de trembler quand je vois ton fils défiler en

chemise et pantalon nazi. Il est revenu, samedi dernier. Avec ses camarades, ils sont repassés devant la gargote de mon ami Baruch, en brandissant leur drapeau. La troisième fois ce mois-ci !

Des enfants du ghetto voulaient leur tendre un piège. Ils avaient préparé des pierres, cassé des casiers de bois pour en faire des bâtons. Avec le docteur Bernstein, nous sommes intervenus juste à temps. Les enfants étaient postés dans un immeuble en face. Nous sommes montés pour les sermonner. Harald et ses amis n'ont sans doute rien remarqué. Ils ont poursuivi leur drôle de marche glorieuse à travers les ruelles, chanté, mis des coups de pied dans les étals, hué des commerçants, coursé pour rire des vieillards isolés. Et puis ils sont repartis. Sans un pli à leurs uniformes de petits soldats. Je crains qu'à leur prochain passage les camarades de ton fils prennent une sacrée déculottée. Ici, les gosses sont bouillants de rancœur. Je ne préfère pas imaginer ce qu'ils feront de leur étendard rouge à croix gammée la prochaine fois qu'ils se pointeront ici.

J'arrête de lire la presse pour éviter les noms de mes amis écrits en gros, en gras, victimes d'un fait divers qui se répète chaque jour comme les indices d'un plus grand drame à venir. Il n'y a plus de place dans mon cimetière intime.

J'arrête.

J'attends.

Recroquevillé dans un angle mort.

11

Tapi derrière les arbres, à quelques pas de la grange, Judah aide Fela à se relever. Il lui tient le bras. Il lui fait mal, à la serrer comme ça. Il ne s'en rend même pas compte. Il ne voit que le va-et-vient d'hommes, le bal sinistre des charrettes, le soin fou de ces paysans à effacer les corps. Combien de temps pourra-t-il leur échapper ?

« Il disait qu'ils n'y arriveraient pas. Que personne n'arriverait à nous faire disparaître. Il est peut-être mort trop tôt. Il n'a pas vu ce qu'ils étaient capables de faire pour parvenir à leur but…, déclare Judah.

— De qui parles-tu ?

— De Friedländer, l'auteur des lettres, dit Judah en tapant sur sa besace. Celui du camp. Ses lettres sont dans ce rouleau de cuir.

— Tu les as lues ? »

Un avion se rapproche en rase-mottes, juste à portée des cimes. Un bombardier américain. Les paysans lâchent leurs outils et lancent des bâches pour couvrir hâtivement les charrettes. Les miliciens s'éparpillent. Le bimoteur poursuit au-dessus de la grange, vire sur l'aile et file au nord. Peut-être un avion de reconnaissance. Judah espère qu'ils ont pris des clichés, des preuves de « ça », de ce qui restait de « ça ».

« Tu les as lues, ces lettres ? répète-t-elle.

— Oui. Les siennes et celles de ceux qui les ont portées. Ils ont tous raconté leur histoire. Et je suis, nous sommes, toi et moi, le dernier maillon de cette chaîne… »

Judah se reprend. Il y a devant eux les paysans qui se remettent au travail. Il y a les miliciens qui surgissent de leurs planques. Il y a le temps qui presse. Les lettres. Et puis Ava, aussi. Faut-il poursuivre ? Attendre ? Rester dans cette forêt ? Là-bas, à l'ouest, il y a la gare de Mieste sur le chemin du front. Les soldats sont-ils encore à Mieste ?

Judah marmonne. S'exhorte. Il se persuade qu'ils sont sur la bonne route. Sorti du bois le premier, il indique un sentier qui décline. Pas le moindre souffle d'air. Le soleil gagne. Judah transpire et ses mains collent autour de Fela qui se traîne.

Ava compose des bouquets de petites fumeterres mauves avec leurs pointes violettes, d'asters miraculeux aux capitules offerts comme ceux des marguerites, qu'on aime, un peu, beaucoup, passionnément, à la folie… Qui donc lui apprendra les mots brodés des fleurs ? La beauté de l'aster. Sa résonance latine. *Ad astra per aspera.* Qu'il est long le chemin qui mène jusqu'aux étoiles ! Ava laisse les églantines et les ronces, et les chardons intacts, et progresse avec la frivolité d'un après-midi de vacances, de colonie en vadrouille. Cette faculté d'oubli, de l'instant mis à profit, des menaces éloignées, Judah l'envie. Il a dû muer trop vite, passer de l'âge d'enfant à celui d'homme traqué. Ava balbutie quelque chose. Judah tend l'oreille. C'est le crissement de leurs pas, rien d'autre. Des bruits de gâteaux secs écrasés.

Judah ramasse de petits morceaux de tissu, un bouton de bois, une touffe de cheveux et le triangle violet des témoins de Jéhovah. Il les fourre dans sa besace. C'est un herbier pour le rouleau de cuir. Des traces. Des preuves collectionnées d'urgence.

Cela fait des heures qu'ils arquent, à découvert. L'horizon est égal. Nulle part où se cacher. Le soleil droit devant va bientôt disparaître. Une odeur les détourne. Une odeur impossible à désapprendre. Tournée. Râpeuse. L'odeur des animaux de la ferme. La gourde est vide ; la petite, altérée par manque d'eau ; Fela, épuisée. À grand-peine, ils franchissent le bas-côté du chemin, un enclos vide. Pour voir. Un toit pointe au-dessus d'un chapelet d'arbres. Ils approchent. Pas d'engin dans la cour. Une vieille brouette végète près du puits. Un bac en grosse pierre granitée retient une eau fangeuse, des têtards qui zigzaguent, des trémas d'algues ponctués de pattes d'hydromètres, des feuilles noyées au fond. Ils passent des collections de bouse éparpillées sur les pavés. Des brins de foin. Les volets de la maison sont clos. Judah

121

s'approche tout seul. Porte fermée. Il fait le tour. Pas un bruit, mais son oreille bourdonne. Ça reprend. Ça faisait longtemps qu'elle ne bourdonnait plus.

Pour lui, les bonnes cachettes sont perchées. Il a retenu la leçon de ses parties d'enfance avec les cousins de Komarom. Judah était souvent le dernier, celui que personne ne trouvait. Il fallait qu'il sorte de lui-même car, au bout d'une demi-heure, il s'ennuyait sous les combles du poulailler ou du toit.

La maison est retenue, en apnée. De prime abord vide. Quelques vaches efflanquées dans l'étable. Au bout du corps de ferme, il repère un appentis. Fela et Ava suivent sans faire de bruit. Il va bientôt faire nuit. Rien ne luit, ce soir. Sous un tas de vieilles planches, Judah dégotte une échelle. Il la dresse, teste rapidement ses barreaux et la fait basculer contre l'appentis. Sous le toit en auvent, il découvre un plancher de fientes et de duvets. Des concrétions de végétaux et de cordages mêlés. Des débris de fruits à coque. Les traces d'un nid de rats des champs. Sa hantise. Judah a vécu les ravages du typhus. Cette maladie a rendu fou plus d'un détenu, aussi sûrement que le plomb. Il écrase le nid de son mieux, balaie le sol, fait beaucoup de poussière. Et attend qu'elle retombe.

La ferme n'a pas bougé. Apparemment déserte. Fela et la petite peuvent monter. Cette nuit au moins ils vont pouvoir dormir en attendant les troupes d'outre-Atlantique. Des noms de sauveurs circulaient déjà, des mois plus tôt, dans les wagons et les lignes formées pendant l'appel. Fela récite des vers anglais. Des mots, des rimes. Judah entend les syllabes qui se répondent en écho, mais il ne comprend pas. Pas besoin. Il trouve ça beau, les mots d'ailleurs. Ils sonnent bien. Judah se recroqueville dans un coin de l'appentis, sa besace sous sa nuque. Il prétend qu'ici rien de mauvais ne peut leur arriver. Ava est accroupie près de lui. Elle a ramassé ses jambes contre elle. Ses genoux collés sous son menton. Elle casse les noix qu'il vient de dénicher. Dures, pleines, charnues. Leur cerneau libère une amertume solide. Fela ne récite plus. Judah lui tend des noix. C'est à son tour de dire. Comme au block. Quand la nuit venait à tomber. Il y en avait toujours un qui se mettait à parler, ou chanter, ou réciter. Chacun son tour.

Judah glisse de l'autre côté de l'appentis, vers ce qui reste de clarté, sort le rouleau, l'aplatit et se met à lire à voix basse. Au fil des lignes, il plonge dans la vie d'un vieil homme, ravive un monde lointain, celui des diamantaires d'Anvers. L'homme commence toujours ses lettres comme un père et les finit en anonyme, sans mentionner son nom, sans signature. L'étrange littérateur les guide à travers les ruelles tortueuses et pavées qui mènent à la Beurs voor Diamanthandel, la Bourse aux diamants. Il initie sa fille. La petite Magda a une dizaine d'années. Il lui rappelle les commerçants à chapeau noir, aux poches pleines de diamants, qui marchaient en tous sens. Il décrit leurs vestes longues et leurs barbes bibliques, les fortunes qui s'échangent au gré d'un simple *mazal*, plus sûr que tous les actes de notaire, où le gredin est banni à jamais, plus sûrement

123

qu'en prison. C'est le monde très fermé des héritiers des marranes, chassés d'Europe méridionale, d'Espagne, du Portugal, par les Rois Catholiques, Isabelle et Ferdinand. Un monde plus tard, ils seront rejoints par les rescapés de l'Est, fuyant les pogroms, les *shtetl* et la vie des ghettos.

Au fil de la lecture, Judah, Ava et Fela sont les témoins émus d'un amour absolu. Celui d'un homme pour sa fille. Amour à sens unique.

«Continue. Raconte la suite du père, Judah.»

Ces lettres retracent l'histoire d'un commerçant prospère. D'un père qu'on a fait se cacher d'être père, «pour le bien de sa fille». D'un père acharné à rattraper toutes ces années perdues. Elles sont pour la petite qu'il a hissée sur ses épaules, ces épaules de géant qui lui ont fait voir Anvers, Bruxelles, Paris, Londres et Berlin. Il est sans elle dans ce camp. Ce sont les lettres d'un vieillard prématuré. Des mots qui ne passent pas, des missives qui ne sortent pas. Condamnées. Une histoire banale, un père, une fille, une histoire interdite, une histoire survivant après la mort de son auteur, là-bas, dans le froid, dans le camp. Ses lettres, ses mots, passés de main en main. Elles finiront leur course, ces lettres et celles qui suivent, *yizker-bikher*[1], jusqu'à la fille honteuse. Leur seule destination.

Ava s'est endormie. Elle ignore tout de la faillite, des heures glacées en centre d'hébergement, des

---

1. Livres du souvenir.

malles à moitié vides et des petits boulots, du départ de la mère, de l'oubli de la fille qui ne répond plus.

Des nuages couvrent la lune. Un noir d'encre force Judah à rengainer ses lettres.

«J'ai dormi très longtemps?» demande-t-il, du soleil plein les yeux.

Ava a cessé de fredonner. Il s'en veut d'avoir dormi plus que les autres. Il se tourne. Fela a disparu.

«Où est-elle?»

La petite tend le bras vers la ferme. Il va voir. Il promet de revenir vite.

«Tu ne bouges pas de là!»

Les volets sont clos. La porte est fermée. Il y a de la poussière sur le seuil de l'entrée. Judah tend l'oreille. Pas le moindre signe de vie.

Il longe la maison. Ses murs sont bordés de rosiers. D'autres fenêtres. D'autres volets fermés. Il tourne. Découvre un potager pris d'assaut par les herbes mauvaises. Des légumes pourrissent sur leurs pieds. Des essaims de mouches se régalent. Une poule se casse le bec sur la terre desséchée. Deux autres gallinacés grattent pour rien. Il cherchera leurs œufs tout à l'heure. C'est cette maison qui l'intrigue. Judah ramasse une tige en fer. Un vieux tison rouillé qu'il glisse sous le volet, et enfonce dans le linteau. Y a plus qu'à pivoter… Le volet se dégonde et bascule.

Les rideaux de la fenêtre sont tirés. Opaques. Judah n'a pas le temps de voir la silhouette pointée vers lui. Il

125

ignore qu'un canon l'ajuste. Une poule vient caqueter dans ses pieds et couvre le bruit du percuteur.

La fenêtre vole en éclats. Des centaines de plombs fendent sa boîte crânienne.

Non loin de là, le représentant du parti à Mieste, Thiele, embrasse une dernière fois sa femme, planque ses insignes officiels au fond de l'armoire et quitte la petite ville allemande, déguisé en vieillard.

La gare est cernée par les jeeps et les camions du major général F.A. Keating. De rares rescapés sortent de leurs cachettes. Les soldats leur distribuent des vêtements propres et des rations C. Chacune contient trois conserves, de bœuf, de petits pois, de haricots, une boîte de biscuits, un sachet de café et une tablette de quatre cigarettes Chesterfield.

Une reporter américaine s'approche des survivants. Ils échangent quelques mots, des sourires de libération. Elle tend son appareil, attend un signe d'assentiment et lève son objectif. Eux s'en moquent. Grattent les allumettes fournies, tirent les premières bouffées et se mettent à fumer, le visage vers le ciel. Espèrent.

Ces photos feront bientôt le tour du monde.

12

Sur le registre tendu par le jeune milicien, Magda remplit la dernière case : « Née de père inconnu. »

Elle commit un faux. Ça tombait mieux, c'était pratique. Elle répondit que sa mère était aryenne, qu'elle n'avait pas de sang juif et rappela qu'elle avait épousé un Quandt, membre de cette grande famille. Elle décrivit ses voyages et les langues maîtrisées. Elle exagéra ses lectures et prétendit qu'elle n'écoutait que Strauss et Wagner. Elle jura, et c'était devenu vrai, que personne autour d'elle ne fréquentait de communistes.

Inutile de relire. Magda signa.

Le milicien lui demanda de patienter. Quelqu'un allait la recevoir pour… Mais il ne finit pas sa phrase. Le hall s'était figé. On n'entendait qu'une claudication. Le gauleiter. Il portait une veste grise, croisée. Il salua Magda en passant, puis disparut par une porte discrète sous l'escalier d'honneur. Le hall retrouva ses bruissements.

«Vous le connaissez ? » s'étonna le milicien.

Magda prétendit qu'ils s'étaient croisés, «quelques fois», laissant planer entre elle et lui un champ spectral de possibilités. Ça lui était venu comme ça. Pour elle, c'était un jeu. Se raconter et profiter des apparences. Le milicien roula sa fiche et la glissa dans un tube qu'il expédia par pneumatique aux étages supérieurs. Les archives du parti occupaient trois étages. L'ogre politique se nourrissait de l'autre, fichant, archivant tout, sur du papier pelure, mal recyclé. La crise avait contraint l'industrie papetière à réduire son grammage. L'enfer allait s'écrire sur papier bible, diaphane, poreux comme du papier buvard, absorbant toutes ces vies.

Une bonne femme à jupe noire déboula sans se présenter. Elle ne portait pas de bague, pas le moindre bijou. Austère et sombre, elle soumit Magda à d'autres questions.

Que faisait-elle là ?

Qui connaissait-elle ?

Elle lui parlait d'un ton de trique. Magda lui resservit son credo machinalement, fourbit le nom du prince et le Palais des Sports, évoqua ses lectures, les défilés, son fils, et l'envie de rendre service, d'être utile au parti… Comme l'autre lui battait froid, Magda devenait convaincante au point de se convaincre elle-même qu'elle avait sa place là, qu'il fallait qu'elle y soit. L'autre poursuivit.

Pourquoi se présentait-elle comme Mme Quandt alors qu'elle était divorcée?

Qui élevait leur enfant?

Était-elle remariée?

Magda flatta l'image de son ancien mari, prenant de court tous ceux qui s'attendaient plutôt à de la rancœur ou de l'acrimonie. La jupe noire était dure à séduire. Elle l'entraîna plus loin, sous l'escalier de l'entrée.

«Accepteriez-vous de suivre une formation? On manque de dactylos», dit-elle en poussant la porte d'une galerie située au rez-de-chaussée.

La réponse de Magda se noya dans le cliquetis des tiges de fer, des marteaux, des chariots activés, et des leviers de retour qui tintinnabulaient. Dans cette salle toute en longueur, une centaine de jeunes femmes, assises bien droites, en chignon et blouse claire, frappaient sans répit les claviers de leurs machines et débitaient des éléments de discours, des laïus prêts à l'emploi.

«Les grandes lignes sont définies! Nos représentants peuvent improviser, bien sûr! Ils ont le droit de faire des digressions, de s'adapter. C'est dans la nature des chefs de faire ça, des digressions. Mais ils ont une obligation. Ils doivent suivre à la lettre la doctrine du parti. Et cette doctrine, c'est nous!» dit-elle en manquant son sourire. Le coin de ses yeux s'était bien mis en mouvement. Il y avait eu un début de rictus au niveau des joues, mais la bouche n'avait pas suivi.

«Je vous présente Ernestine, qui s'occupe du gauleiter de Bonn.»

Ernestine releva un peu les doigts, salua la visiteuse, attendit une remarque ou une question, en vain, et se remit à marteler ses touches.

«Et voici Anna, qui travaille avec celui de Leipzig. Là, c'est pour nos élus à Hambourg, Francfort.» Elle sauta deux rangs. «Et toi, tu écris pour qui? demanda-t-elle à une jeune dactylo dont le pull rouge dépassait sous la blouse.

— Stuttgart, madame!

— Stuttgart? Mais je pensais que le bureau de Munich s'occupait de lui! Non? Bon. Très bien. Berlin prend du galon, on dirait. C'est très bon pour nous, ça!»

Dans cette salle, les jeunes femmes travaillaient sur des tables métalliques à peine plus larges que leurs machines. Des panneaux d'école rappelaient les principaux thèmes du jour, rédigés à la craie, comme les menus dans les brasseries du centre. L'entrée en matière était toujours la même. La crise économique et l'humiliation de Versailles. Le plat principal était fonction de l'actualité. Cette semaine, c'était le chef de la police criminelle qui était visé. Bernard Weiss. Sa police poursuivait les miliciens du parti à coups de bâton, de prison et de procès pour incitation à la haine, violence organisée ou diffamation. Il était légaliste. Il pensait que cela suffirait pour empêcher un nouveau putsch. Ce mois-ci, Weiss intentait contre le gauleiter de Berlin un trente-deuxième procès en diffamation. Trente-deux ! Plus d'un par mois.

« Ces femmes ne sont pas que des sténodactylos, dit la guide. Beaucoup ont été journalistes avant de nous rejoindre. Il faut être capable de ciseler des mots, de broder sur un thème imposé. Elles sont au cœur de notre système. »

Elle parlait comme une dame patronnesse, fière d'arpenter les rangs de ses petites protégées. Ses gestes envers telle ou telle dactylo, un bras posé sur une épaule, un coup d'œil complice, un sourire, un mouvement imperceptible, ses petits mots glissés sur sa batterie de pondeuses de mots mettaient l'impétrante au défi de faire aussi bien. Magda avait belle apparence, blonde impeccable, les mains faites, des talons neufs, mais l'autre appartenait à une élite politique, à une équipe olympique. Elle ne put s'empêcher d'ajouter, perfide, qu'elle en avait vu défiler, des « bourgeoises pleines de morgue » et de ces airs de « moi-je-sais-faire ». Beaucoup n'avaient pas tenu le rythme.

« Mais pas celles-là. Pas celles de mon équipe… Certaines sont capables de taper cinquante mots à la minute, ajouta-t-elle. Sans rature ! »

Dans la pièce au fond, elle lui fit découvrir l'atelier des illustratrices. Magda n'avait aucune disposition pour le dessin. La couleur et les ombres, le relief, la perspective, les détails d'une nature morte ou le simple dessin d'une bouche relevaient du trait de génie pour elle. Elle n'avait jamais pu dépasser le stade des visages ronds et des corps à bâtons.

Dans cette pièce aux murs voûtés qui sentait la cire et l'huile des pastels, une dizaine de femmes travaillaient sur une série d'affiches. L'une d'elles tenait un faisceau de crayons gris clair et estompait les couleurs d'une montagne avec la pulpe de son index. Son relief prenait forme. Une autre dessinait un groupe d'enfants. Des jeunes filles, toutes blondes, qui dévalaient un chemin, emmenées par le sosie de Harald, short à bretelles et chemise blanche. La nature. Des enfants. La famille. Des affiches comme celle-là, il y en avait plein les murs. Sans cesse renouvelées. Collées de nuit aux carrefours, sur les immeubles ou les vitrines. Remplacées dès le lendemain par d'autres affiches. La révolution passe par les murs avant de gagner la rue.

Le parti affrontait l'Internationale communiste. Chaque affiche avait ses codes, ses couleurs. La promesse aryenne s'esquissait sur fond de ciel bleu et d'enfance pure. L'homme communiste se dégageait de la machine à broyer l'homme. La nature s'opposait à l'outil. L'insouciance succédait au travail. Les deux modèles en lice s'affrontaient à coups d'affiches, de colle et de vinaigre blanc.

Le sourire de l'accueil se pointa. Il attendit, penaud, derrière la porte vitrée. La guide sortit. Ils discutèrent dans le couloir. Le corniaud et la mère poule.

132

Le visage de la femme prit deux tons plus blêmes et se tourna vers Magda.

«La visite est terminée!» lança-t-elle.

Les frappes des dactylos s'adoucirent. Magda maudit cette soie sauvage qui marquait ses aisselles et regretta d'avoir suivi les conseils de ce tordu d'Auwi. Elle remonta la galerie, se retrouva dans le hall. Juste avant de sortir, la femme lui indiqua l'escalier.

«Si vous voulez bien me suivre!» dit-elle.

Le pneumatique avait été mal orienté. C'est au troisième qu'elle devait se rendre, où l'attendait le gauleiter. Magda se laissa conduire. Soulagée. Le sourire niais d'en bas se tenait en retrait pour reluquer ses hanches. Le planton se rassasiait. Magda ne pouvait pas savoir qu'il occupait son hiver dans ce hall en espérant décrocher un autre rôle. Il avait de l'allure, sportif, bien balancé. L'uniforme lui allait bien et il était plutôt doué pour défiler au pas. Mais c'est en costume de Hollywood que ce gosse se rêvait, cintré et large d'épaules, avec ce léger roulis des omoplates, comme Ralph Graves dans *Submarine*. Quand il serait connu, il emballerait des femmes, des aussi belles que celle-ci.

Devant le bureau du gauleiter, sa guide invita Magda à s'asseoir sur un banc. Le branquignol rangea son sourire de hall d'entrée et s'appliqua à saluer les deux femmes. Il leva le bras droit bien haut, tendit ses doigts, le pouce bien recourbé sous la paume, le menton fier et le dos légèrement cambré. Comme ça, c'était parfait ! Il garda la pose quelques secondes et disparut.

« Madame Quandt ! »

L'appel de son nom la tira de sa rêverie.

Elle découvrit une pièce aux murs tapissés de livres. Des tranches de grands auteurs parfaitement alignées. Des chaises cannelées neuves disposées autour d'une table ronde.

La dame en noir s'effaça. Le gauleiter fit le tour de son bureau verni décoré de pièces de bronze – un buste, un cheval, un cavalier néoclassique. Après s'être excusé de lui avoir fait perdre son temps avec les dactylos d'en bas, il se montra curieux et voulut tout savoir d'elle. Les mains collées sur le haut de ses cuisses, il se retenait surtout de la prendre contre la porte.

Magda était son type de femme. Elle le sentait à son regard dardé. Elle en aurait, bientôt, la confirmation écrite noir sur blanc dans ce journal intime qu'il laissait traîner partout. Il venait de « soumettre » Ilse, sa nouvelle secrétaire, après Anka, vers laquelle il revenait souvent. Il voyait encore Hanna, le dimanche soir, ou Mlle Müller de Borkum, qui fréquentait les salons chics, ou Tamara quand, le dimanche, il préférait se reposer, car elle ne fréquentait que le sien, de salon. Il y avait eu aussi Johanna, et Jutta Lehmann, dix-huit ans. L'année dernière, c'était Julia qui occupait ses nuits, avec Xenia et Erika, la fille d'un responsable des eaux et forêts. « Pas belle, Erika, mais séduisante et gracieuse. » Près du nom de ses conquêtes féminines, Magda ne tarderait pas à découvrir la signification du chiffre entre parenthèses. Il allait de 1 à 9 sur 10. C'était la note attribuée aux performances de ces dernières, ou à leur degré de résistance, ce qui pour lui revenait au même.

« Vous permettez ? » demanda-t-il avant d'ouvrir la fenêtre. Un courant d'air fit valser ses notes. La porte claqua violemment dans son dos, mais elle était sereine, parce qu'un homme qui avait autant lu ne pouvait pas être mauvais.

Magda délaissa le vent et la vitesse de son cabriolet Wanderer pour classer ses archives, les photos de lui, les articles le concernant. La recrue bénévole mesurait son aura à l'aune de cette armoire métallique dans laquelle elle classait tout ce qui paraissait sur lui. Elle accepta de rester tard au siège du parti. Elle se sentait unique, privilégiée, grandie par les faveurs du chef. Il la flattait. Elle oubliait la répulsion que lui inspirait son profil de rongeur. Elle prenait de la place. On la sondait parfois pour savoir ce qu'il pourrait penser de telle ou telle affaire en cours.

Elle accepta ses mots flatteurs et une première invitation. Cela faisait belle lurette qu'aucun homme ne l'avait entreprise. Elle accepta d'apparaître à son bras à un gala de soutien organisé par son ami le prince. Elle rattrapait sa boiterie et lui ouvrait son carnet d'adresses. Auwi était flatté. Joseph dominait. Le soir, elle s'était résolue à lui ouvrir ses cuisses. Elle accepta de rester des soirées sans nouvelles de lui parce qu'il était trop occupé. Elle accepta de l'accompagner à

Munich. Elle accepta d'écouter son cher Adolf déblatérer sur les ravages de la syphilis, sur ces filles des bordels d'Ypres ou de Wervicq, avec leurs tentes plantées derrière celles des soldats, près de la ligne de front. Elle plaisait à son chef. Elle était consacrée. Il demandait des nouvelles d'elle, souvent. Voulait la voir. L'entretenait seul à seule. L'invitait à n'importe quelle heure. Joseph laissait faire. Il partageait avec son maître la naissance d'une passion pour elle. Adolf lui jouait des sérénades grotesques, sans jamais la toucher. Il s'accroupissait. Lui disait qu'elle était l'incarnation d'un rêve, que même sa tendre nièce suicidée, pour laquelle il avait dressé un mausolée chez lui, avec une pièce dédiée, des fleurs, un tableau d'elle, sa nièce ne lui faisait pas autant d'effet qu'elle. Magda se gonflait de ses égards, de ses tirades aussi longues qu'il l'était à venir, de ses langueurs viennoises, flirtant avec le ridicule, genou à terre, baisemain à l'encan. Elle était un objet d'adoration offert à lui par son second, Joseph, le proche, l'âme damnée, le conseiller dévoué, qui la prenait sans vergogne, à son retour de Munich, trois ou quatre fois de suite, par saccades, par à-coups, des blitzkriegs dans la voiture, au bord de la route, dans son bureau, sur son bureau, sous son bureau. Magda mimait des extases avortées dans les bras de cet homme parce qu'elle savait déjà qu'avec lui tout deviendrait possible. Magda était présente à Nuremberg, au deuxième rang, sur la photo, dans les tribunes d'honneur du Palais des Sports, derrière Adolf et Joseph, dans les tribunes d'honneur de tous les stades d'Allemagne, remplis de partisans. Magda accepta la présence au sein de leur trio de la protégée de Hoffmann, le photographe officiel. Magda accepta les parfums d'étrangères que ce boiteux de Joseph ramenait parfois.

Magda se fiança. Le regard de son fils sur elle avait changé. Ses amis d'école lui parlaient de sa célèbre mère. Lorsque son nouveau fiancé la retrouvait, tard le soir, elle ne rechignait pas à lui ôter les tiges orthopédiques vissées sur sa patte folle. Il s'agitait sur elle, s'excitait, s'activait et s'endormait loin d'elle, à l'autre bout du lit. Qu'importe tant qu'on la reconnaissait, lui cédait le passage, lui offrait des fleurs et des sourires et tout ce qu'elle voulait. Tout ça la faisait jouir, bien plus sûrement que lui, bien mieux que dans le lit. Le regard des autres, leur envie, les désirs qu'elle faisait naître. Tant pis pour la tendresse. Tant pis pour les poèmes et les mots de Viktor qu'elle n'entendrait plus. Elle était près du but. Elle devenait quelqu'un.

L'hiver qui suivit cette rencontre fit monter le vent en neige. Le ciel disparut sous une meringue glacée. Le prétendant en pied-de-poule patientait devant l'autel. Un vieux paysan du Mecklembourg attendait près de lui. Il s'apprêtait à célébrer leur union. À Frauenmark, au milieu des champs gelés, des grappes de villageois s'agrégeaient aux abords. Ils voulaient voir celui dont on parlait. Adolf n'était pas chancelier, le Reich était naissant. Mais il avait sur les foules le pouvoir hypnotique du joueur de flûte de Hamelin. Aux moindres intonations, il emmenait derrière lui hommes et femmes en rangs serrés jusqu'à la fin, leur fin. La tempête s'apaisa. La promise suivit de peu. Devant cette assemblée de brun, le célébrant hésita. Il retournait dans tous les sens une idée qui lui était venue tantôt. Il voulait dire quelques mots, rendre hommage à leur chef, un compliment, une saluade de principe. Après réflexion, il se contenta de suivre la liturgie. À la mariée en noir, il parla longuement d'amour. Tous signèrent l'acte, applaudirent. Dehors, il y avait des reporters, des fleurs jetées et une haie de bras levés. La fanfare joua quelques mesures.

Magda se parait d'un nouveau patronyme, le quatrième. Son mari, tout à son rôle, lui couvrit les épaules d'un geste plein d'emphase. Elle était sienne. Sa première femme. Magda lui répliqua d'un haussement d'épaules subreptice. Mais elle n'avait pas froid. Elle n'avait jamais froid. Si elle avait frissonné, si ses épaules s'étaient mises à ruer, emportées par un spasme soudain, c'était à cause de ce qu'elle avait cru voir. Rémanence d'une silhouette longiligne. Ces lorgnons. Cette barbiche poivre et sel. C'était lui. Friedländer. Elle jeta un regard noir à sa mère, juste derrière elle. Ce vieux Juif n'avait rien à faire là. Ce bon à rien n'était plus sa famille. Choisir, c'est renoncer. Magda avait choisi.

« C'est toi qui l'as fait venir ? maugréa-t-elle. Chasse-le ! »

L'échange fut elliptique. Auguste gardait des tendresses pour cet homme. Magda était si radicale !

La silhouette à lorgnons disparut pour de bon. Pas admise à la fête. Rayée de son histoire.

«Maman, dit son fils qui marchait près d'elle, c'est le plus beau jour de ma vie!»

Harald portait son nouvel uniforme des Jeunesses hitlériennes et une raie impeccable. À dix ans, il était en âge de comprendre que sa mère refaisait sa vie.

«Moi aussi», répondit-elle.

Adolf suivait le cortège. Elle s'habituait à ses baisemains baveux, à ses courtoisies fin de siècle, à sa diction spécieuse quand ils étaient en petit comité, à ses éruptions suivies de longs silences. Ils se gardaient des tête-à-tête d'alcôve. Des moments de flamme pour lui, qui le faisaient se rouler à terre, à ses pieds, à ses genoux accroché, larmoyant qu'il ne faut pas, qu'il ne peut pas. Mais quoi? Faire ça à sa petite Eva, sa petite danseuse idiote. Il se relevait comme si de rien n'était. Elle se fadait de longues heures ses préconisations en matière d'éducation. Il était hostile aux excès de tendresse qui ramollissent, redoutait les dangers des caresses, qu'il réservait aux chiens, prônait les vertus de l'échec et de l'adversité. Elle l'avait vu bondir pour éviter un baiser d'Eva, sa fiancée cachée, relevant sa manche pour s'essuyer la bouche d'un geste de bambin saturé.

Magda fréquentait désormais les membres de la famille princière et plus seulement Auwi. Elle tutoyait des ministres et rembarrait certains cadres du parti. Et elle ne lisait plus ces articles qui racontaient qu'un autre vieux Juif s'était noyé, la veille, que des commerces du quartier des Granges avaient été pillés. Elle choisissait sa presse et se contentait des titres.

L'avenir allait se soumettre. Son fils Harald avait raison. Pourvu que Friedländer se taise. Qu'il disparaisse, qu'on ne lui parle plus jamais de lui.

13

Ma fille,

C'est idiot d'être nostalgique. Il faudrait affronter le présent sans jamais ressentir le tremblement des sentiments passés. C'est ma faiblesse, j'avoue. La nostalgie de toi a encore raison de moi. Mon enfant de cœur sans cœur.

Après cinq ans de silence, il faut que je te dise…

Te souviens-tu de nos promenades en Thuringe, à Ettersberg, quand nous nous rendions sous le même chêne que Goethe, celui sous lequel la légende veut qu'il s'installât pour méditer ? Nous nous y étions assis tous les deux en tailleur, adossés à son tronc, et nous fermions les yeux pour sentir l'« âme du maître ». La seule chose que tu avais sentie, c'était le picotement de la fourmilière sur laquelle nous nous étions assis. Tu t'étais levée d'un bond. Tu avais douze ans, je crois. Et nous avions bien ri.

Cet arbre, ce chêne centenaire au tronc métaphy-

sique, je le vois tous les jours. Je passe devant lui chaque matin et chaque soir. La forêt de Buchenwald a sérieusement reculé depuis que nous y sommes allés. Elle a cédé la place à des centaines de troncs, d'hommes-troncs dégingandés : des prisonniers politiques, des activistes, des syndicalistes, mais aussi des témoins de Jéhovah qui ont commis le crime de croire encore, de douter de la propagande, de se fermer, repliés sur eux-mêmes et sur leurs convictions. C'est bien tout ce qui nous reste, les convictions, quand on n'a plus rien pour convaincre, pour rameuter les autres à soi. Comment les condamnerais-je ? J'ai eu des convictions, moi aussi. J'ai cru. Et aujourd'hui, je sais. Je sais qu'il ne faut plus croire, que l'espérance est un néant, un piège pour les instants présents.

Sur la grille de l'entrée, des architectes pétris de morale nazie ont forgé une maxime : « À chacun son dû. » À ce jour, je ne sais toujours pas ce que je leur dois, ni pourquoi je suis là, ni combien de temps ils envisagent de m'y garder.

Je sais seulement que cette civilisation que tes amis honorent a atteint des degrés de sophistication funeste inouïs. C'est sans doute le propre des grandes civilisations que d'atteindre des sommets dans l'art de faire le mal. En Égypte, Pharaon n'a-t-il pas ordonné le massacre de tous les nouveau-nés ? Dans la sublime Babylone, le roi n'a-t-il pas fait détruire le temple de Salomon ? L'Empire mongol de Gengis Khan, la Rome des gladiateurs, l'Empire des tsars ont fait mourir des milliers d'innocents au nom d'une morale ou d'un impératif qui s'est *perdu dans les limbes de l'histoire. Toi et moi, nous avons vu des bûchers se dresser pour y jeter ces auteurs que nous aimions tant. Pourquoi ?*

Je suis aussi allemand qu'eux. Je sais des vers de Rilke que mes gardiens ne comprendront jamais.

Hier, il y avait un vieux qui ne tenait plus debout. Il était arrivé plus jeune que moi. Mais, en six mois, il s'est transformé en vieillard. Il est tombé en sortant de sa baraque. Il était incapable de se relever. Trois gardiens se sont placés en demi-cercle autour de lui. Ils ont ri. Puis ils l'ont frappé. Puis ils ont ri encore. Il était devenu un lunatik, *comme on dit. Un errant. Un triste sire en bout de vie. C'est l'expression qu'on a trouvée pour désigner les tabassés à mort, les rendus fous à deux doigts de mourir. Nous portons tous des masques. Des faux nez pour éviter de sombrer dans la folie furieuse contre les uniformes, contre tous nos gardiens qui nous obligent à tordre les faits. Ils nous ont dévitalisés.* Lunatik ! *Quelle sottise ! Le pauvre vieux – pas si vieux que ça – ne pouvait plus se lever. Il a fallu qu'on le porte jusqu'à sa couche. Il n'avait pas cinquante ans !*

Il faut bien s'abriter derrière toutes ces hypocrisies. Ces trucages, ces maquillages. Ici, nous vivons au milieu des crimes. C'est peut-être le comble du raffinement. Faire sans dire. Survivre sans nommer la menace… Qui m'aurait dit que j'allais finir là ? Le savais-tu ? Quand ils ont surgi me chercher, je n'ai pas vu le coup venir.

C'était en juin dernier. Un groupe de jeunes garçons,

trentaine d'années, bel uniforme, bonnes manières, s'est présenté devant la terrasse du café où je travaillais depuis deux ans. Le grand café du Tiergarten, celui qui sert ces gâteaux que tu aimais tant, avec beaucoup de crème fouettée parsemée de grains de moka. Comme ils étaient polis, j'ai accepté de les suivre. Ils évoquaient un simple contrôle administratif. Encore une de ces tracasseries auxquelles on finit par s'habituer. Je les ai suivis, d'abord dans un premier camion aux vitres opaques. Puis j'ai rejoint d'autres «tracassés», des Juifs. Ils disent bien des lunatiks. Alors je me permets d'employer le terme «tracassé» parce qu'au départ ce n'était que de cela qu'il s'agissait, officiellement. Des tracasseries. Je me suis retrouvé avec des Juifs, des connaissances de Berlin, mais aussi des mendiants, des vagabonds et quelques alcooliques. En montant dans le train, je n'ai même pas eu le temps de saluer ma femme, Charlotte, ma nouvelle femme. Tu ne le savais peut-être pas, mais je me suis remarié, moi aussi. Charlotte est une femme exquise. Elle fabrique des colliers avec des pierres d'Anvers. Elle m'attend.

J'ai laissé mon smoking et ma cravate en soie à l'entrée. On m'a remis un uniforme en gros fil de coton mal ajusté et je porte le numéro 5927. J'ai été condamné aux travaux forcés. Pour fainéantise. «Réfractaire au travail». Les imbéciles! Ils m'ont pris pour un gougnafier, un tire-au-flanc ou je ne sais quel pied-plat. Je connais des pieds-plats qui n'ont pas fait le quart de mes heures de travail.

P.-S. Viktor est mort. Tes amis sont allés jusqu'à Haïfa pour le tuer. Tout le monde l'appelait Haïm ! Docteur Haïm Arlozoroff. « Magnifié et sanctifié soit le Grand Nom dans le monde qu'Il a créé selon Sa volonté. »

14

Fela roule un filet de sang dans sa bouche. Elle est pieds et poings liés, attachée sous une table.

« Afffa ? Afffa ? »

Ses lèvres écartelées par le bâillon. Elle gît sur le plancher dans la cuisine de la ferme. Les mains en arrière. Les pieds ficelés par une corde de gros chanvre. Le sang de ses lèvres coagule. Elle voit le paysan pointer le canon de son fusil vers la fenêtre, elle agite ses flancs, ses épaules. Elle tend sa nuque pour tenter de se redresser. Elle a peur pour la petite. Le paysan pointe son fusil.

« …on ! …on ! En… ants ! » beugle-t-elle dans ce bâillon qui lui sangle la gueule.

Sa langue est empêtrée dans la toile pleine de morve, aussi raide qu'une spatule à enfourner le pain. Respirer. Déglutir.

L'odeur de la poudre se disperse. Elle n'a pas vu la chute du corps. Elle n'a pas vu les carreaux de la fenêtre voler en éclats. Elle a fermé les yeux.

Le tireur casse son fusil, puis le cale contre l'évier. Il ne sort même pas pour aller voir le corps. Ce n'est qu'un mort de plus. Ça ne compte plus. Il y en a eu tellement...

Fela respire et pense qu'Ava ne serait pas sortie de sa cachette. Elle est née comme ça, cachée. Les soldats allemands n'étaient pas doués de pitié. Ils n'avaient pas cette faiblesse d'âme. Elle se souvient d'avoir vu des gardiens jouer au ball-trap avec les nouveau-nés du camp.

«Pourvu que ce soit lui, pense-t-elle. Pourvu que ce soit Judah...»

Le paysan renvoie la chaise en arrière, glisse son ventre sous la table pour s'asseoir, fait craquer une assise déjà rafistolée. Il se moque d'elle au sol. Sans importance, pour lui. Pendant qu'il aspire le contenu de sa cuillère, Fela détaille son pantalon. Il est en laine gris-bleu. Il porte des boutons de bois pour tendre ses bretelles. Ses bottines sont crottées. Elles sentent la bouse et sont couvertes de feuilles. Des feuilles de peupliers. Il a dû faire partie des fossoyeurs de la grange, avec leurs charrettes et leurs pelles.

Il coule ses mains sous la table et les essuie sur ses cuisses. Ses mains sont pleines de veines. Ses ongles sont longs, pouacres. Il s'en dégage une brutalité froide, imperméable à la morale. Il vient de tirer sur quelqu'un. Sa victime est dehors, sous sa fenêtre, mais il prend le temps de finir son repas. Il a des mains aveugles, cognées de partout. Fela s'y connaît en mains d'hommes.

Il y avait eu celles du hameau, d'abord. Les mains tendues des garçons qui lui couraient derrière en criant « Lilith ! Lilith, attends-nous ! » parce qu'elle était rousse. Elle finissait toujours par céder, se retournait de rage et balançait ses poings et sa colère pour rien.

« Lilith ! Lilith ! braillaient les garçons du village. J't'ai dans la peau, Lilith ! Je suis foutu ! » avant de courir comme des dératés, hurlant de rire.

Elle était plus grande, plus belle, infiniment plus désirable que toutes les filles de la voïvodie. Et comme aucun d'entre eux n'était cher à ses yeux, elle devenait la petite sauvage, l'indomptable, la sale rouquine, la figure du succube qui rendait fous les hommes. À Brzozow, son père désespérait de faire quelque chose d'elle. Il s'en ouvrait souvent à ses coreligionnaires. À Pourim, pendant que tous les hommes faisaient tournoyer leurs crécelles, lui se souciait seulement de bien marier sa fille. Mais à qui ? Sa mère l'estimait, parce qu'elle était différente, avec ses dents du bonheur, et ses mondes intérieurs qui l'isolaient des jours durant des enfants de Brzozow. Ses parents pensaient bien au dernier fils du rabbin. Il était beau garçon. Il reviendrait bientôt d'Alsace, où il avait étudié la médecine. Un bon parti. Mais Fela ne voulait pas entendre parler de lui. Elle ne parlait jamais de personne. Elle avait un secret. Elle était amoureuse et elle n'avait pas le droit d'aimer cet homme.

Devant l'arche d'alliance de la synagogue de

Brzozow, sur le portique en bois sculpté qui conduisait au cœur du lieu le plus sacré de sa communauté,
Fela gardait en mémoire cette inscription tirée du
Livre d'Isaïe : *Comme des oiseaux déployant leurs ailes
sur leur couvée, ainsi Yahweh des armées sauvera.*

Cet hiver-là, son corps de jeune fille s'était embrasé
pour un jeune aviateur étranger, blond au regard
bleu doux. Il sentait le cuir. Il avait des airs tendres
et des yeux pleins de douceur qui la faisaient fondre.
Il parlait bas pour la saluer devant les échoppes du
centre-ville. Il l'aimantait quoi qu'il fasse, quoi qu'il
dise. Elle aussi. Ses mots d'allemand chantaient une
litanie douce. Un babil mystérieux, avec des yeux de
plus en plus gourmands. Au col, comme ses compa-
gnons d'armes, il portait deux petites têtes de mort en
argent. Il effleura sa main. Elle lui tendit ses doigts.
Plus tard, il rapprocha tout son corps d'elle et lui
offrit des fleurs. Elles sentaient merveilleusement
bon. Il lui offrit du sucre. Il lui tendit ses lèvres. Il
lui offrit d'autres fleurs. Elle lui rendit ses baisers.
Ils se croisaient derrière le grand café de Brzozow.
Tous les mardis et mercredis. À six heures du matin.
L'été, il faisait presque jour. À l'automne, la nuit les
enveloppait, et leurs bras, et leurs baisers, et la chaleur
de sa vareuse qu'elle portait pour se cacher du reste
du monde. Elle aimait l'odeur de sa peau.

Un mardi, elle trouva au réveil un paquet à sa
fenêtre. Enveloppé dans du papier journal, il contenait un recueil, un caillou et une lettre. Il demandait
pardon. Il avait reçu son ordre de mission. Avec les

autres soldats, il avait dû lever le camp. Il écrivait qu'il l'aimait, qu'elle allait lui manquer. Mais sans laisser d'adresse.

Ce jour-là, son père faisait le tour des fermes, avec les paysans dont il gérait les champs. Sa mère était occupée dans la buanderie. Fela repéra le vélo que ses parents lui avaient interdit de prendre, parce qu'elle avait passé l'âge, parce que les jeunes femmes ne font pas de vélo. Elle brava l'interdit de quitter le hameau et prit la « route aux maïs » vers l'ancienne base allemande.

Au bout de quelques kilomètres, elle croisa un de leurs escadrons. Deux motards à l'avant, une colonne de camions qui suivait à petite vitesse. Son cœur se mit à battre si fort qu'elle manqua de tomber. Elle voulait voir qui se trouvait derrière, dans les camions. Elle allait de l'un à l'autre, tantôt accélérant pour rejoindre un bâché, ou freinant pour scruter l'arrière du suivant. La colonne s'étirait. Il y en avait une dizaine. En butinant de l'un à l'autre, elle récolta des sifflets et des menaces parce qu'elle roulait trop près. Mais rien sur lui.

Elle actionnait le timbre du vélo, sifflait, faisait de grands gestes et de grands virages pour lancer son nom aux soldats à l'arrière, qui faisaient non de la tête. Où était-il ? Il n'avait pas le droit de partir comme ça !

Ses mains moites glissaient sur les poignées du guidon. Son ventre était si dur ! Elle arrivait maintenant au bout de la colonne. C'était le dernier camion. Son chauffeur ralentit et se mit dans sa roue. À l'avant, le passager lui fit signe de ralentir. Il voulait lorgner la jeune femme à vélo. Elle regarda dedans. Toujours pas de signe de lui. Et le passager devant multipliait les commentaires, faciles à deviner avec ses gestes obscènes qui l'exaspérèrent. Ils se moquaient, sifflaient à tout va. Elle pouvait bien courir, pédaler comme une folle, ces soldats n'avaient rien à faire d'une petite fille des champs, pieds nus sur son vélo, ses cheveux en broussaille et sa chemise de nuit froissée. Elle se sentait trahie et se mit à hurler. Cracha sur la portière du soldat ordurier et se retrouva sans prévenir sur le bas-côté de la route, sous son vélo, sa roue avant voilée, de la terre dans la bouche et les cheveux dans les yeux. Le soldat la souleva, lui attacha les mains dans le dos et la poussa sans ménagement vers l'arrière du camion, les pieds meurtris de gravillons, les tibias cognés sur le hayon. Un soldat la hissa par les aisselles et la balança aux pieds de ses camarades aux bottes bien cirées, face contre terre, débraillée, sous les rires gras des hommes qui la laissèrent pleurer de longues heures. Elle avait des bleus plein la peau, sur les bras, dans le dos, sur les tibias… Mais c'est en dedans qu'elle avait mal.

La jeune fille ne revit jamais Brzozow, ni l'aviateur de derrière le grand café de la ville. Dans sa chemise de nuit jaune, elle s'appelait encore Anna, Anna la Rousse, Anna la Belle. Fela viendrait plus tard. La jeune femme snoba les questions des officiers allemands. Elle passa de longues nuits enfermée dans une cellule, recroquevillée sur le bout de banc qui lui servait de couche, puis dans le coin d'un wagon roulant deux jours durant. Son ventre était dur comme du bois. Elle portait l'étoile noire des «asociaux» cousue sur la veste qu'on lui fit enfiler.

Dans un camp de prisonniers, une femme la fit s'agenouiller pour lui couper les cheveux.

«*Blondinnen ? Brünetten ?*» demanda-t-elle.

Il n'y avait plus ni brunes, ni blondes, ni rousses. Les mots avaient pris une apparence trompeuse. Ils désignaient les poux, «*Blondinnen*», et les puces, «*Brünetten*».

L'arrivante répondit benoîtement «*Rotten*», et fut abondamment giflée. Assise derrière elle, la coiffeuse de service lui versa un seau d'eau sur la tête, et fit crisser les lames de ses ciseaux près de ses oreilles, sur sa nuque, sur son front. Une lame de rasoir acheva de lui gratter le cuir chevelu.

Glacée, avec quinze autres femmes, elle fut conduite vers un bâtiment de briques qui s'élevait sur trois étages. Au-dessus de la porte d'entrée, elle aperçut une grosse lanterne noire et un petit panneau de bois sur lequel était inscrit un numéro : 24-A.

La majorité des détenues étaient polonaises, mais il y avait aussi des Tchèques, des Françaises et une Allemande. La *blockowa* releva quelques rares livrets de famille et distribua des coups de pied dans le tas de femmes qu'elles formaient malgré elles. Les nouvelles détenues se retrouvaient à la même peine, pleines d'entailles, puis couchées, nichées, pageotées les unes contre les autres. La *blockowa* chargée de les terroriser avait réduit la langue allemande à sa plus simple expression, n'utilisant qu'un seul temps pour rythmer chaque journée.

Lève.

Lave.

Sort.

Mange.

Range.

Travaille.

Couche.

Des verbes ordonnés sans pronom. Sans personne. Seuls comptaient une discipline de fer et le mode impératif. Et quand la gardienne allemande ordonnait de faire « vite ! », elle avait une astuce. Comme « vite » n'est pas un verbe, elle sortait sa ceinture, ou son fouet.

Le premier soir, la jeune femme vit d'autres détenues, celles du fond, s'habiller. Leurs cheveux avaient repoussé.

« Vite ! »

Clac ! Clac !

Elles disposaient de maquillage, de rouge à lèvres, de carrés de fond de teint et quittèrent les lieux à la nuit tombée.

La *blockowa* la baptisa Thaïs et lui ordonna de cacher son crâne nu. À elle, Thaïs, de se débrouiller. Une Française accepta de lui prêter le bout de tissu sale qui lui couvrait le crâne. Elle passa ses premières nuits blanches, assistant chaque matin au retour des détenues, ivres et fourbues. Sous la planche qui lui servait de couche, elle glissa son caillou et le recueil de poésie que lui avait laissé l'Allemand. Les poèmes étaient en anglais. En souvenir d'une promesse. Celle de la retrouver au bout de l'Europe, à l'Ouest. Sur la grande île du dernier des grands rois. Après la guerre. Après la soldatesque et les camps opposés. Après que les lignes et les fronts auraient disparu. Quand elle aurait appris à parler cette belle langue. Elle se donnerait du mal, pour l'apprendre, par blocs, par strophes, à coups de rimes anonymes. À coups de mots qu'elle scruterait. Une lettre ou deux communes avec sa langue à elle, la maternelle. Petit à petit. Apprivoiser la langue des Angles. Grâce à l'aide des détenues. Un mot de-ci, de-là. Un puzzle de mots et d'images.

Après quelques nuits de sommeil, elle fut conduite de force de l'autre côté du camp, dans le pavillon réservé aux gardiens. La *blockowa* ouvrit la porte d'une chambre et la poussa dedans. Elle contenait un lit, un bol et un soldat. Il sourit en la voyant. Il défit les boutons de sa robe et glissa une main sur son sein. Il s'allongea sur elle. Elle cessa de respirer. Ses mains n'étaient pas moites. Ses jambes ne tremblaient pas puisqu'elles s'étaient détachées d'elle. Quand elle rouvrit les yeux, il se refroquait en pestant parce qu'elle n'était pas vierge. Il serra sa ceinture sur les plis de son bide. Elle n'oublierait jamais ce ventre.

Disgust ?
C'est le dégoût.
Et *dust ?*

154

C'est la poussière.

Quand elle confia aux autres filles du block ce qu'elle venait de subir, elle récolta des haussements d'épaules, du mépris, des fronts lourds souvent, mais jamais de compassion.

«Serre les dents», dit l'une d'elles. Ces filles faisaient tabou commun.

Les femmes du block 24-A avaient des cheveux, des vêtements, des heures de repos et assez de nourriture. Certaines disparaissaient, en laissant derrière elles des bas et des mauvais talons tout biseautés, retapés, souvent casse-gueule.

«Écarter!» cria la *blockowa*.

Tous les jeudis en début d'après-midi, c'était le rituel. L'inspection des services d'hygiène. Elles devaient s'allonger et relever leurs jupes en attendant la visite de l'infirmière ou du médecin. Les détenues jugées aptes renfilaient leurs robes sans un mot. Les plus chanceuses étaient désignées pour le réfectoire des officiers où elles passaient la soirée à danser sur les tables et piétiner les assiettes, les coupes pleines de champagne avant de finir sous eux.

Son ventre allait bientôt grossir. Comment s'en cacher?

Hide?

C'est cacher.

Belly?

Le ventre.

Les autres disaient que c'était ce qui pouvait arriver de pire. Les mères disparaissaient plus vite que les Juives. La jeune fille de Brzozow dansa comme les autres. D'abord mal. Puis de mieux en mieux, parce qu'elle n'avait pas le choix : il fallait qu'elle plaise, beaucoup. Qu'elle se fasse des alliés. Qu'on ne veuille pas se passer d'elle. Ses cheveux repoussaient vite. Avec une robe, de la musique et un peu de champagne, elle devenait irrésistible et rendait fous ces hommes revêtus de l'uniforme qui l'avait rendue folle.

Vers quatre heures du matin, pour regagner son block, elle longeait la place d'appel où étaient rassemblés tous les jours des centaines de zèbres, des points d'exclamation claquant des dents, pieds nus, qu'il pleuve ou bien qu'il neige. L'appel pouvait durer des heures. Plusieurs fois, elle vit des silhouettes s'affaisser, dans un crissement de neige, et les rangs qui se refermaient d'instinct. Elle longeait les murs. Elle avait mal aux reins, aux cuisses. Son sexe était endolori, mais elle n'avait jamais faim, ni froid, et faisait de son mieux pour garder le ventre rentré.

Un matin, elle laissa tomber les bons qu'un soldat lui avait offerts. Le lendemain, quand elle repassa près de la place, des détenus se tournèrent rapidement vers elle. Elle fit tomber d'autres bons. L'encre des tampons se dissolvait rapidement.

« Pourvu qu'ils ne traînent pas trop longtemps dans la neige ! » se dit-elle.

Plus tard, les mêmes visages lui sourirent. Elle

reconnut les yeux bleus, le menton rond, le petit à gros nez. Et elle recommença. Chaque fois. Dès qu'elle passait sur cette place, elle laissait tomber quelque chose. Une bouteille de sa manche, des fruits, un bout de viande, des couteaux, une fourchette… Tout l'hiver, elle parsema la neige, derrière la place d'appel. C'était son point d'honneur. Sa façon de faire passer la honte. Elle était devenue habile dans l'art de voler. Elle le faisait avec parcimonie. Elle prenait dans le lot, toujours en fin de beuverie. Les soldats n'y voyaient que du feu. Les officiers n'y voyaient que du feu. Même l'officier supérieur, celui qui la voulait en tête à tête !

Quel étrange personnage ! Il fit d'abord des manières, comme s'il voulait la séduire. Ensuite, il devint exclusif. Elle sema de plus en plus de bons sur la place. Pratique. C'est lui qui les faisait imprimer.

Quand il avait bu, il répandait sa nostalgie. Il était né à Baden-Baden dans une famille très catholique. Il avait failli devenir prêtre. Il était marié et n'avait plus aucune relation sexuelle avec sa femme, surtout depuis la construction du «bunker 1».

Un soir, après l'une de ces beuveries que les autorités appelaient de leurs vœux pour renforcer les fraternités d'armes, il insista pour lui montrer le fameux «bunker 1», au bout des baraquements de détenus mâles, près de la forêt. Le bâtiment ressemblait à une petite ferme en bois rouge. L'entrée était vide. Au sous-sol, elle éprouva la chaleur insoutenable.

«C'est notre incinérateur», dit-il, les yeux encore

tout embués d'alcool. Des dizaines de détenus se figèrent.

«Ce sont nos soutiers. Ils s'occupent de brûler ces pièces.» En robe rouge près des hanches et talons hauts, elle était ivre morte au bras du commandant, mais il lui restait quelques souvenirs de cette soirée, qu'il la tenait serrée fort contre lui, qu'elle dégoulinait de sueur. Comme il exigeait qu'elle ne porte pas de soutien-gorge, sa robe lui moulait les seins. Des seins épais. Des seins de femme enceinte qui rentrait le ventre de toutes ses forces depuis trois ou quatre mois. Les soutiers se tenaient droits comme des crucifix, casquette le long du corps, tête baissée. Ils attendaient l'ordre de reprendre. Lui avait revêtu sa tenue de cavalier, blanche, immaculée. Si sa femme ne voulait plus de lui, c'était à cause de ça, à cause de tous ces Juifs qui venaient de toute l'Europe. Il n'avait rien contre eux. Il n'avait pas le choix. C'étaient les ordres. Fela resta figée devant ces amas de briques rouges, maçonnés à la hâte pour engloutir les corps qu'ils envoyaient au fond avec une cadence chtonienne.

«Je ne suis pas mauvais», dit-il.

Le noir de ses yeux dégoulinait et la pulpe de ses lèvres se desséchait.

«Je suis bon officier et bon chef de famille. Mais j'ai besoin de toi. Ce n'est pas un péché. Je suis un homme. J'ai le droit d'être aimé. Dieu comprendra. Il comprendra mon sacrifice. Et il me pardonnera. Tu es si belle.»

Fela était comme ces esclaves ivres mortes ou

droguées. Elle suivait le donneur de mort et écartait les cuisses. Sa punition. Sa trahison. Son châtiment. L'officier supérieur s'appuya sur elle pour retourner chez lui. Il habitait un pavillon de fonction près du block 44. Sa robe était imbibée de leurs sueurs mêlées, la fournaise, les frictions de sa peau, ses poils, ses muscles qui la tenaient serrée aux reins, sa bouche qui salivait sur elle, et cette langue qui lui fouillait la bouche, les tétons et le creux des cuisses. Il lui glissa dix bons dans la culotte, passa aux box caresser la croupe de ses quatre holsteiners et lui ferma la porte au nez. Elle resta quelques secondes devant cette vaste demeure hissée comme un outrage face aux blocks baignés de miasmes et de scories, de germes et de souffrances humaines.

Au premier étage, bardé de frontispices pâtissiers, ses trois enfants refusaient de quitter leur chambre à cause de l'odeur ambiante. Sa femme raboulait chaque semaine sur le seuil de leur maison, valises en main, menaçant de quitter cette vie de camp où elle s'ennuyait loin de sa famille, loin de ses copines et pour ne plus jamais voir ces domestiques incapables avec leurs tronches de fin du monde.

L'officier s'absenta quelques mois. Fela devait l'attendre, réservée. Il quitta le camp, laissant derrière lui ses quatre chevaux, ses enfants, sa femme et elle.

À force de rentrer le ventre, elle éprouva des crampes qui lui vrillaient le corps. Elle dormait accroupie, les poings serrés. Puis ne pouvant y tenir, elle relâcha ses muscles et sa grossesse pointa. La *blockowa* dit qu'elle l'avait prévenue et la roua de coups de fouet, de gifles, de coups de pied. Mais l'enfant s'accrochait et la mère tenait bon. Elle finit allongée, à un coup du coma. La *blockowa* se retint. La détenue allongée devant elle était protégée. L'officier reviendrait de Munich. À l'infirmerie, Fela fut soignée par Stanislava, la sainte, la sage-femme. Stanislava la plaça dans une salle isolée. La pute du commandant était privilégiée. L'enfant naquit et survécut. De retour au block 24-A, Fela prétendit qu'elle était l'enfant de l'officier du camp. La *blockowa* n'avait pas le choix. La mère pouvait garder l'enfant, mais à une condition : qu'elle ne sorte pas du block et n'émette aucun son. C'était l'enfant de la honte. Fille de la faute des siens, l'un d'entre eux. Et pas le moindre : son supérieur. Elle naquit bâillonnée et grandit la main sur la bouche pour qu'on puisse l'oublier.

Quand les Soviétiques approchèrent, il fallut évacuer le camp. Fela perdit ses bons. On lui vola sa robe, ses talons et son livre. Certaines filles tentèrent de s'enfuir. Beaucoup finirent électrifiées. Une partie des gardiens désertèrent, emportant avec eux des montres, des bijoux, des dents en or et des boîtes de conserve. Les derniers survivants étaient conduits dare-dare vers d'autres camps plus à l'ouest. Ava n'avait jamais crié, jamais mis le nez dehors, jamais bougé pendant les inspections surprises, jamais réclamé sa mère quand elle était sous d'autres uniformes noirs. Elle découvrait le monde dans lequel elle était née. La place centrale était jonchée de cadavres et de lambeaux de tissu, de chaussures, de lacets, de morceaux de bois, de foulards, de soldats qui couraient, de survivants qui couraient. La petite ouvrait de grands yeux sur ce monde qu'elle n'avait vu qu'à travers les fenêtres du block. Il était plus froid que le block. Il était sous la neige. Fela la sentait frissonner. Elle la serrait contre elle, emmaillotée dans la dernière couverture du block, lui récitant les poèmes anglais, les mots chargés d'ailleurs et de promesses.

Fela suivait les survivants, sa fille dans les bras. Elle prit quelques coups de crosse. Accéléra. Sauta dans un camion. Escamota la petite, puis bascula dans un wagon bondé. Sursauta quand la porte fut claquée. Observa l'intérieur. Les visages. Les masques de la fatalité. Elles roulaient, mère et fille, chair contre chair. Tout le monde chantait à tour de rôle pour berner le mauvais sort, faire oublier le froid, les gerçures, les fronts transis, le crissement des rails, le balancement du wagon qui hésitait de trame en trame entre la mort et le néant : «Où va-t-on ?» La fièvre et l'épuisement, les excréments qui jonchaient le sol, et cet hiver qui s'entêtait à redessiner le monde.

D'autres couinements se mêlèrent au ferraillement général. Les roues dérapant sur les rails. Un rythme plus décousu. Une gare. L'évacuation bruyante, puis un silence perdu devant de nouvelles grilles. Des murs. Des barbelés. Fela veillait que la petite marche bien derrière elle. Elle ne serait plus cachée. Un gardien éructa. Fela prit la volée de rigueur, une litanie de coups de poing, de pied, puis de crosse sur le bras quand elle finit agenouillée. Ava serrait un coin de nippe.

« C'est pas ma fille ! C'est pas ma fille ! » hurlait-elle au risque de la perdre. Mais elle n'avait plus le choix. La petite apparaissait au grand jour, sans carnet, sans numéro tatoué, pas de trace d'elle, et faussait tous leurs comptes. Il fallait qu'elle passe pour une détenue comme les autres. Pas une fille. Pas sa fille. Dans ces camps de prisonniers-là, il n'y avait plus de mère, plus d'enfant, jamais de filiation. L'hérédité comme l'amour étaient proscrits. Ils n'avaient plus le droit d'être, ces rescapés. Fela tenait bon en priant pour sa fille, qu'elle évite cette main de soldat qui voulait l'emporter. Au milieu de la cohue, la main agrippa plusieurs fois le vide, et Ava se dérobait, détenue parmi les détenues, qui attendaient leur tour.

Il y eut d'autres poussées. Le soldat s'acharnait pour qu'ils se conforment à des lignes irréelles, des alignements impossibles, des vues de l'esprit pour cette masse informe qu'il ignorait de toute la force de son mépris.

Fela se releva. Elle retrouva la petite, discrètement, jusqu'au contrôle suivant, à peine dix mètres plus loin. Un médecin se mit à l'évaluer. Il tâta ses poignets. Lui ordonna de faire un tour sur elle-même. Comme elle était moins décharnée que les autres, il désigna la file de droite. Une autre femme, plus vieille qu'elle, marquée par ce voyage sans fin, traits tirés, voûtée, saisit la main de la petite. « C'est ma fille ! » prétendit l'inconnue. Elle prit une volée de coups. Sourit comme elle put à Fela, se releva et fut conduite dans l'autre file. Celle des vieux. Des fatigués. Des condamnés d'avance. Un soldat s'interposa entre elle et la petite qu'elle tenait par la main, tordit ses doigts pour qu'elle la lâche, la souleva, exécuta un drôle de demi-tour sur les talons de ses bottes et la confia à l'autre file, celle de droite. Celle de Fela. La Polonaise avait réussi son coup.

Dans ce nouveau camp, pas de *KZ-bordell*, de block 24-A. Fela fut reléguée par les anciennes du baraquement à la plus mauvaise place, celle du fond, tout en bas, près des filles dysentériques qui lui coulaient dessus. La pute du camp d'avant, l'ancienne protégée avec sa robe et ses talons, était mise à l'amende. La petite la suivit. Elle était la bâtarde. La saleté. Le rejeton des soldats allemands. Quand venait l'heure de la soupe, elles étaient poussées devant, mère et fille.

« Devant, les petites chouchoutes. Allez, passez devant nous autres. Servez-vous donc les premières ! »

On leur servait le haut de la marmite, la partie la plus diluée, sans morceaux, pas de légumes. Les mieux loties passaient à la fin, pour racler le fond. Fela découvrait que l'horreur avait des degrés. Elle poursuivait sa chute.

Le mépris, le dégoût de soi, ça vous met l'âme en morceaux. Une marmelade d'orgueil mélangé au remords. Mais il y a pire encore. Le blâme et l'opprobre au sein des prisonniers, le refus de la solidarité quand tout se tient là. Le dos tourné des survivants est bien plus douloureux que le mal des bourreaux. L'injustice altère. L'ignominie réduit. La soumission gangrène. Fela allait vivre les pires mois de sa survie.

15

Sous les ruines de Berlin, les enfants de Magda chantent :

« Misch, Misch, du bist ein fisch[1]*… »*, un refrain qu'ils improvisent en passant devant le soldat Misch. *« Misch, Misch, du bist ein fisch… »*

Rochus Misch a un crâne allongé, de grands yeux ronds et des joues aussi plates que les ouïes d'un poisson. Dans ce bunker où vivent les derniers représentants du Reich de mille ans, « Misch, Misch » est garde du corps, mais aussi intendant, grouillot, tête de Turc des enfants, opérateur radio… Chaque jour, dès qu'il a fini de faire le lit de son chef et d'éplucher les légumes, il se branche à son casque et bulle de longues heures dans son bocal radio à épier toutes les ondes, courtes, longues, moyennes, cryptées ou non. Ce pauvre homme a hérité d'une mission impossible. Établir le contact avec le monde d'en haut, le reste du

---

1. « Misch, Misch, tu es un poisson… »

régime. Il a beau renâcler, râler, se lamenter, enfouir son crâne oblong entre ses doigts, quand il capte quelque chose, c'est par intermittence. Les enfants ont forgé un qualificatif pour lui : le « standartriste ». Il est celui qui ne rapporte que des mauvaises nouvelles ou se plaint de n'en capter aucune. Il a toujours un air de carpe.

Mais, cette fois, Misch tient quelque chose. Il s'agite. Il faut que les gosses partent ou qu'ils se taisent. Il a perdu le contact avec les miliciens français. Ces derniers sont ses yeux. La dernière ligne de défense des reclus du bunker. Cela faisait trois jours que le radio n'avait plus de nouvelles.

« Laissez-moi ! Je n'entends rien ! » dit Misch aux enfants en claquant la porte de son réduit. Mais rien ne suit. La sentinelle se fond dans le crincrin des ondes brouillées.

Magda retrouve ses enfants dans leur chambre, toute à la joie de leur bon coup. Elle reprend son rôle, soulève Heidrun et l'installe sur ses genoux. Elle ne rit pas comme ses frères et sœurs. Heidrun a quatre ans, de grands yeux taciturnes, des mains qui font des ronds dans l'air et l'habitude d'être la petite, en retrait, toujours derrière. Elle porte une robe azur, un serre-tête en velours qui glisse sur le côté et des socquettes crasseuses.

Sur le sol en béton, sa grande sœur Hedwig voudrait lui lacer ses bottines.

« Elles sont trop petites, maman ! Elles lui font mal.

On peut même plus les enfiler… Regarde, maman, ça ne rentre pas ! »

La petite Heidrun ne moufte pas. Cela fait des mois qu'elle se coltine ces bottines trop petites.

Hedwig a trois ans de plus qu'elle. Hedwig est l'avant-dernière de la fratrie, mais elle veut jouer les grandes, imiter ses aînées qui s'occupent des plus petits. Sa plus petite à elle, c'est Heidrun. Pas de chance, elle est peu expressive ! Hedwig se lasse. Elle se reporte sur les autres, plus grands, moins disposés à se faire cajoler par une plus petite qu'eux. Ou sur les chiens d'Adolf. Elle y revient.

« Je voudrais que tu lui achètes d'autres bottines, maman. Des grises, en cuir, comme celle de Hilde-garde. Avec les lacets rouges. C'est si joli, le gris et le rouge. Ça lui ira très bien. »

Magda la ramène dans un soupir au ton juste, parler doucement, et frotte ses socquettes pleines de poussière et de miettes.

« Et des socquettes propres aussi, murmure Hed-wig.

— Très bonne idée ! concède Magda.

— Pour mon anniversaire. Je voudrais qu'on les lui offre pour mon anniversaire, la semaine prochaine.

— La semaine prochaine ? »

Depuis combien de temps sont-ils enfermés là ? Quatre jours ? Cinq jours ? Avec toutes ces nuits qui s'étirent sans lever, sans coucher, sans aube, sans cré-puscule, sans le moindre repère, Magda vit comme un rat de laboratoire. Une souris qu'on observe, enfermée dans sa boîte et sa lumière artificielle. Elle perd la notion du temps.

Sur le calendrier que ses enfants tiennent à jour de leur mieux, ils ont rayé cinq dates. Hedwig a peut-être raison. Son anniversaire approche. Magda détend son col.

« Maman ? Ça va, maman ? »

D'autres explosions résonnent. L'onde de choc fige un instant leurs tympans. Puis le calme revient, haché par les pales qui séquencent l'air.

« Oui, ça va. Tout va très bien, ma chérie. Ce n'est qu'un cauchemar. J'ai tellement mal dormi. »

Les enfants sont habitués à ces soudaines compressions de l'air. Ils déglutissent et ça passe. Ils sont sereins. L'électricité fonctionne. La cuisinière est à l'œuvre. Des gardes passent les voir plusieurs fois par jour. Il y a les chiens d'oncle Adolf, surtout le chiot Wolfie, et on leur lit des histoires quand ils sont fatigués.

« C'est une idée très généreuse, Hedwig. C'est important d'être à l'écoute des autres. Et surtout de sa petite sœur. On ira faire des courses et on lui en achètera une nouvelle paire, des noires avec des lacets rouges, les mêmes que Hildegarde.

— Grises, corrige Hedwig.

— Oui, pardon, grises. »

Magda promet tout ce que ses enfants demandent. Des lacets rouges. Des crêpes. Du chocolat. Et des sucettes au miel, des paillettes de sucre de toutes les couleurs, aussi. Hedwig et ses sœurs imaginent le plus beau des anniversaires, au château de Lanke, dans le parc, avec plein de copains, alors que tout le monde a déjà fui la ville et que le château est en ruine. Ils inviteront Adolf, et Misch, aussi, et tous ceux du bunker qui sont tellement gentils !

Magda dit oui, oui à tout. Joue un rôle de mère qu'elle imagine prodigieuse. « Oui », c'est plus simple. Ses enfants ont possédé deux poneys, un bateau à moteur, un portique avec quatre balançoires. Ils ont eu des chiens, des chats, des tortues et des oiseaux. Tout leur était offert. Ses enfants répètent souvent qu'ils l'adorent, puisqu'elle dit toujours oui. Magda n'a jamais levé la main sur eux. Elle se fâche rarement. Elle laisse cela à d'autres, aux gouvernantes, aux maîtres, aux répétiteurs payés pour faire d'eux des modèles, des parangons de vertu, en vrai, comme ceux des affiches du parti, ceux qu'elle avait vus lors de sa première visite, ceux des illustratrices. Ce sont les enfants de la première dame du Reich. Un paradigme pour des millions de bons Allemands. Leur quotidien a été filmé pour les actualités cinématographiques. À table. À l'école. À l'étude. Au goûter. Au jardin. Au coucher. En vacances. Au milieu des moutons. Avec des instruments de musique pour former un orchestre... et une bande-son. Autour de leur père pour son anniversaire. Autour de leur mère. Autour d'oncle Adolf, lors d'une visite surprise. Chaque fois, Magda interprétait le rôle écrit par les scénaristes de l'UFA. Comme elle jouait bien, il y avait peu de prises et elle pouvait retourner à ses occupations. La lecture. La vitesse. Et une armée de petites mains reprenait place autour des gosses, pour les faire déjeuner, l'école, l'étude, le goûter, le solfège, les gammes pour le violon, les maintenir à distance des deux poneys imprévisibles, de la barque vermoulue et des bergers allemands dressés pour attaquer ; seules les perruches étaient dociles, mais elles s'étaient envolées. Magda n'en savait rien. Elle était déjà loin.

Helmut et Hedwig s'ennuient. Leur mère est restée trop longtemps dans leur chambre. Ils demandent s'ils peuvent sortir, s'amuser dans le couloir. Ils viennent de voir les chiens courir, Wolfie et sa mère, Blondi. Ils voudraient leur apprendre des tours avec leur balle. Magda sort et accepte. Elle ne les écoute plus. Elle a soif, mais pas de thé. Elle n'en peut plus de ce thé qui lui détraque le bide. Et cette gangue de béton qui ressemble à une cave ! Elle descend, traverse la salle commune et y croise Joseph, son mari. Il soutient son regard. Il lui en veut. Il a peur. Il a peur que les détenus survivent, de ce qui pourrait sortir des camps. Ils sont des dizaines de milliers lancés sur toutes les routes d'Europe. Des milliers. Des milliers de témoins. Il en reste. Quelques-uns. Et parmi eux certains savent que cette pureté du régime était une imposture. Ils savent qu'ils ont fauté. Ils savent que lui, le grand Joseph, l'âme damnée, le cerveau, le maître à penser du Maître, a échoué. Adolf l'ignore encore. Il ne doit pas savoir. Jamais il ne devra savoir qu'en aimant cette femme, il s'est fait duper.

Magda a hâte qu'il quitte cette pièce. Il traîne. Il va et vient autour, avec sa claudication. Ses broches qui le signalent de loin. Il furète, puis s'éloigne. Elle respire. Elle a soif. Une bouteille attire son attention. Son étiquette est couverte de poussière, comme les socquettes de sa fille. Elle souffle, frotte. C'est bien ça. Elle tire sur le bouchon, sent le parfum de l'eau-de-vie, prend un verre sur le côté et va s'asseoir dans la salle commune, près du local radio. Elle boit et épie Misch, qui se débat avec ses câbles pour capter des nouvelles. Elle sait ce qu'il surveille, dehors.

L'alcool coule dans sa gorge, la racle, remonte en vapeurs dans son nez, lui pique les yeux et lui réchauffe le cœur. Elle se sert un autre verre. Elle n'a rien d'autre à faire puisque tout lui échappe. Son avenir. Son passé. Et l'ombre menaçante qui s'approche, charriant la grande menace. Sa hantise. Magda est là. Elle vit. Au cœur de ce bunker. Et Adolf la protège. Tant qu'il sera vivant, ils ne lui feront rien.

Dans son réduit, l'opérateur radio s'est rabattu sur l'annuaire. Il teste les lignes lorsque quelqu'un décroche !

« Vous me recevez ? »

Misch glane tout ce qu'il peut auprès de ce témoin anonyme. Il le pousse à regarder par la fenêtre, à décrire ce qu'il voit, ce qu'il a vu, ce qu'il devine… Le Berlinois, qui vit quelques pâtés de maisons plus haut, décrit les troupes russes sur l'Alexanderplatz. Il refuse

de se mettre à la fenêtre. Il y a des tirs. Il voudrait rac-
crocher. Misch insiste.

«Combien sont-ils, combien de chars? Une douzaine, avec une étoile rouge sous… Et des prisonniers? Vous en voyez?

— Des quoi?

— Des prisonniers?» répète-t-il.

Une nouvelle explosion a retenti quelques secondes
plus tard. Vitesse du son. Distance. Profondeur souter-
raine. Misch ne capte plus rien, plus de son, personne
au bout de la ligne. Le logement de son interlocuteur
est situé à moins de deux kilomètres. Magda finit son
verre. Le liquide tapisse sa gorge d'une amertume
onctueuse qui la change des parties de solitaire.

Helmut débarque dans la salle à la poursuite du
chiot. Misch râle encore, pour la forme.

Helmut fait demi-tour avec le chiot dans les bras.

«On est toujours jeudi? demande Magda.

— Oui, Madame.»

Misch rédige une dernière note. Trois lignes sur
la situation. C'est tout ce qu'il a. L'état-major de la
plus grande armée du monde va bientôt se réunir en
salle des cartes. Il va passer des heures à tracer des
flèches, des ronds, des points de convergence sur des
cartes obsolètes. Il va encore compter sur la septième
armée, espérer la percée de Keitel, pour desserrer
l'étau russe. Cette fin de guerre mobilise des dizaines
de millions de soldats, des centaines de milliers de
canons, d'avions, de navires. Elle est mondiale et
tout ce qu'ils en savent tient en trois lignes et le seul

point de vue d'un homme qui vient de se pencher à sa fenêtre.

« Vous n'auriez pas un peu de noix de cajou ? » réclame Magda. Elle regarde les tableaux accrochés devant elle. Deux toiles de Courbet cachent la misère du mur. Elles sont mal éclairées, mal encadrées. La première est une baigneuse. La seconde une Orientale alanguie sur un divan couvert de fruits et de fleurs. Magda se lève, rafle une poignée de noix que Misch a déposées et fixe la tunique de la servante représentée sur le tableau.

« Alpha 3 ! Alpha 3 ! »

Misch capte un nouvel appel.

Un code prioritaire.

« Alph... »

La suite disparaît dans le grésillement.

Le message vient du Fieseler Storch du général Greim. Misch recommence. Il se passe quelque chose. C'est là. Juste au-dessus de leurs têtes. Magda se lève et rajuste l'Orientale. Recule.

« C'est mieux comme ça. »

16

Fela s'agite. Entaille ses liens brin par brin contre le pied de la table en bois. Ce cochon de paysan a vissé ces cordes à gros tonnage. Elle presse ses paumes l'une contre l'autre pour faire levier. Écarte ses doigts. Ses mains bouffissent sous la pression sanguine. Ses veines gonflent et éprouvent leur solidité. Ses doigts se boudinent. Ses articulations sont au point de rupture. Les liens fouillent ses poignets sans relâche. L'image d'Ava planquée sous l'auvent amortit la douleur. Elle va bientôt franchir la frontière qui sépare l'homme de l'animal. L'animal pris au piège se ronge le membre captif. Pas l'homme. Il attend qu'on le libère. Il peut se laisser mourir. Elle, Fela, s'est oubliée. La Lilith du shtetl, la pute du *KZ*, la favorite, la rescapée a tant payé de sa morale, de son sens d'elle, que son corps est devenu un affect secondaire. Ava l'emporte sur elle.

Une table. Une corde. Un homme qui dort. Utiliser la table. Tailler la corde avant que l'homme redescende. Presser ses paumes de part et d'autre du pied de bois. Oublier l'écharde dans son pouce. Elle respire lourdement sous le bâillon.

Dehors, une belle journée s'annonce. Les murs de la cuisine sont baignés de soleil, comme à Brzozow, aux plus beaux jours d'été, aux derniers jours du manque, quand le soldat était parti sans elle.

Cloc, cloc, cloc...

Des claquements de sabots contre les pierres de la cour. Fela se contorsionne comme un appât sur un hameçon, creusant ses reins pour regarder qui vient. Elle devine des pas de femme. Un bruit de charnière grince dans son dos. Les odeurs de la bassecour, de bouse, de foin, d'étable et de bois envahissent la pièce. Une toux résonne, aiguë. La femme ferme la porte. Fela aperçoit des chevilles tendues, les franges d'une jupe, des hanches, un dos, puis un profil neutre. Nez court. Menton pâteux. Elle tend le bras au-dessus du fusil et range des bocaux. Elle tire les volets sur la fenêtre éclatée. Elle ordonne cette pièce comme si de rien n'était. Elle contourne la grande table et Fela ligotée. Essuie la table du plat de la main. Jette les miettes dans l'évier.

« i ...ous ...aît ! »

La femme s'active devant le garde-manger.

« ...ai ...al ! » gémit Fela, dans les langues qu'elle connaît. « ...ama ...eechhhye ...ye... ...och ...i »

La femme porte un fichu d'un indigo lumineux. Des mèches noires dépassent sur la nuque et autour des oreilles. Elle pose le fusil sur la table.

Elle a vu les brins de corde à terre. Elle a compris,

mais elle n'a rien dit. Fela se remet à frotter. Longuement. La corde craque. Fela se redresse, arrache ce tissu qui lui entrave la gueule, inspire, déglutit, cherche les sensations de sa langue sur son palais et se masse les poignets. La femme s'accroupit devant elle et lui tend un verre d'eau.

« Il dort là-haut, finit par dire Fela. Je voudrais juste partir. »

L'autre a des hésitations de reptile. Ses yeux exorbités évaluent la menace. Ses mouvements sont précis. Elle a des mains vives de Tzigane. Elles rappellent à Fela les essaims de cueilleuses qui venaient à la ferme, quand septembre était mûr. Les soirées de fin d'été, quand des feux illuminaient les nuits des champs de Brzozow. L'heure des chants. Et les mains des cueilleuses s'envolaient. Graciles. Libérées par des *gritos* magiques, aussi vieux que les Lois de Moïse.

« C'est qui, le garçon dehors ? »

Elle a l'accent traînant de Varsovie. Un ton étrange qui ne colle pas avec le reste d'elle. Fela retient ses larmes. Ne pas trahir la petite. Ne rien laisser paraître. Surtout pas de soulagement. Son visage est une impasse. Elle dit qu'il est hongrois. Que c'est un jeune Hongrois. Le paysan l'a tué.

« C'est ton ami ? demande la femme.

— Oui.

— Tu étais dans la grange avec lui ? »

Sa voix flotte. Va des graves aux aigus sans jamais se fixer. Elle se relève. Range le bol. Déplace le fusil sur la table. Tourne autour d'elle.

« T'en as pas d'autres ? T'es venue seule ?

— Oui, seule », dit Fela. Ça la rassure. Ça veut dire qu'elle ne sait pas. Elle n'a pas vu Ava. Elle a envie de pleurer parce que c'est bon de se dire qu'Ava est toujours à l'abri.

« Il dort, là-haut ?

— Oui, je crois, dit Fela. Je l'ai vu monter tout à l'heure.

— Sans son fusil ? »

Fela se redresse. La femme saisit la crosse et tire l'arme vers elle. Elle a l'air pacifique, mais Fela se méfie. Ces mains promptes à danser sont aussi vives et tranchantes. Des mains de lames.

« Je vais t'aider. Mais chut… » Elle insiste sur le fait qu'il ne faut pas le réveiller. « Ça le rend mauvais », dit-elle en relevant ses manches.

Fela scrute cette main, ses doigts glissés près de la détente. Elle a le teint bistre des roulottes, le noir de leurs essieux. Le même que la Tzigane du block. Celle que les officiers du camp faisaient danser sur leur table avec elle. Ses mains magiques les endormaient parfois. Fela s'envolait avec elle. Cette transe contrainte l'emmenait jusqu'aux portes de Brzozow. Fela se retrouvait en songe parmi les ramasseuses, les cueilleuses de septembre. Elle sentait les tisons, les flammèches, les parfums. Au camp, au bout de quelques semaines, Fela apprit d'elle à danser sans fard, sans retenue, sans morale, juste en fermant les yeux. Ainsi, elle évitait aussi le regard de son père, son jugement, son courroux. Elle dansait comme la

Tzigane d'en face, avec son corps long comme une nuit de noces et ses doigts à tricoter des nœuds, des rêves, des extinctions de rage, à rendre leurs couilles molles, sans oublier de se servir en bons, en marks, en cigarettes, en dents en or. La main qui charme et prend, celle d'Ishtar, de Fatima ou de Tanit.

Fela a les doigts gourds. Elle chasse cette ankylose en secouant ses poignets. Il faut que le sang se remette à circuler.

La femme la questionne :

« Comment c'était, la grange ? Combien de victimes ? » Elle avait vu des flammes, très hautes.

« T'es tzigane ? »

Elle recule, offusquée. Encore ce va-et-vient. Cette femme est un tango. Elle est montée sur roulis et valse-hésite. Pourvu qu'elle n'appuie pas sur la détente ! Elle se décline, dit qu'elle s'appelle Zoly, qu'elle vient de Chelm, au sud de Varsovie, près de la frontière orientale et qu'elle trime dans cette ferme. Travail forcé. Prisonnière. Ils étaient quatre, au début. Trois Polonais et un Ukrainien.

« Elle est trop grande, cette ferme. Elle ressemble à une ruine, mais en vrai c'est une usine. Il y a trois cents vaches et beaucoup de porcs. Mais il a peur qu'on le vole. Il enferme ses bêtes. C'est pour ça que ça pue autant ! Y a des jours où j'en ai vraiment mon soûl. Mais ils m'ont dit qu'ils viendraient me chercher quand j'aurai fait mon temps.

— "Ils" ? »

Les plus forts. Ceux qui brandissent les armes et

178

qui tiennent les carrefours. Ceux qui peuvent dire et penser sans prendre de coups. Taper, prendre, voler, violer, boire et éclater de rire sans jamais rendre de comptes. Dormir sans qu'on vienne les secouer, et hurler sur les autres. Cette guerre a des zones d'ombre trop profondes pour tenter d'y voir clair. En uniformes. En civil. En femmes. En enfants, même, parfois.

« Sont très vicieux, leurs gosses ! »

Elle se répète. Cela faisait dix-sept mois, trois semaines et quatre jours qu'elle était là. Au départ, elle n'était pas seule. Il y avait eu trois Polonais, une Ukrainienne.

« Ah, je croyais que c'était un Ukrainien ?

— Oui. Au départ. Il en a fait une femme !

— Et où sont-ils passés ?

— Ils sont partis. Enfuis. Ils m'ont laissée, la semaine dernière. Ou avant-hier, je ne sais jamais avec les dates. Quand il y a eu tout ce raffut avec les trains et les avions et tous les gens comme toi. Ils sont morts. Je suis sûre qu'on les a rattrapés ! Ils ne m'ont même pas prévenue. C'était des chiens de toute façon. »

Zoly raconte qu'elle a passé tous ces longs mois aux champs, aux labours, en cuisine, à ranger, nettoyer les sols et les mauvaises herbes du potager devant. Et maintenant, elle se retrouve toute seule pour s'occuper de l'étable. Le fermier est sur les nerfs. Il dort mal. Il attend les soldats pour l'aider. Ils ont promis qu'ils s'occuperaient des bêtes. Ces gens des camps ont tout chamboulé.

« T'es communiste ? Juive ? Tarée ?

— Pas que je sache.

— Ils ont peur des fuyards. Ils ont peur pour leurs fermes, comme s'il s'agissait d'une attaque de loups. Il en a tué beaucoup, laisse-t-elle tomber.

— Pourquoi n'as-tu pas tenté de fuir ? »

Zoly s'adosse contre l'évier, les deux mains appuyées au rebord. Son regard roule d'un point à l'autre, verse et hésite. Encore.

17

Ma fille,

Il ne faut pas croire un traître mot des lettres qu'ils m'ont fait écrire à toi et à Charlotte.

Je ne vais pas bien.

Je n'ai pas reçu de colis ni d'argent.

Je ne suis pas bien traité et je pense plus à moi qu'à vous, en ce moment.

J'ai écrit tout cela pour passer la censure de la Postzensurstelle. C'est une lettre type. On écrit tous la même... La vérité est celle que je tente de faire parvenir avec ces bouts de papier, ces torchons, ces recyclures de bric et de broc pour t'écrire que j'ai faim, j'ai soif, j'ai mal. Tout le temps. Nous dormons à même le sol, sans matelas, dans une ancienne bergerie entourée de barbe- lés électrifiés juste en face de la volière d'un mainate qui dispose de graines et d'eau à volonté. J'en suis jaloux. Jaloux d'un piaf.

Je hais ce bureau de censure qui fait de moi un mainate.

J'ai peur de ces gardiens qui pourraient être mes
fils. Tous viennent du même village, un trou perdu de
Bavière, dont les hommes sont mauvais. Là-bas, ils sont
tous nés fous.

Je m'épuise en travaux qu'ils me forcent à faire.
L'autre jour, l'un d'eux m'a obligé à creuser une travée
dans un sol plein de caillasses et de racines. Dans ce
camp, ce sont les prisonniers qui construisent leur propre
prison. Nous passons nos journées à nous enfermer.

J'ai imploré ce jeune homme parce que je n'en pouvais
plus. Il s'est approché et m'a seulement cassé le nez. J'ai
eu de la chance. Une simple fracture. Je sais que j'ai eu
de la chance. D'autres sont morts pour moins que ça.

18

Son casque vissé sur les oreilles, Misch est en train d'affiner la fréquence lorsque Magda s'approche. Elle reconnaît cette voix. C'est celle de Hanna Reitsch, une légende vivante pour tous les as de l'aviation allemande. Elle est aux commandes. Normal, se dit-elle, Hanna sait piloter tous les avions. Et celui-là, ce Fieseler Storch, est l'avion du général Greim, son amant. Ils approchent.

«Encore un couple ! se dit Magda. Ce n'est plus un bunker. C'est une chambre des soupirs !»

«Alpha 3» approche de la porte de Brandebourg. Le ventre du Storch est criblé d'impacts de balles. Son fuselage menace de se déchirer selon les pointillés comme une maquette de modélisme. À l'arrière, le général Greim a perdu connaissance. Il est blessé. Hanna annonce d'une voix stridente qu'elle va procéder à un atterrissage d'urgence. Elle exige une ambulance.

«Mais nous n'avons plus d'ambulance !» répond Misch, désemparé.

Cette femme, Magda l'a croisée plusieurs fois au Berghof. Elle a passé d'interminables moments dans son giron saturé d'elle et de ses exploits aéronautiques. Une boule d'énergie, obsessionnelle, qui monologue des plombes sur sa passion pour tout ce qui vole et plane. Elle garde un souvenir précis de sa passion pour sa Bergeronnette, un autogire planeur destiné à la marine. Elle lui avait longuement décrit son rotor éjectable, qui permettait au pilote de sauter de l'hélicoptère sans risquer de se faire décapiter par ses trois pales. Un sous-marin se chargeait du sauvetage.

«J'ai aussi le record des plus longs vols en piqué!» avait-elle enchaîné.

Magda pouvait toujours tenter de l'interrompre, elle parlait comme elle volait. En piqué. Personne ne pouvait l'arrêter. Hanna lui tourna le dos pour un voisin plus réceptif. Qui était-ce déjà? Elle avait oublié. Pour Hanna, l'essentiel était sauf: elle s'était racontée. Longtemps. Presque tout l'après-midi.

Magda s'était réfugiée dans le salon et la regardait dire, à l'abri de la baie vitrée. Pour casser sa faconde, il avait fallu qu'interviennent les deux petites gymnastes bulgares. Les deux adolescentes traversèrent la terrasse. Hanna se retourna. Magda suivait la scène. Eva faisait semblant de ne pas voir. Les deux petites sœurs débarquaient sans vergogne en justaucorps et ballerines. Les cheveux en chignon. Chacune portant un sac contenant un jeu de cerceaux et de rubans. Adolf les faisait souvent venir. Il avait un penchant pour ces deux hyperlaxes impudiques. Il s'enfermait

184

dans sa chambre et les regardait s'agiter. Il aimait qu'on se contorsionne pour lui.

Mais ici, pas de place pour les acrobates. Hanna Reitsch va bientôt débouler. Magda cherche un abri dans l'abri, un refuge dans le bunker, même si, pour tous les autres, c'est une très bonne nouvelle. L'arrivée prochaine de Greim et de Reitsch passe de chambre en chambre. Des soldats convergent déjà vers la salle commune. Ils ont sûrement des informations sur l'avancée de Weidling, la 9e. Ils viennent de survoler un cadavre fumant de capitale allemande. Ils ont rasé les cimes bourgeonnantes du Tiergarten et slalomé pour éviter les tirs d'artillerie russe. Cela prouve qu'il y a encore des brèches dans le dispositif ennemi. Berlin reste accessible. En tout cas par les airs.

Dans l'escalier, la voix intempestive de Hanna dispense ses ordres.

« Il est où le docteur ? Qu'est-ce que vous foutez ? Magnez-vous ! » gueule-t-elle.

Survoltée comme d'habitude, malgré le poids de son amant qu'elle soutient. Ils passent devant Magda, avec leurs effluves de kérosène.

« Elle m'a encore sauvé la vie », dit le moribond.

Greim a deux fois son âge et autant de fois son poids. Son pantalon est en charpie. Un rictus lui crispe la mâchoire et, malgré la douleur, il se répand dans tout le bunker, sur elle, sur l'héroïne qu'il aime, sur son nouvel exploit.

«Ça recommence», pense Magda.

«Hanna a été héroïque…» Elle se tasse contre le mur.

«∴ Elle a redressé l'avion à dix mètres du sol…» Elle craint le toast.

«… Elle a pu le redresser. Faut le faire, tout de même! Aïe…»

Elle voudrait partir. Mais tout le monde est là. Et le dos d'un soldat l'empêche de se faufiler.

Le docteur Stumpfegger allonge Greim dans le réduit qui sert d'infirmerie.

Magda pense à son fils. Combien de médailles Harald ramènera-t-il quand la guerre sera finie? Elle se ravise. Les médailles ne valent rien. Ces deux imbéciles peuvent bien jouer les héros, ils sont solubles comme le sucre sur cette table. Et quand vient la défaite, les héros disparaissent, au profit des héros ennemis. Magda sait qu'il n'y a pas d'Histoire. Il n'y a que des victoires et des défaites, les récits des vainqueurs et l'oubli des vaincus. *Memento mori*. Tout passe.

Au milieu des soldats, Hanna commence son récit. Ils ont volé toute la nuit à bord d'un chasseur Focke-Wulf, un monoplace. Le général ne voulait pas qu'elle l'accompagne. Mais elle s'est glissée dans la queue de l'avion, recroquevillée derrière la cabine de pilotage. Pendant la traversée, une douzaine d'avions d'escorte ont été abattus. Mais Greim est parvenu à se poser aux environs de Berlin. Il a changé d'avion pour un Fieseler Storch, «plus léger, plus maniable». Sans doute le seul capable de traverser les lignes ennemies. Elle s'était installée dans le Storch avec lui.

Deux jeunes soldats tirent des chaises près de Magda. Ils lui demandent la permission de s'asseoir.

« Au moment de virer, dit Hanna, on s'est fait canarder. Greim était aux commandes. Moi, sur le siège passager. Il a été touché par une première rafale. Y a d'abord eu que des dégâts mineurs, à l'arrière du fuselage. Puis il y a eu d'autres tirs. Cette fois, ils ont touché l'aile du Storch. Et Greim a pris une balle au pied. Au moins une. Je dis au moins parce qu'il saignait comme un cochon, mais il me disait qu'il tenait bon. Je lui ai fait un garrot avec ma ceinture et l'avion a viré. Greim est tombé dans les pommes. J'ai sauté pour prendre les commandes. Sinon, c'était le crash. On s'est posés sur trente mètres ! Vous vous rendez compte ? Trente mètres ! »

Les soldats lèvent leurs verres. Magda aussi. Le toast. Elle a le tournis.

Dans l'infirmerie, le penthotal fait effet. Greim est en train de ronfler.

« Ah ben, lui, alors ! s'exclame Hanna. Il ne s'en fait pas, décidément ! »

Les soldats éclatent de rire. Ils adorent l'aviatrice, qui soudain se redresse, suivie par tous les autres.

Adolf s'avance.

Hanna gonfle sa poitrine, lève le bras, salue, le regard droit, fixant un horizon imaginaire et pourtant glorieux. Le chef répond chichement d'un mouvement de bras blasé, paume en l'air, vague. Il est aussi pâle que les murs de la salle. Fissuré, pétrifié. Il rejette son bras gauche en arrière, bien tenu dans son dos. Il a changé. Il est loin le temps de Nuremberg, quand il soulevait les foules avec ses mots de scandale, ses slogans gigantesques, comme un Hercule de foire qui tordait les puissances et défaisait les empires. Cet homme emportait tout.

« Tenez-moi au courant », laisse-t-il choir.

Au fond de ce couloir parcouru par les rats, les spasmes des bombes d'en haut, l'humidité, l'odeur des chiens qui défèquent partout, Adolf a le charisme d'une grabataire sénile. Il ne fait même plus danser Eva pour lui.

Ce diable boiteux de Joseph, son âme damnée, sec et cerné, se traîne dans son sillage. Même enfoui dans ce réduit, il demeure tout à son maître, servile, dépendant, obséquieux. Un vrai laquais. Il repart sans un regard pour sa femme. Ils font bunker à part. Sans Adolf, il serait sans pitié. Pour elle. Pour leurs enfants. Leur couple est un échiquier en fin de partie. La reine est nue et ne fait plus envie. Il a bien tué son aide de camp. Un mort de plus pour rien. Il ne savait rien d'elle, pourtant.

19

Dans la salle à manger de cette ferme allemande, les deux femmes s'évaluent.

Zoly est debout, adossée à l'évier. Elle ne porte pas de tatouage. La ferme n'est pas entourée de barbelés. Il n'y a pas de chiens de garde et le fermier dort au premier.

« Qu'est-ce qui te retient ? demande Fela.

— Il dit qu'ils sont tous morts.

— Qui ça ?

— Il dit que les fuyards sont morts, que la Pologne a brûlé, que mes parents sont enterrés comme tous les Polonais. »

Fela tire sur la corde. La femme ne dit rien.

« J'arrive pas à défaire ça. Tu veux bien m'aider, s'il te plaît ?

— Pour aller où ?

— Aide-moi ! »

Elle a des yeux de balise, balayant leur angoisse.

« Il va me frapper. Je ne peux pas faire ça. »

La corde se débine tout autour des chevilles de Fela. Celle-ci prend appui sur le plateau massif et se redresse, lentement. Zoly a repris son fusil. Fela n'a pas le choix. Pas le temps. Elle essaye.

«Je veux juste m'en aller. Laisse-moi partir, s'il te plaît.

— J'ai pas le droit. Il va me punir si je fais ça.» Fela parle d'un ton caressant.

«Tu me retiens prisonnière, alors? Je suis ta prisonnière.

— Il t'avait attachée.

— Regarde. Je suis libre, et je ne te veux aucun mal.»

Zoly frotte ses mains moites sur la crosse du fusil. Elle fait cliqueter le sélecteur de canon. *Clic-clac*. Droite. Gauche. L'un des deux tubes est encore chargé. Au mur, juste derrière la femme, Fela repère un couteau. Trop loin. Sur le bord de l'évier, un rouleau à pâtisserie.

«Tu pourrais me frapper, toi! dit Zoly, en abaissant son arme. Si tu me cognes bien, il ne pourra plus rien dire!»

Fela s'approche.

«Tu es sûre?»

La femme pose le fusil sur la table et baisse la nuque. Fela fait le tour d'elle, la renifle, découvre les traces de coups à la base de son cou. Des bleus. Dans son cou, des griffures. La guerre est animale. C'est le moment des instincts, de la brutalité faite loi. La prise devient l'usage. La conquête passe très naturellement des territoires aux chairs. Les deux femmes ont subi l'homme et sa guerre, l'épanouissement de son souffle, la conquête de son râle, étouffé, enroué, presque rauque, puis insane.

Fela reste contre la pauvre fille, sans que leurs mains se touchent. Elle sent l'odeur de ses cheveux. Capte ses forces. Devine ses fesses contre son ventre. Ses épaules. Son grand vide intérieur. Cette femme-là est perdue. Elle n'a plus de refuge. Son corps est déserté. Et son esprit troublé.

Fela tend le bras vers le mur, décroche le couteau. Zoly s'est soumise comme les chevaux de Brzozow, comme les enfants en classe, sur une intonation, le pouvoir de la voix.

«Je pense que tu as fait ton temps», dit Fela, qui claudique de son mieux pour monter l'escalier, en s'aidant aux parois, bras tendus, pour l'escalader jusqu'en haut. À l'étage, elle s'engage dans un couloir étroit. Une porte fermée. Une autre porte fermée. La dernière est entrouverte. Elle la pousse. Le paysan dort ventre en l'air. Il est tout engoncé dans un mauvais matelas. Épais. Farci inégalement de paquets de laine dont les extrémités rebiquent. Il porte son pull et ses grosses grolles de cuir. Il a défait sa ceinture. La fenêtre est ouverte. Le vent agace un voile blanc constellé de chiures de mouches. Fela lève son couteau. Un canon s'impose dans son champ de vision. C'est Zoly qui s'est glissée dans son dos. Elle braque son fusil. S'approche. Le canon la dépasse et s'avance. Il n'est plus qu'à quelques centimètres de la poitrine de l'homme. Fela ne bouge pas. Le voile faseye. L'homme bouge, se réveille, rapproche sa main pour saisir le bout de l'arme, la tire lentement et fait remonter le canon plus haut. Ouvre la bouche. Le paysan fixe Zoly. Fela est transparente. Elle vient de disparaître. Elle aurait tant voulu que la femme tire. Que son doigt se courbe sur la détente. Venge Judah mort dehors. Venge les victimes de la grange qu'il a enterrées la veille, à la hâte, à coups de fourche et de dos de pelle.

Mais quels morts, en vérité ? Les morts de qui ?

Zoly a hésité et il est déjà trop tard. Elles auraient pu faire toutes les deux de ce gros drap un linceul. Elles auraient pu rouler son cadavre sur le côté du lit, le renverser. Non. Zoly a lâché l'arme. Elle s'est assise au bord du lit. Le fusil traîne à terre.

Elles auraient balancé le corps par la fenêtre de la chambre. Il y aurait eu le craquement de ses os, sa nuque. Un de ces bruits qu'on dit sourd, mais qui dure des années, qu'on remue, qu'on se remémore, qu'on se rappelle d'un frisson.

Zoly s'allonge près de l'homme. Le sommier craque. Le fermier se tourne et lève un bras épais qui l'entoure. Zoly est svelte et désâmée.

Un courant d'air charrie l'odeur de cette ferme. Une odeur acide, crochue qui vient du bâtiment en bas. La porcherie et l'odeur du lisier.

Fela se figure qu'elles auraient dégotté une brouette et fait disparaître le corps de ce porc d'homme, comme d'autres. Elles se seraient frayé un chemin à coups de genou dans les flancs noirs ou roux des cochons, des porcelets plus clairs, des truies à colonies de mamelles, d'un verrat isolé. Elles auraient incliné la brouette et fait basculer le paysan. Ça bouffe tout, les porcs. Même les os.

Mais non.

Il vit encore. Et Zoly prend soin de lui. Elle caresse le dos de l'homme. Lui glisse des mots imperceptibles, imprime à leurs deux corps un balancement calme. Zoly se redresse et le paysan reste là. Il va finir sa sieste.

Zoly s'avance vers elle. Prend le couteau qui pend au bout de son bras et le pose sur le rebord de la fenêtre. Fela se laisse faire. Zoly l'entraîne dans le couloir, l'escalier, traverse avec elle le salon, et lui indique la table.

« Attends-moi là », ordonne-t-elle.

Fela voudrait s'en aller. Mais il y a l'homme, là-haut. Il a repris le fusil. Elle voudrait retrouver la petite. Elle est assise. Elle s'impatiente de peur. Elle sent les reliefs des brins de corde sous ses semelles.

J'entends des choses affreuses.

On dit que les détenus se suicident. Je ne voudrais pas qu'on me suicide trop vite. Alors, je rase les murs. Je suis docile. Je fais la queue. Je porte tous les sacs qu'on me donne à porter. Je creuse à m'en casser le dos. La peau de mes mains se boursoufle de cloques comme si la peste m'était tombée dessus. Hier, j'ai craché du sang. Je ne me tiens plus droit. Impossible, et malgré mon immense fatigue, je ne parviens pas à dormir. J'ai des vertiges.

Hier, deux vieux comme moi, c'est-à-dire pas si vieux, sont morts sous mes yeux.

Ce camp est un accélérateur. Il ruine toute espérance.

Je garde un seul espoir : que tu puisses lire mes lettres. Te sont-elles parvenues ? Sont-elles seulement sorties d'ici ?

Réponds.

Le gauleiter espérait une famille nombreuse.
Magda voulait des égards.
Il voulait le triomphe.
Elle voulait qu'on la regarde.
Il avait le pouvoir.
Elle gomma son passé.
Il découvrit l'existence de Viktor.
Elle le laissa faire.
Il découvrit l'identité de son père.
Elle nia. Fit nier sa mère.
Il devint taciturne.
Elle sombra dans une profonde atonie.
Leur pacte était fragile.

Il reposait sur un jeu de dupes. Le poison du mensonge s'en était mêlé. Magda vivait ses derniers jours avec le souffle court de ceux qui sont hantés, effarés de l'intérieur, paniqués de partout.

Dans le journal que son mari laissait négligemment

traîner, Magda tombait sur de nouveaux prénoms : Clara, Steffi, Mathilde, Johanna, Kirsten et Gabriele. Il poursuivait sa comptabilité intime, comme un encroûtement de son vice, un tic sexuel incurable, couchant la somme de ses conquêtes, notant les actives, les passives, évaluant leurs talents singuliers. Il faut dire qu'à l'époque, le gauleiter avait la haute main sur les théâtres et les studios de cinéma. Dans son costume de *tycoon*, coupé comme ceux du prince de Galles, long sur les hanches, le ministre traînait sa patte folle dans les studios de Babelsberg, en coulisses, sur les plateaux, en quête de seconds rôles pour sa vie d'homme, évaluant les recrues, les attrayantes, les gracieuses, les tentantes ; il leur parlait d'Adolf, de lui, de l'avenir du cinéma germanique, et prétendait sans sourciller qu'il avait fait les fortunes de Garbo et de Dietrich. Il attirait ses proies dans sa petite garçonnière, près des studios. Il les faisait danser nues pour des projets de film. Il prétendait s'inspirer du travail sur le corps de Leni Riefenstahl, la réalisatrice. Puis ce nain d'homme s'enfonçait dans le sofa, matant les candidates qui enchaînaient pas chassés, petits pas, ponts, piqués, pirouettes… pour finir à quatre pattes, bien cambrées, en levrette, tenues par le chignon.

Joseph avait l'orgasme triste. Ses notes de plumitif l'attestaient. Elles dépassaient rarement les 4, voire 5 sur 10. Il prenait son vrai plaisir avant. Le jeu. La domination. Chaque nouvelle prise venait compenser des années de moquerie pour son pied bot, sa gueule de rat, sa thèse en philologie jamais publiée. Le Maître avait besoin d'une Éminence. Son apparence chétive, son visage famélique, son handicap se fondirent rapidement au milieu des molosses en chemise brune, du décorum, des torches et des drapeaux. Plus besoin de se défendre. C'est lui qui donnait le ton. Discours. Baston. Des mots, des coups. Il en donna, beaucoup, narguant les tribunaux, menaçant tour à tour les cours d'appel, les politiques et les Juifs. Les filles sortaient de chez lui avec des marques, quelques lignes de texte et des seconds rôles dans des films sans âme, depuis que Billy Wilder, Fritz Lang ou Max Ophuls avaient senti le vent tourner mauvais.

Les soirs de première, Magda se pointait sans prévenir. Elle connaissait un prénom grâce au journal, découvrait un visage et entreprenait sa victime près du buffet, entre le champagne et les petits fours, avec la même question rituelle :

« L'avez-vous trouvé bon ? »

Les tragédiennes prétendaient qu'elles avaient mal entendu.

Les figurantes fondaient en larmes.

Les théâtreuses jouaient la stupeur.

« Qui ça, madame ? Le film ? L'acteur principal ?

— Mais non, chère amie, mon mari ! Le gauleiter. Vous a-t-il cinglée, comme les autres ? »

C'était son moment de grâce. Joseph n'avait pas le droit d'intervenir. Cela faisait partie des avenants à leur pacte. Il y avait de la loyauté dans leur union, leur front commun autour du Maître. Chacun se partageait ses grâces. Mais ça s'arrêtait là. Pendant que Magda soldait ses dépassements, le gauleiter restait à l'autre bout du buffet, fronçant les sourcils pour la forme, pour les autres filles présentes, celles qu'il n'avait pas encore annotées. Parfois, Magda les convoquait à Lanke. Elle leur faisait visiter chaque pièce du château, pointait en passant les photos d'elle avec tous les grands guides de l'Axe, Führer, Duce, Caudillo… puis elle les invitait dans la bibliothèque. Une fois la porte fermée, elle sortait un carnet et voulait tout savoir.

« Combien de fois ? Où ça ? Avait-il… Vraiment ? Comment ? Dans la bouche… ? Ah bon ? Une dent cassée… Aïe ! ma pauvre enfant… Il va falloir trouver un bon dentiste ! Ce sont des choses qui arrivent quand mon époux a des soucis. Ça le crispe, il devient gourd, un peu pataud. Il a toujours eu du mal à faire la part des choses. C'est un homme très entier, vous savez. Avec lui, c'est tout ou rien. Et quand il est préoccupé, il est forcément moins à la chose… Moins précis, si je puis dire. »

Entre 1933 et 1945, le cinéma allemand produisit beaucoup de films et vit défiler quantité de jeunes premières. Le gauleiter faisait des carrières qu'elle prenait soin de défaire. Un vrai travail de Pénélope, à quatre mains.

Mais leur jeu s'envenima.

À cause d'une Tchèque. Une jeune brune aux yeux de nuit. Lida. 10. Note rare. Jamais donnée, encore. Lida Baarová. Elle était d'une beauté d'Anschluss, un concentré de forces capables de faire rendre les armes à tous les hommes visés. Lida avait quinze ans et sept gosses de moins que Magda, des yeux noirs, une voix rauque, un corps de propagande et une ambition cannibale.

L'histoire commença à Schwanenwerder, une presqu'île située près de Berlin. Sous l'ancienne république de Weimar, les Rothschild, les Salomon et les Schlitter y avaient fait bâtir de somptueuses demeures. L'Allemagne changea de maître et leurs villas de mains. Speer choisit la plus grande et fit abattre la moitié de ses cloisons. Morell s'installa près de la rivière pour respirer le bon air. Le gauleiter fit main basse sur celle de Schlitter. On hissa une croix gammée sur le château d'eau local et l'élite noire et brune s'y retrouva tous les week-ends d'été, pour la promenade du soir. Une jeune actrice, Lida Baarová, avait payé très cher pour s'acheter sa villa. Magda se méfia d'instinct de la Tchèquesse aux airs d'opiomane ; belle à se noyer. Joseph adopta la stratégie du crabe. Il commença par se lier avec son ami, comédien lui aussi. Il l'invita sur le *Baldur*, son splendide yacht à fond plat de trente mètres de long, coque blanche comme ses costumes à bord, serviteurs en livrée, marins, pacha. Un confort impeccable. Ils remontèrent la rivière et partagèrent toute une journée les alcools les plus fins. Lida les rejoignit.

À l'arrière du *Baldur*, les passagers passèrent à table. Cet été-là était irrésistible. Sous les bougies, la servante aligna une vaisselle en porcelaine et de grands crus français. Lida couchait ses seins sur la nappe pour mieux l'entendre parler de lui-même, s'enivrer de ses traits d'esprit, et lui tricoter ses grands yeux d'innocence. Joseph parla toute la soirée. Elle était tout acquise au portrait qu'il dressait de lui-même. Son ami comédien, trop occupé à boire, avait l'esprit si obscurci qu'il riait avec eux sans jamais se rendre compte qu'il était sur le point de la perdre.

Plus tard, Joseph invita Lida au congrès de Nuremberg, à l'Opéra, sur le *Baldur*, encore, pour des pique-niques ou des bains à se couler dans l'onde et roucouler dans l'ombre. Il imposait son nom pour les affiches de Babelsberg, lui faisait découvrir Munich et la Bavière et lui offrit des ponts d'or pour qu'elle refuse les appels du pied de Hollywood. Magda n'avait pas de prise. Elle pouvait bien se pointer aux projections, faire le coup du banquet, Lida se tenait près de lui. Ils s'affichaient. L'accord était violé. Magda fit un long séjour en clinique.

Trois mois après la naissance de leur dernier enfant, son mari lui annonça qu'il souhaitait lui parler en présence de Lida. La Tchèque viendrait sur la presqu'île.

De la fenêtre de sa chambre, Magda les vit descendre d'une Mercedes officielle. Il portait un costume à rayures, cintré, aux épaulettes moins larges, presque sobres. Lida arborait un feutre noir et un fil de cuir à la taille. En bordure de l'allée, le jardinier avait cessé de bêcher. Il la suivit, hypnotisé.

Magda fit préparer du thé.

En entrant dans le salon, Joseph était encore tout

nimbé d'elle, de ses parfums lilas, de ses faveurs lascives. Il sourit à sa femme, prit sa main, la baisa, sourit, s'assit, saisit une tasse qu'il tenait bien ferme, fixe, sans le moindre tremblement. Lida fit de même. Magda enfonçait ses pouces dans ses genoux et faisait de son mieux pour rentrer le ventre. Il lui manquait six mois avant de perdre ce gras de maternante. Le thé était trop fort. Il posa sa tasse et se mit à débiter des formules d'assurance, de réconfort, grasses d'obséquiosité.

« C'est toi la mère de mes enfants et la femme qu'il me faut. Mais après toutes ces années, tu comprendras certainement que j'aie besoin d'une amie… je veux dire une amie sérieuse et sincère. »

Magda ne disait rien.

« Tu es et tu resteras toujours ma bonne vieille. »

Le temps que cette formule amorce son œuvre de destruction intime, Joseph et sa Tchèquesse avaient quitté les lieux. Magda les imagina sûrs d'eux et fiers de leur grandeur d'âme. Elle le haït, lui, ses enfants, et tous ces bourrelets ridicules qui saillaient sur ses cuisses lorsqu'elle était assise.

À trente-six ans, Magda refusait de passer pour une « bonne vieille ». Cette union était la sienne. Pas question de laisser l'étrangère lui cafarder sa gloire.

Elle avait roulé toute la nuit vers l'Obersalzberg. Adolf était seul avec ses chiens et ses plans d'invasion. Il se tenait debout face aux montagnes et la laissa parler. Magda le connaissait. Elle procéda comme tous les membres de sa garde rapprochée. Elle parla longuement en espérant qu'il capte quelques bribes de ses phrases. Elle répéta ses griefs. Les formula de plusieurs manières. Il fallait qu'il rumine, qu'il s'empare de tout ce flot de paroles et les métabolise. Il était fait de cette chimie-là. Cet homme à l'autorité infinie, qui s'arrogeait petit à petit tous les pouvoirs, droit de vie et de mort, qui rêvait l'humanité, une race nouvelle et pure, cet homme-là tranchait rarement. Il laissait les autres faire. Comme s'il voulait planer au-dessus du quotidien, de l'exercice du pouvoir. Il incarnait ce pouvoir. Aux autres de l'appliquer. Magda ôta sa chemise, dégrafa sa bretelle de soutien-gorge.

« Non, juste un côté », supplia-t-il.

Adolf colla sa tête sur son sein.

Un mois plus tard, les soldats de la Wehrmacht franchirent la frontière tchécoslovaque, mettant en fuite les gardes du poste d'Eger. Ils enfoncèrent leurs bottes, leurs blindés et leurs armes jusqu'à Therèsienstadt. Le nouveau maître de l'Allemagne convoqua Daladier et Chamberlain, pour les mettre devant le fait accompli. Magda était aux anges. La suite de ce mouvement de troupes se joua dans une brasserie de Berlin. À la manœuvre, le comte von Helldorf, le chef frais émoulu de la police locale. Homme de vices, criblé de dettes et corruptible, il était chargé d'une mission intime. Dîner avec la Baarová. La belle aux yeux de chat. Elle minauda. Il tint ferme. Elle serra les dents. Il la chassait des studios de l'UFA, de Berlin et du Reich tout entier.

Lida fit sa valise. L'Allemagne envahit les Sudètes. La France et la Grande-Bretagne baissèrent leur froc. Et Magda triomphait. Elle avait démembré la Tchèque. Elle l'avait mise en déroute.

Ici on pouvait bien faire fuir, terroriser, humilier sur un ordre impérieux. Magda avait épousé la cause de ce régime. C'était éblouissant. Tout était donc possible… Elle était dans le camp des vainqueurs, sur les Sudètes, sur les Tchèques, sur la France, sur les hommes qu'elle croisait dans les dîners en ville, dans les salles de concert gavées d'étendards et d'uniformes au garde-à-vous pour elle.

Elle prit quelques amants et un peu de distance avec la guerre mondiale. Le ministre de la Culture et de la Propagande se contenta de figurantes. Jamais de premiers rôles.

22

«Jolie! Elle… c'est… très jolie!» répète la fermière comme si ce n'était pas possible qu'une enfant fût jolie.

Alertée par les bruits, le coup de feu, les grognements des cochons, Ava n'a pas su résister. Elle s'avance dans la cour. Sa tête est à portée de main. Zoly la touche. Ses doigts entortillent ses mèches blondes. Elle caresse sa joue. Elle s'en mêle. Et c'est insupportable.

Ava se tient droite comme une croix de calvaire au milieu de la cour. Elle a désobéi. Elle sait. Ses yeux demandent pardon. Fela l'observe, trop loin, plombée derrière la porte ouverte de la cuisine. Elle se tient contre la poignée. Sa jambe la lance, encore. Fela épie la femme qui tend une main vers la petite et lui parle.

«N'aie pas peur, ma jolie. Je ne te ferai pas de mal.»

Fela sent une vague de haine qui gonfle dans son ventre et pourrait se briser ici, devant, à quelques mètres devant, dans le dos de cette femme qui ose toucher la tête de sa fille. Sa jambe l'ancre là. Impuissante. Fela en tremble. Elle a repéré la chaussure dans la cour, la vieille grolle de Judah. Un coin de sa conscience a capté la présence de la brouette posée le long du mur de la porcherie. Elle a reconnu la veste roulée dedans. C'est celle de Judah. Elle a compris. Son cadavre a été jeté en pâture à leurs groins. Il est de l'autre côté du mur. C'est pour cela qu'ils font tant de bruit, les porcs ! Son corps n'aura pas de sépulture. Et elle, cette femme, celle qui se tient debout dans la cour près de sa fille à elle, cette femme doit savoir. Mais le visage calme d'Ava balaye tout. Elle est sereine. Elle n'a pas peur. Elle est à quelques pas d'elle et avance, tranquillement. Zoly lui a tourné le dos. Elle a fait demi-tour et regagne la maison. Ava la suit. Heureuse de retrouver sa mère.

« Tu dois crever de faim, dit Zoly parvenue au seuil de la maison. T'es pas grosse. Je vais te préparer quelque chose. »

La petite interroge sa mère du regard.

« T'as faim de quoi ?

— Elle parle pas », concède Fela qui pense : « Le fusil. Le paysan. Ava. »

L'enfant découvre une cuisine comme elle n'en a jamais vu. Les parfums des légumes, concombres, tomates, la persistance des graisses, les arômes pâturins du lait et du fromage. Zoly écarte le banc du mur et plie une couverture pour qu'elle puisse s'asseoir.

« Comme ça ! » dit-elle avant de quitter la pièce.

Zoly dispose des couverts sur la table. Disparaît.

Remonte avec un cageot plein qu'elle dépose devant elles.

« Tiens ! »

Des champignons. Du lait. Du chou. Elle ratisse la cuisine et déballe tout ce qu'elle peut. Des tomates, des œufs. Ajoute trois assiettes, puis un morceau de pain frais. Du miel. La lame de son couteau éclate la croûte, tranche une mie souple et aérée, élastique. Pousse les tranches vers Ava. Rapporte une motte de beurre luisante, bien jaune, qui n'a pas l'odeur rancie du camp. Ava fait des yeux de lèche-vitrines. Sa langue gonfle dans un bain de salive. Cette fermière est devenue une reine. Une grande fée nourricière. La petite n'a jamais vu autant de plats sur une même table.

Zoly ajoute un petit pot en grès rugueux couvert d'une fine soucoupe, la soulève et révèle la matière rouge fanfare, grumeleuse, sablée de taches grenat et pourpres d'une confiture et de pépites d'akènes.

« Airelles et fraises, précise-t-elle pour la petite. Tu aimes ? »

Ava hausse les épaules. Elle a goûté ses premiers fruits rouges en forêt. Mais jamais sous cette forme. Elle se dresse sur ses coudes pour sentir.

« Qu'attendez-vous de nous ? »

Zoly remplit un verre de lait et répond que cette ferme est grande. Qu'elle a de quoi les faire vivre ! Et revient à la petite.

« Est-ce qu'elle comprend notre langue ?

— Elle comprend beaucoup de langues. »

— Ah ! Moi, seulement le polonais.

— Et l'allemand, remarque Fela.

— Oui…»

Fela mange vite de tout. Elle tasse dans sa bouche des tomates et du pain. D'autres tomates. Rassemble les miettes, récupère le moindre grain sous la pulpe de ses doigts. Beurre d'autres tartines qu'elle couvre de confiture. Boit. Ava l'imite. Elle aime les airelles. Elle aime le miel. Elle aime tout et s'en gave.

«J'ai vu avec lui. Il est d'accord, dit-elle avec son air insane et gourd, bouffant Ava des yeux.

— D'accord pour quoi ?

— Il a dit qu'elle peut rester.»

Une escadrille de ventres gris alliés passe au-dessus de la ferme.

«J'ai pas d'enfants. J'aimerais bien en avoir une comme elle», dit-elle en passant ses doigts dans ses cheveux. Insupportable. Les bombes explosent un peu plus loin. Zoly est fascinée.

«Vous ne manquerez de rien, insiste-t-elle. Je vais bien m'en occuper.»

Il y a une chaise près de la porte de la cave. Elle semble solide. Coincée sous la poignée de la porte, cela pourrait marcher.

«Ava adore votre confiture. Est-ce qu'il en reste ?»

Zoly descend à la cave. Fela prend le torchon, le trempe, l'entoure sur le rouleau à pâtisserie qui traînait dans le coin et descend. Tout va très vite. Elle vise la tête. Frappe l'avant-bras de Zoly, qui a fait un mouvement pour se protéger. Parvient à lui coincer le bras

207

sous son coude, s'incline, frappe juste. Cette fois, Zoly ne bouge plus. Fela ôte le chiffon, remonte, accote la chaise sur la porte de la cave, ramasse le pain, la gourde molle en vessie de porc remplie d'eau.

«Le livre, les lettres, ils sont là-bas?»

Ava acquiesce.

«Déguerpissons!»

23

Ma fille,

Nous sommes plus de dix mille. Il arrive beaucoup de prisonniers des dernières rafles d'automne. Les BV, les criminels de droit commun, sont chargés par les gardiens nazis de les parquer sur la place centrale. Ils y laissent des pyramides de vêtements, de fourrures et de chaussures. Mes affaires ont fait partie de ces piles.

Hier, trois des nôtres ont été étranglés par un kapo parce qu'ils ont trop traîné à lui céder leur place dans la queue pour la soupe. Les gardiens lui ont tapé dans le dos et l'ont félicité. C'est notre kapo désormais. Il s'appelle Stan. Il va nous faire du mal. Il va se jouer de nous parce qu'il déteste les Juifs. Or il n'y a que nous dans l'ancienne bergerie. Tous juifs !

Il se prépare quelque chose de terrible. Je ne vois pas d'issue. Mais, plus sûrement que tout, que les fils électrifiés, que la perversité des kapos, que la détestation de Stan, que la schlague ou que les balles tirées à bout portant, ce qui me tue, c'est ton absence.

24

Magda a beaucoup bu, peu dormi et ne supporte plus ces murs qui suintent. Assise devant sa coiffeuse, elle limite ses mouvements au strict minimum. Sa tête est comme le bourdon d'un clocher, suspendu à son joug. Au moindre mouvement de battant, elle peut trembler des plombes. Ce contexte de béton lui rend l'alcool mauvais. Tout est sombre et gluant. Devant le miroir, elle évite son reflet. Inutile de se torturer avec des considérations tristes sur sa décrépitude, sa bouche en biais, ses yeux gris crevé.

Elle tâtonne le fond du tiroir. Elle a perdu le fil. À chaque réveil, c'est la même histoire. Sa mémoire tressaute. Elle a des trous plein la tête. À cause de ces pilules qu'elle gobe en s'allongeant.

Sa main frôle une capsule, écarte une alliance, passe sur la crosse crénelée de son Walther 7,65, des cartouches, trois ou quatre, qui roulent en faisant un bruit de billes, les reliefs d'une vie d'elle en vrac dans cet étroit tiroir. Ses doigts accrochent la gélatine d'une photo. Elle reconnaît ses bords. L'angle est biseauté. Il s'agit d'un tirage noir et blanc de Viktor à Haïfa. Que fait-elle là ? Sans la sortir, ses doigts se mettent à l'œuvre. Ses ongles grattent la surface de gélatine. Griffent méthodiquement cette dernière photo de lui. Des morceaux de bromure, de sodium et de résidus de carbonate se logent sous ses ongles. C'est bien. Détruire des bouts d'elle en sous-main pour ne garder que les petits mots d'Adolf. Enrubannés. Précieux. C'est à lui qu'elle doit d'être restée en vie. À l'image qu'il s'est faite d'elle. La première dame d'un Reich. Cette nuit, elle a encore rêvé de cette marée humaine. Elle a rêvé qu'elle envoyait sur eux toute l'aviation allemande. Un raid. Des bombes. Des traces de Friedländer. Quand Harald sera libéré, il pourra tout reconstruire. Il aura à sa main toute la fortune qu'elle a laissée pour lui. Il brandira le flambeau. Il sera le guide, leur guide. Si grand, si beau, si pur. Elle a vu ce que le pouvoir offrait. Elle sait les abaissements des hommes qui lui sont soumis. Son fils sera plus grand qu'Adolf, plus puissant. N'est-il pas le fils de la première dame du Reich ? Et bientôt son seul héritier.

Sa fille aînée débarque. Helga a envie de voir sa mère, comme ça, pour rien, pour bavarder. Magda cache ses mains aux ongles sales entre ses jambes. Sa fille dit qu'elle a vu l'aviatrice sortir fumer, que le docteur Stumpfegger l'a rejointe dehors et qu'ils sont revenus en rigolant très fort. Elle dit qu'elle a croisé son père dans son bureau ouvert, qu'il l'a même embrassée, parce qu'elle est sa préférée, puis s'est enfermé dans le salon d'oncle Adolf. Elle dit que des soldats jouent aux cartes en fumant, eux aussi.

« Pourquoi y peuvent sortir ? C'est interdit. Comme de fumer, c'est interdit. Pourquoi y peuvent, eux ? C'est pas juste. »

La justice, Magda s'en moque. C'est une idée d'enfant. D'enfant gâté. Il n'y a pas de justice. Il n'y a que des décisions.

« Helga, veux-tu m'apporter un grand verre d'eau avec de l'aspirine ? J'ai tellement mal à la tête. »

Helga a l'air ballot.

« Va voir en bas dans le tiroir du fond, le bleu, à l'infirmerie. Stumpfegger en avait plein l'autre jour. »

Sa fille revient avec un verre d'eau trouble. Et reste pour se plaindre des draps qui la démangent, de ses pieds qui dépassent, de son frère qui parle sans cesse, de Hedda qui mastique quand elle dort, avec ses bruits de chique et de succion, d'avoir faim tout le temps et pas sommeil. Elle n'est pas fatiguée. Elle porte sa dernière chemise de nuit, la brodée. Elle en voudrait une autre. Son visage est d'une pâleur de mauvais augure. Des radicelles bleutées serpentent de sa mâchoire à ses tempes.

« Je comprends », fait Magda qui n'a plus le choix de rien, ni de la qualité des draps, ni des heures de sortie, ni des interdictions. Elle est seule avec eux. Il n'y a plus de tiers, plus de valets, plus d'employés, plus de sous-fifres. Magda est seule avec cette tripotée de gosses. Elle se retrouve sous terre dans le même ventre qu'eux. Et cette promiscuité lui pèse. Elle voudrait être loin, hors de portée.

« Je peux dormir avec toi ? »

Magda se tasse dans le fond de son lit. Sa fille s'installe. Un bras replié sous sa nuque, Magda se laisse dériver. Elle évoque les prochaines vacances, les promenades à bord du *Baldur*, les baignades et les piqueniques sur l'île.

« Mais maman... »

Elle promet qu'ils iront bientôt à Londres avec ses frères et sœurs. Leur père a promis de les emmener voir le roi bègue et ses enfants et les *bobbies* et le palais de Buckingham ; et leur père tient toujours parole.

« Mais, maman, l'oncle Adolf dit que...

— Il faut le laisser tranquille. Il est fatigué !

— ... qu'on a perdu ! »

Magda pense qu'une mère doit rassurer ses petits. Les propos de sa fille sont hors-jeu. Elle rappelle que là-haut des hommes se battent pour eux, qu'ils vont bientôt sortir et que leur frère Harald, leur grand frère, va bientôt les sauver. Son fils lui manque tellement !

« Mais maman...

— Il va bientôt revenir. J'ai tellement hâte de le revoir, si tu savais...

— Maman...

— À toi aussi, il te manque, je suppose ?

— Oui, bien sûr. »

Sa fille Helga se conforme. Elle la prend dans ses bras.

« Nous allons être fortes. Nous allons montrer l'exemple aux autres, d'accord ?

— Oui…

— Tu es formidable, Helga. Tu es vraiment l'enfant dont toutes les mères rêvent.

— …»

Helga tire la couverture.

« Je t'aime si fort, ma fille. »

Sa fille est formidable. Tellement obéissante ! Quelle bonne éducation ! Magda est fière, pourvu que sa fille se taise, qu'elle ne pose pas de questions.

« Mais tu sais…

— Il est tard. »

Magda devine. Elle sent le poids du trouble à sa respiration. Elle est si courte. Le frottement des draps. Ce pied qui bat au bout du lit. Quelque chose perturbe sa fille. Mais Magda n'y peut rien.

« Tais-toi, maintenant. »

Pourvu que Helga cesse. Montrer le bon exemple. Apprendre à étouffer ses doutes, les jeter, s'en débarrasser. Le poids des morts est un fardeau. Les doutes détruisent. Les certitudes élèvent. Les ambitions, la volonté, la force et le courage font la grandeur. Le doute est une mort lente, un épuisement de la race. Il y aura une victoire ou une chute. Mais pas de renoncement. Faire comme le Maître dans son train blindé qui traversait la Pologne conquise. Elle était là, Magda. Comme souvent. Elle faisait partie de l'équipée. Il y avait un village dévasté, puis un autre, de la fumée, des ruines, des champs semés de détritus. Des cadavres. Un train garé plus loin. Des bras sortaient de ses fenêtres. Des bras qui appelaient au secours. Adolf tira son rideau, et avec lui, tous les autres occupants du compartiment. Leur voyage se poursuivit dans cette pénombre blindée.

Elle éteint la lumière sur sa fille sans rien vouloir savoir de Blondi, qui était venue gratter à la porte des enfants parce qu'elle cherchait son chiot. Elle ne veut pas savoir que Helga s'était levée, cette nuit, pour suivre la chienne, que la salle des gardes était vide, que Helga n'avait croisé personne dans les couloirs, que la radio de Misch n'émettait pas le moindre son, que seule la chambre d'Eva Braun était animée. En passant devant, Helga avait entendu des rires, des tintements de verres, cognés les uns contre les autres, qu'elle avait aperçu l'aviatrice, celle qui venait d'arriver, celle qui parlait si fort avec son général sur les épaules, Hanna Machin-Chose. Mais non, Hanna n'avait pas vu son petit chiot, Wolfie.

Magda éteint sans savoir que sa fille et la chienne avaient gagné le premier sous-sol, puis monté deux à deux les marches de l'escalier et que, au bout, la ville était réduite à sa nuit, dépouillée, sombre et humide, sans le moindre éclairage. Par l'entrée du bunker, Helga avait distingué des ombres de façades entamées, et sur le mur de béton deux points rouges formés par les clopes des soldats censés garder l'entrée. Deux pointes luminescentes qui suivaient le même

215

parcours de la bouche au bout des doigts, descente, fumée et puis retour. Les deux gardes face aux ruines se plaignaient de cette nuit de plus à attendre pour rien, pressés que l'autre se rende. Blondi fila la première. Helga s'était glissée derrière sans que les gardes la voient. Elles obliquèrent plus loin, vers le boulevard détruit. Elle rattrapa la chienne. La queue de Blondi fouettait sa cuisse. Encouragée par ses jappements, la petite fille lâcha son collier et la chienne se carapata. Le quartier n'était plus qu'un amas de gros blocs et d'éclats, de casques retournés comme des tortues en peine. Helga aurait voulu dire à sa mère ce qu'elle avait vu là-haut. Elle aurait voulu trouver les mots pour décrire ces saillies ferreuses, ces agrafes sur les pierres, ces bouts de chaises, ces couvertures de livres vides, toutes ces bribes de ville qu'elle avait vues. Blondi aboya. Helga se mit à courir. Pas loin, des tirs, des rafales. Helga frémit. Un obus avait rebondi sur une façade pas loin, comme une grosse boule de métal balancée contre un mur. Il émit un bruit plein, fit tomber quelques briques et finit sa chute en roulant sur le trottoir d'en face. L'obus avorté ressemblait à un calot grotesque. Un autre explosa bien plus loin.

Dans le lit de sa mère, Helga se souvient qu'elle avait eu froid aux pieds dans ses chaussons de soie. Elle s'était recroquevillée dans un coin de mur, en attendant que le vacarme cesse. Elle avait entendu des bruits secs, comme des coups de bec donnés contre les murs. L'impact des balles autour. On se battait tout près.

216

Elle s'était mis à compter. À cent, elle s'était dit qu'elle s'en irait, avec ou sans les chiens. Sept... huit... neuf... Elle avait poursuivi : trente-quatre... trente-cinq... trente-six. Jusqu'à ce qu'elle sente une truffe humide farfouiller son aisselle. Blondi. Elle avait retrouvé son chiot qui pataudait autour. Helga se releva et la felicita en lui flattant les flancs. Blondi faisait le tour de son chiot. Elle semblait s'assurer qu'il n'était pas blessé.

Un groupe d'une demi-douzaine de soldats passa. Ils couraient sans la voir. Helga s'était collée au mur. Elle vit un soldat en retrait pédaler de son mieux pour rattraper les autres. Il avait le même âge qu'elle. Un jeune garçon, avec un casque d'enfant et une veste d'uniforme un peu grande. De part et d'autre de son guidon, elle vit deux longs bâtons, des roquettes avec leur bout cylindrique. Elles étaient ficelées à l'avant de son vélo et formaient une croix. Wolfie voulut courir vers lui, mais Helga le retint. Le chiot s'étais mis à japper, à se cabrer. Cela faisait des semaines qu'il n'était pas sorti. Helga lui tenait la gueule fermée.

« Ah, si tu l'avais vu ce jeune soldat, maman ! » dit-elle, allongée dans le lit de sa mère.

Ce souvenir est plus fort qu'elle. Elle a rompu le silence.

« Il avait juste mon âge, maman. Douze ans ! Mais c'est pas un âge, ça, pour se battre. On fait pas la guerre à vélo ! s'indigne Helga. Faut des tanks ou des camions. Des armes d'hommes, des trucs d'adultes. Pas un vélo, n'est-ce pas ? »

217

Magda s'est à peine réveillée. Elle écoute passivement l'histoire du gosse de guerre. Ça ne l'intéresse pas.

Helga avoue qu'elle a laissé bouche bée les deux gardes en faction. Elle est trop petite pour comprendre ce qui venait de se jouer pour ces deux pauvres soldats.

Le premier, plus ventru, plus attaché aux petits lendemains que son camarade, avait juste baissé les yeux en la laissant entrer. Il n'avait rien dit. Helga était passée, précédée par les chiens. À quelques heures seulement de la fin de tout, de la guerre et de cette mission stupide de gardien de tombeau, il venait de compromettre ses chances de retrouver sa femme et son pavillon de Thuringe. Trop con. Quand son binôme se tourna vers lui, il se donna des airs de « rien à signaler ». Tous deux brûlèrent d'instinct leurs dernières cigarettes. Ils n'avaient plus rien à se dire. Ils attendaient la relève et le moment où on leur ordonnerait de s'adosser au mur et de faire face à la rangée de fusils braqués sur eux par leurs frères d'armes.

Des cris réveillent Magda et sa fille. C'est Adolf qui exige la tête du gros Göring, bouffi d'orgueil et de mauvaise graisse. Exige la cour martiale. La mort pour le félon qui a contrevenu aux ordres en tentant de se rendre au nom du peuple allemand. Magda sait qu'il n'y a plus de cour martiale, plus de cour, plus personne. Elle l'entend qui regagne son bureau, son salon, puis, à droite, sa chambre, avec un lit, une table, deux chaises et un gros coffre-fort. Au-dessus du coffre, deux tableaux, un Vermeer et un Rembrandt, qui ouvrent des perspectives fictives, huit mètres sous la surface du monde.

«Pourquoi crie-t-il comme ça, maman?

— Parce que c'est un grand chef, Helga.»

La fillette hésite.

«Je t'ai dit ce que j'ai vu, maman. Je suis sortie hier soir. La ville est toute détruite. Oncle Adolf a perdu.»

Magda fixe le plafond.

«Rendors-toi. Ça va passer.

— Mais, maman?

— Tais-toi. Ne parle plus.

— Oui, maman.»

25

Fela emporte l'outre, deux tomates, un quignon de pain. Glisse le rouleau de cuir dans sa besace et suit la voie tracée par le chemin de fer. Sa fille lui tient la main. Le soleil est mauvais. Brûlant. La sueur perle et lui pique les yeux comme un acide. Elle voit si mal devant. Les ombres ? Des ombres ? Fela raccourcit son bras. Sa fille marche plus près d'elle. Un peu comme une béquille. Qui protège qui ? La gare de Mieste est loin derrière. Vide. Cela fait des heures qu'elles n'ont rien croisé. Ni train. Ni soldat. Aucun avion dans le ciel. Pas de bruit du front au loin. Et ce putain de soleil qui darde tout ce qu'il peut.

Les bleus sont à l'ouest, les rouges à l'est. Il faut marcher droit devant, dans cette coulée ferrugineuse, ce chemin de ballast qui crisse sous leurs pas. Cicatrice ou sillon. La sueur colle sous leurs bras. Les herbes jaunissent. Les rails rouillent, chargés des tonnes de trouille de ceux qu'elles ont portés au milieu de nulle part, en Mitteleuropa.

Fela plisse les yeux. Son front coule encore, irritant. Elle s'essuie de sa manche élimée. Une série d'ombres au loin, découpées de profil, traversent la voie. Une procession de dizaines d'hommes. Fela fait de l'ombre pour ses yeux avec ses doigts maigres. Elle voit des hommes, des femmes qui portent des vêtements civils. Pas de rayures. Pas de zébrures des camps. Leurs vêtements sont unis. Ils portent des vestes, des chapeaux, du gris, du vert, du rouge.

« Attends, dit-elle. Un instant. »

Des uniformes les suivent. Ava s'est arrêtée. Elle est trop petite pour voir derrière le talus du chemin de fer, en contrebas.

Fela en voit d'autres. Des soldats. Ils portent des casques ronds, kaki et leurs vestes sont grandes ouvertes. Certains sont torse nu. Ava a soif. Elle veut savoir. Elles ne sont plus très loin. Fela sort sa gourde et verse quelques gouttes sur le bout de ses lèvres. Elle boit comme un lapin. Même si sa gourde est pleine. C'est l'habitude.

La petite est rouge vif. Ses lèvres sont écarlates. Ses yeux bruns tirent au vert, des éclats de prairie. Ses mèches sont des semailles. C'est une vraie fille des champs avec son blond de blé, de son, de chanvre.

Fela s'est rapprochée. Sur les bras des vestes, elle devine des broderies, des grades, des écussons et sourit. Ces bandes rouges et blanches, ces étoiles sur fond bleu du drapeau sont celles qu'elle guettait.

« C'est… C'est eux… C'est les Am… Américains », lâche-t-elle en plusieurs fois.

Ava ne comprend pas. Elle ouvre des yeux ronds. Avant, quand on parlait de ces Américains, Ava se figurait des anges ou des héros. Jamais des soldats.

« C'est incroyable », dit sa mère en tirant sur sa jambe pour allonger le pas.

L'armée américaine encadre des civils. Des Allemands. Sur leurs épaules, ils se coltinent des croix de cimetière. Et des étoiles aussi. Des étoiles de David. Les femmes n'ont pas grand-chose en poigne, parfois une pelle, certaines une pioche. Elles suivent, sans porter le deuil. Leurs robes sont colorées. C'est étrange et Fela se retient.

La douleur est revenue. Plus mauvaise. Elle s'accroche à la petite. Elles ne sont plus très loin. Il y a de l'ombre. Tenir. Il fait plus frais. Encore. Mais il y a tant de poussière avec tout ce monde là-bas, les camions, les jeeps. Des civils qui pleurnichent. Dans son cortège à elle, ils étaient punis de mort, ceux qui se lamentaient.

« Plus qu'une centaine de mètres ! »

On dirait deux sauvages. L'enfant sauvage et sa mère. Fela rêve d'une douche, de se laver les cheveux, d'enduire son corps d'huile et de crème. Elle rêve de cheveux longs, de nattes, de se coiffer longuement. Elle ne veut plus de ce crâne aux touffes rares comme des mauvaises herbes.

La petite montre une jeep qui longe la voie ferrée. Elle passe à côté d'elles, juste au-dessus du talus. À l'avant, un homme porte le pantalon des camps. Il a le crâne rasé, rayé, creusé. Il a vu les deux femmes et fait signe au chauffeur. Encore de la poussière. Un coup de sifflet retentit. Fela sait que c'est la fin. Sa douleur est atroce. Moins vive que sa tristesse. Elle a deviné. Elle pleure pour sa petite fille.

Fela se livre telle quelle. Elle esquisse un sourire invisible, imaginaire, du bout d'elle.

Ava attend les anges, les dieux, les libérateurs. Ce sont des blouses blanches qui approchent, suivies par un camion à croix rouge. Un homme plus pressé donne des ordres. Sa voix est étranglée. Il porte des lunettes rondes et trois rangées de chevrons barrent la manche de sa veste.

On soulève Fela. On glisse une civière sous elle. Les infirmiers n'ont pas de visage. Ils remontent le talus, ouvrent grand les portes de l'ambulance et la basculent à l'intérieur dans une cabine blanc cassé qui sent le chlore et l'éther, la résine et la gomme des sparadraps.

Ava reste devant. Elle n'a pas le droit de suivre. L'homme qui conduisait les opérations s'arc-boute sur son fusil. Elle se demande si lui aussi vient des camps.

Elle l'observe à distance, le renifle, s'étonne quand il ôte son casque de découvrir un crâne luisant, aux cheveux collés par la sueur. Il a un long nez. Des yeux cernés. Ses sourcils sont comme deux petits buissons. Il parle encore. Sa voix est douce, moins étranglée que lorsqu'ils transportaient sa mère. Ses mots sont de plus en plus clairs. Légers. Faciles comme les poèmes qu'elle connaissait par cœur mais qu'elle n'avait pas le droit de dire. Les phrases de l'homme à gros sourcils sont pleines d'images. Ava voit à travers. Ses verbes prennent forme. Ses phrases lui parlent. Et quand il lui demande si elle comprend l'anglais, Ava prononce des mots de poèmes, comme des souvenirs du recueil que lui lisait sa mère.

« *I do* », dit-elle, sans vraiment bien comprendre. Mais elle devine qu'il faut répondre. C'est la langue des hommes libres. La langue de ceux que sa mère attendait.

Pendant que le soldat s'exclame que c'est « juste incroyable ! », Ava entend un cri qui lui explose le cœur. Le hurlement de celle qui jette ses dernières forces. D'une douleur faite femme, qui la gagne, l'engloutit, arrache ses dernières forces. Fela est enfermée dans cette boîte en fer-blanc et un silence suit. Immense. Il faut qu'elle sorte de là, il faut qu'elle vienne reprendre auprès de sa fille ses rêves, ses promesses de vélo, de danse, de course à pied loin d'ici, « au pays », comme elle disait. Ava déteste ce cri. Il ressemble au dernier. Les survivants comme eux ne meurent pas en silence. Ils ne s'éteignent pas d'un souffle, d'un soupir, d'un râle éteint, achevé, fini. Ils crient parce qu'ils n'ont pas fini, parce qu'ils ont lutté, tant lutté, parce qu'ils ont tenu, parce qu'ils avaient la rage de tenir jusque-là. Fela était si près du but !

Ava tambourine sur les portes du camion. Pourquoi refusent-ils d'ouvrir ? Elle veut juste voir sa mère. Elle sait qu'ils vont la mettre dans un trou si elle ne bouge plus, si ses yeux ne cillent plus, si elle ne trouve plus la force de marcher, de pleurer, de crier.

Sa mère n'a pas le droit de crier, pas le droit de la laisser. L'homme à lunettes l'enlace, la serre, mais Ava ne sent rien. Elle cherche ses poings pour taper sur ces portes. Ils sont enfouis sous les bras de l'homme. Pourquoi ? Que se passe-t-il ?

Un homme à blouse finit par sortir du camion. Il balaie l'air sous son nez. Un autre sort derrière lui. Ils n'ont pas vu la petite et laissent les portes ouvertes.

« Putain d'infection, dit le second. Cette odeur, je ne pourrai jamais m'y faire ! »

Ava déteste les blouses blanches, toutes les blouses blanches. Celles du *Revier*[1] de Ravensbrück. Celles de ce camion blanc. Elle les entend décrire la gangrène de sa mère, son mollet que les médecins du camp ont charcuté tant et tant.

« Jamais vu une chose pareille ! Une jambe dans cet état. Ils l'ont pas ratée, ces salauds !

— Joss !

— Ouais ?

— La petite… »

Ava pleure des larmes rentrées, enfouies. Elle crie, elle hurle sans émettre un seul son parce qu'elle retient tout dedans, au bide, au creux, dans la paume de ses mains serrées comme les mâchoires d'un étau. Elle est toute seule maintenant.

---

1. Infirmerie.

26

Ma fille,

L'hiver est féroce. Il nous emporte, les uns après les autres, comme le vent, le blizzard qui gèle nos prières et nos pleurs. Il y a tant d'emportés que nous n'avons plus le temps de les prier. Ni la force, à ma grande honte.

Hier soir, il a fait tellement froid que nous ne pouvions plus ouvrir les yeux. Comme si deux pouces glacés pressaient nos globes et les engourdissaient. Je n'avais jamais vécu cela. Au milieu de la nuit, le blizzard s'est levé. Nous avons tout fermé : les portes, les fenêtres. Mais une serrure a cédé. Le kapo a désigné l'un d'entre nous pour tenir la porte close.

Au petit matin, la porte ne s'ouvrait plus. Nous avions beau forcer, rien n'y faisait. Au début, nous avons cru que c'était à cause de la neige. Le corps du détenu était figé contre la porte. Le kapo a sorti une masse. Il est passé par la fenêtre et lui a brisé le bras d'un coup, comme on brise la glace d'un lac gelé.

Cet homme est pétri de vices. Il est capable d'en désigner un autre, ce soir, si le blizzard persiste. L'esprit du Mal existe, ma fille. Il est entré dans ce camp. J'ai vu son visage. Sa couleur. Ce sont les hommes de Hitler. Ses clones aryens. Tellement plus hommes que nous autres qu'ils sont devenus les prédateurs. Des loups pour l'homme, comme dans le Leviathan.

27

Le compte à rebours de la défaite bat ses dernières mesures. Les rouges ne seraient plus qu'à quelques centaines de mètres de la chancellerie, donc du bunker !

Magda devine la scène.

L'étau qui se resserre. Les ordres qui ne passent plus. Les cartes faussées. Les réunions pour rien. Les tremblements. La fatigue. Adolf exige une tête, une victime expiatoire, une tête, encore une dernière tête avant que son tour vienne, puis il se retranche en dedans. Magda l'a vu faire tant de fois… Elle sait pertinemment que cet imbécile n'a jamais rien trouvé de mieux pour se prémunir de la réalité, du sens de l'histoire, de la pression de tous ces chefs de guerre ligués contre lui. Il tombe d'autres têtes, tire le rideau et se débranche. Magda aurait pu écrire un grand livre sur lui. Adolf intime.

Elle l'a vu se forger de toutes pièces un personnage de tréteaux, une figure de chef. Un mime. Dans le studio de Hoffmann, son ami photographe, Magda avait participé à d'étonnantes séances où il passait des heures à travailler ses mimiques, au millimètre. Il se faisait tour à tour martial, outragé, compassionnel ou inspiré. Le tribun et l'artiste travaillaient les moindres détails : intonations, froncements de sourcils, agitation des mains, poings fermés, paumes ouvertes, doigts tendus et façons de marcher pour la parade, le menton haussé jusqu'à l'absurde. Hoffmann avait pris des centaines de photos qu'ils étudiaient, l'une après l'autre, méthodiquement.

Bateleur.

Adolf n'était que ça : un bateleur de foire, un acrobate, fil-de-fériste hirsute, dressé sur ses ergots, capable de jongler d'une seule main avec la rage et la colère, et de caresser de l'autre l'humeur et la bonté des femmes, surtout des femmes.

Réduit dans son dernier bunker, ce pantin de foire allait chuter, bientôt. Magda l'imagine, en dessous. Un mètre de béton et de terre les sépare. Sa chambre est sous la sienne. Magda tape du pied, fait claquer le faux plancher. Le gauleiter est sûrement auprès de lui. Toujours ensemble. Le nabot et l'hystérique, le tremblant et le boiteux. Pour ce qui est de sa danseuse, Eva Braun, c'est de la pacotille, une mauvaise poudre aux yeux qui s'éparpille à la moindre brise. Magda prime. Elle le sait. Elle a quelques années d'avance sur Eva, et de longues nuits d'insomnie à le cajoler comme un gosse. Son mari, lui, aime davantage son Maître que celle qui a porté ses six enfants. Il le dit, le répète, l'écrit dans son journal presque tous les jours. «Ah, mon Führer, comme je vous aime», «Ah, ce grand homme que j'aime tant!».

Claquemurée dans son coin de béton, elle se rabat sur ses cartes. En colonnes, sur une planche cartonnée. Elle fait une partie de chance. Dame noire, roi noir. Et dix de trèfle. Elle a une main de séries. Trèfle encore. Pique. Une main de mauvais augure.

Quelqu'un frappe à sa porte. C'est la voix de son mari. Laconique.

«Le Führer et Eva vont se marier.»

Magda écarte ses dames et ses rois, ses colonnes et ne garde sur ses jambes que sa planche cartonnée. Elle prend son papier à lettres, dévisse son encrier et recharge son stylo-plume.

«Mon très cher fils Harald, écrit-elle, *le dernier acte de cette farce approche. Tout va s'achever ici pour nous.»*

Le dernier mot s'efface. La plume est mal imbibée. Elle recommence.

«Mais toi, tu vas te retrouver à la tête d'une fortune fabuleuse et dominer ces laquais. J'y ai veillé, avec un soin de louve nazie.»

Magda voudrait écrire une lettre sincère, pas comme l'autre, celle qu'elle a fait partir la veille par l'entremise de cette folle dingue de Hanna Reitsch. Très officielle. Pour l'Histoire…

«… Notre magnifique idée s'effondre et, avec elle, tout ce que j'ai connu de beau, d'admirable, de noble et de bon dans ma vie. Le monde qui va venir après nous

230

vaut plus que nous, et c'est pour cela que j'espère. Tu vas continuer à vivre et je n'ai qu'une prière à te faire: n'oublie pas que tu es un Allemand, et je sais que tu ne feras jamais quoi que ce soit qui aille contre l'honneur et l'avenir de notre grand peuple. Je sais que tu nous vengeras. Je sais que tu seras l'homme fort, notre homme fort, toi, mon bonhomme de fils que j'aime si fort et que j'admire tant [...]. Les enfants sont merveilleux. Sans aide, ils se débrouillent seuls dans cette situation plus que primitive. Qu'ils dorment par terre, qu'ils puissent se laver, qu'ils aient à manger ou quoi que ce soit... jamais de plaintes ou de pleurs. Les bombardements ébranlent le bunker. Les plus grands protègent les plus petits, et leur présence ici est déjà une bénédiction par le fait qu'ils obtiennent de temps en temps un sourire d'Adolf.»

Qui pourrait gober cela? La «bénédiction». La «bénédiction» des sourires de cette loque humaine! Pourvu que Reitsch et Greim se fassent descendre! Qu'on ne parle plus jamais ni d'eux ni de cette lettre pathétique.

Mais on frappe de nouveau.

«Un instant», fait-elle sur un ton peu amène.

Elle bute sur la suite de la lettre plus intime, sa confession, ce qui restera vraiment d'elle.

«Madame, je suis désolé d'insister, mais c'est le moment.»

Walter Wagner, le chauffeur particulier d'Adolf, a reçu l'ordre de battre le rappel. Il émane du gauleiter. Pas de bruit dans le couloir. Pas de pas. Pas de phrase qui vient. Magda rejette la planche, balance son stylo-plume et sort. Pas besoin de se changer, elle n'a plus rien à se mettre.

Le chauffeur attend dans le couloir. Il est en train de remonter son brassard officiel, impeccable. Malgré les longues heures qu'il a passées dehors, au volant de sa voiture, à ne rien faire d'autre qu'attendre le signal de départ, sa tenue est irréprochable. Son salut claque.

Walter Wagner était conseiller municipal. C'est pour cette raison qu'ils l'ont fait sortir de sa berline. Il a déjà célébré des centaines de mariages. Il connaît parfaitement le rite national-socialiste. Mais cette fois, c'est pour leur maître à tous qu'il s'apprête à le conduire. Il est tendu.

À l'étage inférieur, des soldats poussent la table à cartes contre le mur. Ils écartent les chaises. Une nappe est jetée pour dresser le banquet. Des torchons astiquent les flûtes. Des balais poussent la saleté dans les coins. Personne ne parle. Il n'y a pas de commentaires. Des caisses sont sorties du cellier. Un exemplaire de *Mein Kampf* est posé sur la table de l'officiant. Walter Wagner regarde sa montre. Il est deux heures. Deux heures du matin. Il est fatigué. Pas les autres. Les zombies du bunker vivent en marge du monde.

Le promis vient d'entrer. Il se tient debout, les bras bien accrochés dans le dos. Magda remarque qu'il ne tremble pas. La promise le rejoint, se présente à sa droite. Le gauleiter est témoin, bien sûr ! C'est son idée. Il a tout orchestré. Magda reste à l'écart. Il n'y a pas de sourires, pas de complicité. Un mariage gris et noir comme les murs, comme sa robe. Ils sont une douzaine, rassemblés dans cette salle qui sent les aisselles et la résignation. Même les deux bouquets de roses blanches sont fades.

Adolf jure sur son œuvre qu'il est de pure souche aryenne. Eva Braun fait de même. L'un après l'autre, ils déclarent qu'ils ne sont affligés d'aucune maladie héréditaire, d'aucune tare, maladie mentale, maladie vénérienne, épilepsie… qui pourrait entacher leur descendance et la race.

Quelle race ? Quelle descendance ? Magda se figure qu'ils n'auront jamais d'enfants. L'autre n'en a jamais voulu. Aux hommes, il préfère les chiens, ses chiens. Aux femmes aussi d'ailleurs. Et pourtant c'est bien cet homme qui s'est porté garant de la pureté de la race… Magda passe derrière les témoins pour lire le certificat de mariage. Elle remarque une rature. Celle commise par Eva Braun, qui a signé de son nom de jeune fille avant de se reprendre. Quelle sotte ! Elle a gagné. Elle voulait se marier. C'était sa condition pour le suivre dans ce bunker. Elle doit être heureuse, maintenant. Ils peuvent mourir.

La cérémonie expédiée, Wagner fuit ce cloaque. Sa voiture blindée l'attend dehors, à l'air libre. Il a moins peur des tirs et des bombes russes que de l'air de ce bunker. On meurt d'un coup là-haut. En bas, ce sont des morts-vivants qui crèvent à petit feu. Magda l'envie. Elle voudrait retrouver l'air libre elle aussi, le suivre.

Le gauleiter s'est lancé dans des considérations sur les ondes radio et leur bon fonctionnement. Il occupe le vide ambiant de propos de fête ratée. Adolf s'est assis dans un coin, flattant la croupe de sa chienne, Blondi. Personne ne s'interpose. La jeune mariée est seule à sa noce, servant un champagne tiède aux témoins et aux gardes. Magda observe sa taille, ses hanches bien dessinées, le creux de son bassin. C'était cela, la féminité. Ce creux appelé à grossir. Cette déformation de soi. Que reste-t-il d'une femme quand elle devient une mère ? Magda en veut encore à ces corps d'hommes qui ne changent pas, ou peu. Pourquoi fallait-il que les femmes perdent de leur grâce pour trouver leur place parmi les hommes et les autres femmes ? Un garde remonte le gramophone. Le disque fait grésiller une valse. Lente. Maussade. Il manque de tours par minute. Il doit être mal réglé, mais personne n'ose corriger. Un simple piano aurait suffi pour sauver la fête. Des lieder, quelques notes…

Le gauleiter poursuit :

« On aurait dû mettre plus de moyens pour renforcer les amplificateurs hautes fréquences à résonance. Je l'avais bien dit à Speer. »

Il est jaloux de Speer. Son ami Speer. Magda sait qu'il était en rage quand il savait que Speer passait du temps à Munich, qu'ensemble, Speer et leur maître pouvaient s'entretenir de tout, de peinture, d'architecture, de musique, de tout, sauf de la guerre. Il jalousait ses airs d'homme bien né.

Eva se rapproche d'elle et trinque. Remplit son

verre et trinque encore. Joyeuse. Baguée. Associée à cet étrange amant, fou d'elle, sans désir, toujours vierge. Il est cinq heures du matin quand la «starlette des plongeoirs» va se coucher fin soûle. Adolf n'a pas lâché le museau de sa chienne. Il reste assis quand tout le monde se retire.

Magda retourne à ses cartes.

Les Russes vont-ils trouver leur planque ? Dame de pique.

Adolf va-t-il mourir avant elle ? Valet de pique.

Harald est-il sain et sauf ? Neuf de trèfle.

Magda n'a pas la main, ce soir. Elle brouille ces cartes maudites, pour effacer le sort. Elle jette à la corbeille la lettre qu'elle avait commencée. Elle ne trouve pas les mots. Le champagne ne passe pas. Ses idées sont collées. Son fils lui manque, de loin. Elle voudrait savoir ce qu'on dira d'elle plus tard. Quelle image laissera-t-elle dans la mémoire du siècle ? Elle n'a jamais blessé personne. Elle n'a jamais haussé la voix. Elle a été à la hauteur. Elle s'est battue. Elle a menti. Elle a collé au personnage qu'on avait voulu faire d'elle. Digne de son rôle.

28

Ava observe.

Des roues, la boue, des pas, les gaz échappés des jeeps qui passent près d'elle. Des grognements de camions. La terre est labourée, striée de chevrons, de semelles, de ridules, un sol tout gribouillé de cette armée qui grouille. Des civils portent des outils. Des soldats râlent. Le soldat à lunettes dit qu'il s'appelle Gary. Il est monté dans une jeep, s'est glissé derrière un grand volant et lui fait signe de venir. Ava traverse le brouhaha et se rapproche. Il claque ses cuisses.

« Allez, monte ! »

Il y a peu de place dans sa jeep. Ava observe l'arrière où s'entassent un enchevêtrement de caisses en bois, de boîtes en fer, des bâches, des bottes, une antenne repliée en arc de cercle. Et à l'avant, deux places. Celle du *jeepmate* est vide.

« Allez ! »

Ava regarde le camion blanc de sa mère. Elle voudrait rester là. Gary coupe le moteur. Il est calme, patient. Il lui explique qu'il faut partir, que tout le monde va partir, mais il promet de rouler près de sa mère.

« Faut pas que tu restes là. Grimpe ! »

Ava attrape la main tendue, s'accroche au marche-pied et se glisse dans le fauteuil.

Le convoi s'ébranle. Camion en tête. Gary fait craquer son levier de vitesse et se faufile derrière, comme promis. Ils remontent la file des civils allemands. Il soliloque sur les forêts de son Montana natal, l'été indien, les promenades à cheval. Sans prévenir, il embraye et passe aux vagues de l'Atlantique, au gasoil, au cuirassé sur lequel il avait embarqué, au mal de mer, aux classes accélérées à bord. Ils s'entraînaient à tirer sur les vagues. Combien a-t-il tué de vagues ? Ava n'a jamais vu la mer et se figure des tas d'images avec ces mots d'anglais mêlés. Gary sourit, précise que les vagues sont comme les nuages : personne ne peut les tuer. Il montre l'écusson sur son bras. C'est celui de son régiment. Ozark. Il poursuit :

« Va savoir pourquoi. Moi, je n'ai jamais bien compris. Certains disent qu'Ozark, c'est le nom d'une montagne, dans le Missouri. J'aurais préféré les Panthers ou même les White Horses parce que j'ai toujours adoré les randonnées à cheval dans mes montagnes, mais c'était déjà pris, paraît-il. Remarque, ce n'est pas pire que d'autres. Ozark, c'est court. On aurait pu se retrouver comme les gars du 554e bataillon avec Straight Ahead ou ceux du 197e, baptisé le

Follow Me. C'est naze, non : Follow Me ? Ça fait pas très vaillant, Follow Me… »

Ava a décroché et regarde droit devant elle la route qui file à toute allure. Le camion blanc est loin devant. Gary cause comme un régiment. Il déborde de vie, lointaine, aventureuse, trépidante et généreuse, comme lui. Il déborde de sa vie.

Nouveau craquement de la boîte de vitesses.

Quand Gary accélère, elle aime ça, Ava. C'est plein de vent, la vitesse, dans les cheveux, dans le nez, sur les paumes quand elle risque une main au-dessus du pare-brise. Ça sèche la peau et fait danser les doigts, la vitesse. Gary n'a pas d'odeur. Sa vitesse n'est pas comme celle des wagons, celle d'avant, celle des trains des Allemands. Ava se lassait de la vitesse des trains. Elle s'éveillait seulement quand une femme lui proposait la fenêtre, de passer la tête dehors, pour défier le vent qui l'empêchait de respirer, pour voir les drôles de forêts penchées, les prairies vert étal, des maisons toutes tassées, la course contre les nuages ou la pluie, le battement des poteaux qui fouettaient l'air en rythme, les feuilles d'automne qui tombaient à l'envers vers le ciel, à cause de la vitesse. Ava a connu beaucoup de trains, de saisons glaciales et de forêts penchées. Elle n'a rien oublié des paysans allemands qui souriaient au passage de toutes leurs dents pourries avant de leur lancer des tas de signes obscènes, des paysans d'Autriche qui faisaient les mêmes gestes, des Polonais, des Hongrois qui se passaient les doigts sous la gorge avant de se tordre de rire. Tant qu'elle roulait, elle était hors d'atteinte. Seule l'attente l'effrayait. Les heures statiques. Les jours cachés dans le camp, sous le lit de Fela, sans manger ni rien boire. La nuit dans cette forêt, sous ces rochers, quand les Allemands hurlaient. Les heures dans un coin de la ferme, au milieu des musaraignes, des araignées. La vie, c'est la vitesse, le mouvement. La mort, c'est l'arrêt.

Gary parle le «*I do*» dont elle connaît des bribes. Sa deuxième langue maternelle. Celle des lectures à voix basse. Sa mère, Fela, disait que c'était la langue des grands voyages, des retrouvailles, de l'amour et des joies. La langue secrète, cachée, celle que sa mère a dû taire pour préserver le livre, niché sous les planches de sa couche.

De sous le siège passager, il tire une boîte.

«Tiens.»

Des gâteaux.

«Des cookies. C'est ma mère qui les a faits.»

Les galettes craquent sous sa dent. C'est sucré. Sec comme les galettes qu'on distribuait au camp, les jours de fête.

«Tu aimes?»

Elle en laisse les trois quarts.

«Pas trop faim?»

Sa faim s'est déplacée. Elle a quitté sa bouche. Elle s'est recroquevillée dans un coin de son ventre qui gargouille quelquefois. Elle sait qu'il faut qu'elle mange. Mais elle n'y parvient pas.

«Je comprends», dit-il, en repliant son sourire.

Ava aime la forme du «Z» qui barre son écusson

bleu. Et l'étoile blanche peinte à l'avant de la jeep. Elle la retrouve sur les camions, et les motos d'Ozark. C'est leur marque de fabrique. Leur bonne étoile.

Une flopée d'avions gris-bleu métal passe en rase-mottes. Eux aussi portent ces étoiles «*I do*». Sur leurs ailes. Sur leurs dérives. Ils ont retenu leurs bombes.

Plus loin, ils retombent sur la grange. Toute noire. Des murs qui ne portent plus rien. Un mikado de poutres dressé dans le bleu du ciel.

Ava ramène ses genoux.

Les villageois allemands s'arrêtent à une dizaine de mètres des carcasses, des crânes creusés, des bûches d'hommes et de femmes carbonisées qui gisent.

Les soldats se transforment en soldats. Ils donnent des coups de botte, des ordres, dressent leurs crosses. Ils prennent des airs de supériorité. Ils crient sur leur cheptel civil.

«Dedans?»

«Dans la grange?»

Les civils entrent, les uns après les autres.

Autour de la jeep de Gary, des officiers se réunissent. Ils sont quatre. Leurs sourcils sont brouillés. Ils sont pleins de silence et d'oscillations. Des mots sortent. Folie… Meurtre… Crime de guerre… Ils sont voûtés. Le front bas. Le mot «massacre» tombe. Le mot «charnier» tombe aussi. Les officiers baissent les yeux. Ils frottent le sol du bout de leurs bottes. Le tassent. Se taisent. Ils font tous ce même geste du bout de leur semelle, de la pointe au plat de la semelle,

240

comme pour effacer ces mots lourds qui viennent de tomber. Charnier. Massacre.

« Pourvu que ce soit le dernier ! » lâche Gary dans sa jeep.

Il est assis près d'elle. Ava observe. Devine à sa manière. Comme une enfant qui se raccroche aux branches de ce qu'elle a vécu, aux rares mots qu'elle connaît. Elle interprète. Ils sont en deuil, comme elle. Ils s'inclinent.

Une phrase tire les officiers de leur torpeur : « Ils vont le payer cher ! » Les quatre sortent en même temps des cigarettes. Tapotent sur leurs paquets. Un briquet tourne. Ava sent la fumée du tabac qui se développe. Ils tournent la tête vers le grand bâtiment.

Les uns après les autres, les prisonniers allemands déposent leurs croix ou leurs étoiles funéraires et entrent dans la ruine. Beaucoup détournent les yeux. Des femmes s'encombrent de larmes, balbutient qu'elles ne savaient pas, que c'est pas leur faute, qu'elles n'avaient pas vu le feu, que c'est la guerre, que c'est affreux. Elles sont mortes de peur.

« Avancez ! »

Des vieux restent de marbre, enfoncés dans leurs rides et leurs sentiments creux. Ils sont secs. Renfrognés. Ils vont bientôt tomber. L'Histoire s'est retournée contre eux. L'Histoire ne fait pas de cadeau. Ils traversent le charnier à ciel ouvert, toisent les autres, les ennemis, les soldats, les kakis. Des soldats lèvent leurs crosses pour qu'ils baissent le menton. Ils pourraient leur faire mal, d'un seul coup. C'est courant. C'est la loi du plus fort. Pourquoi s'en priveraient-ils ?

Les officiers cherchent encore. Combien ça coûte la vie d'un homme ? D'une femme ? D'un enfant ? Comment leur faire payer ça ?

Sa mère est restée dans le camion blanc.

Ava entend des claquements, des gifles, des coups font valser les casquettes des paysans. Ava se souvient de la terreur qui régnait dans la grange. Les détenus criaient, chantaient, grattaient les murs pour échapper au feu. Ava se souvient des corps qui s'affalaient dans la fumée, contre les murs, contre les poutres, contre d'autres corps.

De la jeep, elle distingue le cadavre d'un gisant coincé entre deux lattes. Sa tête et une main dépassent. Le mur est criblé de balles. Et un faisceau plus concentré autour de cette main et de cette tête. Une mauvaise auréole. Son front est percé de trous noirs. Ava reconnaît cette brèche, le sillon dans la terre qui la prolonge vers la forêt. Elle paraît si étroite.

Une grande femme longe la grange. Elle porte l'uniforme des soldats américains. Grande. Sereine. Belle. Elle s'accroupit, lève les mains, les baisse, se redresse, s'approche de la tête qui dépasse, relève les mains, se recule, puis s'éloigne. Elle a plein de boîtes noires pendues au cou.

« C'est notre mascotte. C'est Lee. La photographe », dit Gary.

Un groupe de civils sort de la grange. Lee se met

à courir. Ses appareils brinquebalent autour de leurs lanières. Elle rattrape et capte les civils qui vont prendre leurs outils, des pelles. Des pioches. Elle a trouvé son axe, son point de vue. Les outils en amorce. Des mains se lèvent, cachent des visages. Des dos se tournent, échappent à l'objectif. Elle a chopé leur honte et s'en va. Gary descend la voir.

Les civils creusent, en forêt, dans les champs. Partout, ils creusent, sortent des cadavres. La photographe rabat un foulard beige sur le bas de son visage. Couleur sable. Les civils remplissent à nouveau des charrettes. Les mêmes charrettes, toujours. Les chevaux font des allers-retours. Mille seize cadavres en tout. Autant que de civils réquisitionnés. Des morts croqués deux fois.

L'air est gavé de poussière. Il fait chaud. L'acier de la jeep brûle. Ava détend ses jambes en évitant le volant et la portière. Les civils repartent avec leurs croix et leurs étoiles à l'épaule.

« Putain, quelle chaleur ! tonne Gary, qui est revenu boire. T'en veux ? Faut boire, tu sais. T'es déjà pas bien grosse… »

Il visse le bouchon de sa gourde et reprend son récit. Elle capte tout un tas de mots étranges, la « Ruhr », les « panzers ». Gary raconte ses souvenirs de guerre. Les pilotes des panzers qui jaillissaient de leurs tourelles comme si une main de géant les alpaguait, et qui se cassaient la gueule parce qu'il était impossible de descendre avec les mains levées sans se casser la gueule ; il raconte le colis de cookies entamé par les douanes et les MP's qui avaient dû prélever leur dîme. Ava s'habitue à ses mots attrapés au vol, *cookies*, *panzer*, *Dachau*, et au souvenir de son père qu'il ressasse comme il passe les vitesses, par à-coups, sans prévenir. Faut s'accrocher pour suivre l'allure de ses phrases, ses questions qui sont comme des tics, rhétoriques, pas vraiment des questions, pas besoin d'y répondre quand il répète : « Tu vois ce que je veux dire ? » Non. Elle ne voit pas. Elle devine. Un peu. De loin en loin. À peine.

Gary roule vers une prairie obscène, pleine de bourrelets. Il contourne un enclos imbibé d'huile de vidange. Il reste près de l'ambulance. Il se tait quand il voit l'infirmier sortir du camion blanc. Ouvrir les portes arrière. Sortir le brancard de la mère. Gary n'ose pas la regarder. Ava voit ses mains qui serrent fort le volant. Les muscles saillent sous ses avant-bras. Au coin de sa mâchoire, elle voit des ondes qui pulsent.

L'infirmier tire sur le brancard. Il a des gestes brusques. Ava devine le crâne de sa mère sous les draps blancs tachés. Elle saute de la jeep, court vers elle, et Gary laisse filer. Elle contourne le drap souillé d'auréoles grasses, guette une vibration, une pulsation infime. Rien. Ce drap pèse trop lourd. Fela n'a plus la force de l'écarter. Sa tête est déjetée en arrière, cambrée par un ultime rejet de cette affreuse douleur. Sa peau est devenue dure. Pourrie. Sa jambe est gonflée de pustules. Un liquide blet et remuant s'en écoule.

Ava a compris que sa mère ne bougerait plus, qu'on

allait l'effacer, l'engloutir dans un trou. Elle monte à l'arrière du camion.

«Reviens, qu'est-ce que tu fais?»

Elle ouvre les placards. Tire les tiroirs. Elle tâte du bout des doigts. Furète. Se retourne. S'allonge pour chercher au ras du sol. L'infirmier veut la faire sortir. L'attrape par l'épaule. Ava se retourne. Elle est en rogne et le mord. L'infirmier se libère dans un juron.

«Saleté!» jure-t-il.

Elle a des nœuds dans les cheveux. Des boules de paille mêlée de poils de chats sauvages. Ses ongles sont comblés et forment des stries crottées. Quand elle saute du camion, l'infirmier ramène ses bras dans un réflexe d'évitement, puis retourne au brancard. Le visage de sa mère s'est figé. Ses lèvres sont grises. Ses joues sont denses. Sa mère est une statue putride, rouillée, grumeleuse, charognée par la vermine. Sa mère n'est plus sa mère. Près du manche du brancard, elle aperçoit sa sacoche. Ava contourne l'infirmier, bascule sur le côté et la saisit d'un geste de rapine. Ce sac est tout ce qui compte. La petite a l'habitude des mères mortes. Mais le rouleau qui est à l'intérieur est le témoin écrit de ces années de camp. Il est son ancre, son dernier point de repère. Elle caresse sa couverture de cuir. Elle la sent. L'aime. La serre. Elle sait que tous les mots sont là, écrits par les dizaines de mains.

Le sac et le rouleau serrés contre elle, Ava remonte dans la jeep, dans son fauteuil, protégé par ces caisses à l'arrière, ce pare-brise à l'avant, la tôle, et Gary qui la regarde. Ava se recroqueville, dodeline et murmure ce qui ressemble à une comptine, inconnue de lui :

A doll in the doll-maker's house
Looks at the craddle and bawls :
'That is an insult to us[1].

Plusieurs fois, elle répète ces stances.

A doll in the doll-maker's house
Looks at the craddle and bawls :
'That is an insult to us.'

Les mots qu'elle prononce sont des prières et des ponts. Des prières pour sa mère et des ponts jetés vers lui. Ava est cette poupée qu'elle décrit. Les adultes sont des marchands de poupées. Elle voudrait en être une parmi les autres. Pas celle que le marchand rejette. Pas celle qui lui fait honte. Elle voudrait qu'on l'aime encore, trouver une autre mère qui voudra bien l'aider. Elle sait qu'elle est trop petite pour s'en tirer, qu'elle a besoin d'une main pour la guider dans les forêts, sur les chemins, sous le soleil et dans la neige qui remontait jusqu'à sa taille quand elle marchait l'hiver dernier. Elle a besoin d'une personne, d'une main pour lui montrer où manger, où dormir, où aller. Voudra-t-il être sa mère ?

---

1. « Une poupée chez le marchand de poupées / Voit le berceau et braille : / "Cette chose est une insulte." » W.B. Yeats, « The Dolls », *Responsibilities and Other Poems*, 1916.

Gary se déploie autour d'elle. Il se penche et l'écoute. Il entend sa prière.

« Il est très important ce sac », dit-il.

Elle pioche le rouleau de cuir.

« Je peux ? »

Gary commence par la dernière lettre, celle que Fela avait commencé à écrire. Après avoir quitté la ferme, elle s'était arrêtée pour raconter Judah et quelques mots sur elles. La grange, la forêt et la ferme. La lettre n'est pas longue. Une page de lignes serrées, au dos de la dernière feuille entamée du rouleau. Il manque la fin, bien sûr. Gary s'excuse.

Il dit qu'avant le débarquement il a suivi des cours d'allemand. Une vingtaine d'heures. On lui a même remis un manuel, qu'il a perdu, naturellement ! Elle voit qu'il s'accroche à des mots, ceux qu'il comprend : un nom, un lieu, une date de naissance, des lignes sur le camp de Buchenwald, leur numéro de convoi. Il remonte la liasse et découvre des dessins des blocks. Il dit qu'il regrette de ne pas avoir une carte sous la main, pour voir ; que, ce soir, il en cherchera une.

« Et toi, dit-il, qui es-tu ? Tu es allée dans ces camps, ceux des dessins ? »

Elle hausse les épaules.

« C'est toi, Stanislava ?

— Ava, corrige-t-elle.

— Oui, Ava. C'est un diminutif, n'est-ce pas ? »

Elle voudrait récupérer son rouleau de cuir.

« Tu es née à Birkenau ? »

Elle tend la main pour le reprendre.

« Je ne comprends pas. Tu viens d'où ? »

Ava se tait. Elle ne veut pas qu'il écrive la suite. Pas tout de suite. Ça lui fait peur. Elle sait que les histoires finissent. Toutes. Elle ne veut pas mourir comme les autres gosses du camp. Certains mouraient avant de savoir marcher. D'autres crevaient cachés. Elle a eu une bonne mère qui a su la protéger. Elle est partie, maintenant, avec ceux du rouleau. Elle voudrait que son histoire s'envole, qu'elle n'ait jamais de fin, de mots pour l'achever. Ava se tait. Elle a si peur des mots figés dans ce rouleau.

Les villageois arrachent des clôtures pour agrandir le cimetière. Certains marchent droit sur une ligne imaginaire et comptent leurs pas à voix haute. Ils posent une croix ou une étoile tous les cinq pas. D'autres passent derrière, creusent et enfouissent les piquets, parfaitement alignés. Pour faire tenir toutes les victimes, il va falloir agrandir encore ce cimetière. Les clôtures retombent une fois de plus. Les murets sont démontés, pierre plate par pierre plate. Les villageois forment une chaîne humaine pour les acheminer plus haut sur le remblai et le reformer à une centaine de pas, pierre plate par pierre plate. D'autres corps sont charriés.

Ava se souvient de la poupée qu'elle a vue, un jour, dans les bras d'une petite fille. Dans le camp. Le premier camp, celui de sa cachette sous le lit. C'était une grande poupée, avec de beaux habits et des rubans dans les cheveux. La poupée était aussi grande que la détenue. Quand un soldat passa près d'elles, il jeta la poupée et emporta la fille. L'enfant disparut. Sa poupée avait rebondi sur les briques quand le soldat l'avait lancée. Elle y demeura. Juste en face de son block. Ava pouvait la voir quand elle risquait un coup d'œil par la fenêtre ou la porte.

Il fallut attendre la fin de l'été pour qu'une autre détenue ose y toucher. Elle dépouilla la poupée de sa robe claire, avec de fines dentelles, un chausson de cuir blanc et des rubans de velours dans les cheveux. Ava la regarda faire. La poupée reposait nue, un bras replié dans son dos. Plus tard, une femme lui arracha les cheveux, sur les côtés, derrière. Il resta quelques mèches sur sa tête. Fela lui expliqua que la voleuse allait en faire du fil, utile pour ravauder les linges. Très utile ! Son plastique passa de brillant à poreux, puis blanchâtre, puis strié de griffures noires. À la fin de l'hiver, quand la neige fut fondue, elle reparut craquée. Ses yeux étaient deux petits trous sombres. Puis un soldat passa. C'était la veille d'une inspection. Ava resta longtemps dans sa cachette. Elle avait de la chance, elle avait une bonne mère. Personne ne l'écraserait entre ses doigts.

She murmurs into his ear,
head upon shoulder leant:
'My dear, my dear, O dear,
It was an accident[1].*

---

1. «La tête penchée sur son épaule, / Elle lui murmure à l'oreille: / «Mon chéri, mon chéri, Oh très cher, / C'était un accident !» W.B. Yeats, «The Dolls», *Responsibilities and Other Poems*, 1916.

29

Trois morts de fièvre ce matin. Nous sommes deux cents, en tout, superposés dans ce baraquement.

Deux nuits à frissonner, à perdre mes eaux, mes espoirs, mon courage.

La fièvre de mon typhus a baissé. J'écris «mon typhus» à dessein. Il y a lui et moi. Nous partageons le même corps. Il me vampirise et rafle ce qui me reste de vie. Quelqu'un écrit cette lettre sous ma dictée parce que je n'en ai plus la force. Le typhus prend toute la place.

Hier, il s'est mis à rêver de Charlotte et de toi. Au réveil, je me suis battu contre lui. Je ne veux plus qu'il recommence. Il me fait du mal, surtout quand je ne fais rien, quand j'essaye de ne penser à rien. Ma tête est tout ce qui me reste. Mes souvenirs aussi.

Je veux bien lui laisser mes jambes, mes bras, mes forces, mes poumons et mon souffle, ma bouche, mon goût, mon odorat avec son goût de fièvre qu'il m'inflige, mais pas mes souvenirs.

Je suis une plume.

Je ne sais pas si je passerai un autre printemps dans ce block.

Je crois que je ne peux plus. Que je ne veux plus.

Mon typhus ira jusqu'au bout. Il va me sortir de là. Je dois bien lui reconnaître ça, finalement. Il ne me lâchera pas : il ira jusqu'au bout de moi.

Pourvu qu'il fasse vite.

30

La terre du cimetière est toute chamboulée, à coups
de pioches, de talons, de semelles crantées de soldats, de cailloux et de branches, de terres meubles,
de terres fermes, de cadavres, de bouts d'hommes, de
bouts de femmes, de bras sans jambes et de têtes à
personne. Des ombres difformes s'étirent à la surface
et se mêlent à celles des branches. Des vieux et des
hêtres. Des femmes et des bouleaux. Des branches,
des bras, des troncs et des manches agités qui finissent
de creuser.

Assise à l'avant de la jeep, Ava lèche ses genoux.
Elle aime leur goût de sel, leur rugosité, leur odeur,
son odeur. Elle se sent à l'abri. À l'abri de ces cadavres
qu'ils enterrent sous ces étranges totems avec un nom
parfois. Souvent des numéros. Un soldat a enfilé une
étole blanche brodée d'or. Un autre ajuste sa kippa de
velours. Des bibles, des cierges et des paroles de prophètes circulent. Prières pour tous ces inconnus.

« Hello ! » surgit une voix de graille.

C'est la photographe. Ses cheveux dépassent d'un béret de traviole. Elle est élancée, en manches de chemise, avec des dents qui partent un peu dans tous les sens. Elle pointe un appareil vers elle. Ava fixe l'objectif, cherche l'œil qui se cache. Le frémissement de l'obturateur. Le cliquetis du déclencheur. À contre-jour, la photographe ramasse une nouvelle fois ses doigts autour d'un boîtier. Elle a de jolies mains. Une taille fine soulignée par une boucle coulissante. L'Américaine est campée sur un léger déhanchement. Si Ava avait osé fixer le centre de l'objectif, elle aurait vu le reflet d'une gosse ramassée sur elle-même, d'une jeep, d'un cimetière, dans un poudroiement de pioches, de pelles, de cloques, de claques et de prières. Mais Ava cache son visage derrière ses jambes.

« Je m'appelle Lee Meyer. Et toi ? »

Elle relève son boîtier, arme, sourit et la presse de nouvelles questions.

Ava en a vu sourire, des femmes aux cheveux soignés, en uniforme, comme Lee. Certaines étaient même assez belles quand elles ne brandissaient pas leurs cravaches. Elles portaient des bottes montantes, en cuir. Elles n'avaient pas le grand sourire de « je-m'appelle-Lee-Meyer ». Elles parlaient dans le vide, sans la moindre compassion. Les *blockowas* s'exprimaient pour obtenir quelque chose, toujours. Jamais pour offrir ou donner. Une parole à sens unique.

Assise au creux de sa jeep, qu'elle prononce *chip* dans sa tête, Ava s'emmure contre ses jambes, les coudes serrés, bien verrouillés sous ses mollets. Encore des claquements. Le déclencheur du Rolleiflex. Et la main de Lee sur son crâne. Délicatement. Ava glisse un œil. La photographe fait demi-tour avec une moue de satisfaction. Elle la tient, sa photo de détresse.

Elle retourne au cimetière.

La nuit tombe vite, ce soir, et la température aussi. Gary fouille dans son coffre et sort un pull pour la petite. C'est mieux. C'est agréable. Ava ne sent plus le froid qui s'immisçait entre elle et le fauteuil. Elle est contente qu'il soit revenu. Elle l'aime bien. Elle manque encore de repères. Avant, au camp, avec Fela, le soir, c'était le moment des mots couverts, des phrases lues à mi-voix, des murmures. C'est comment les soirs ici ? Ava est fatiguée. Elle pense dans toutes les langues. Dans sa tête, elle mélange des mots de yiddish, d'allemand, de polonais avec les mots qui riment, ceux de l'évasion. Elle s'est tellement retenue... Ava voudrait savoir où ils ont mis sa mère. Gary lui prend la main et l'entraîne plus loin. Près des Allemands, ils s'interrompent. Gary l'emmène tout au fond du cimetière, là où la terre est toute foncée.

« Ici », dit-il.

L'étoile de Fela est dressée près de l'enceinte. Une étoile de David avec son nom dessus. Ava s'accroupit et ramasse des petits bouts de racines, des cailloux, des feuillages. Elle reproduit les gestes qu'elle a vu faire par d'autres. Des tas. Avec la paume de sa main, elle tapote sur la terre, puis y enfonce ses doigts pour dessiner un cœur. Gary est en retrait. La photographe s'approche. Elle parle avec Gary sans lever son appareil. Elle garde cette image-là. Pour elles.

Ava se relève, fait quelques pas en arrière et prend la main de Gary. Elle aime bien le visage de Lee. Il a une beauté rassurante. Une beauté d'onguent. La beauté a sa propre poésie. Elle fait du bien à ceux qui savent la voir.

Où vont-ils dormir, maintenant ? Dans une grange ? Dans un block ? Dans la forêt ?

Lee explique qu'ils vont dormir pas loin d'ici, au camp de base, sous une tente. Ava accepte l'augure de ce nouveau camp de base. Elle en a vu bien d'autres.

Sur le capot de la jeep, la soldate pose une boîte métallique, sort un petit pinceau et nettoie ses objectifs. L'un après l'autre. Puis elle les glisse dans des chaussettes en toile.

« Ce sont mes yeux, déclare Lee. Sans eux, je ne sers à rien. Je ne sais pas me servir d'une arme. Je ne sais pas conduire. Je ne sais pas faire un garrot. Je suis photographe. Je sers à ça. À montrer et à raconter. »

Elle s'installe sur une caisse à l'arrière de l'auto avec sa boîte pleine d'yeux.

« Quelle journée ! J'suis pas encore couchée, moi... » soupire-t-elle.

Gary allume ses phares. Lee Meyer est chaleureuse, bonne camarade, enjouée. C'est peut-être cette jeep qui est magique. Elle pousse à la confidence. Cette fois, c'est le tour de Lee. Elle raconte qu'elle a commencé comme photographe de mode. À Los

Angeles, elle connaissait plein de monde, des stars, des écrivains, des peintres. Après, elle s'est mariée avec un gars qu'elle croisait chez l'épicier du coin, à Venice Beach. Il travaillait pour une grande marque de bières, souvent en déplacement sur la côte Est. Ava devine la plage dont elle parle, le mariage, l'allure de son mari, une grande ville et son pays, la Californie. Une chambre prête pour l'enfant espéré, à son retour, quand la guerre sera finie. L'enfant de leur amour à eux. Leur prolongement égoïste. Génétique.

Ava se tord le cou pour la regarder parler. Gary aussi.

« Regarde devant, chéri. Tu vas nous foutre dedans ! »

Elle la trouve élégante, avec son nez droit, et s'étonne de cette voix cabossée sans pouvoir concevoir qu'on puisse faire des excès d'alcool, de cigarettes et d'éclats de rire. Sans ombre. Son mari l'a laissée s'engager. Il a confiance en elle. Lee est forte, très courageuse. Il est parti à Chicago pour une « mission longue ». Elle précise pour Gary qu'à Chicago il doit faire comme tous les maris : tromper son ennui et sa femme avec des filles faciles. Ava ne comprend pas. Elle ne sait pas ce que c'est, des filles faciles. Les seules qu'elle a connues survivaient dans des camps. Et ces filles-là, celles du block 24-A, étaient tout sauf faciles ! Elles criaient, pleuraient souvent. Ava se demande à quoi ressemble une fille facile ou une vie facile. C'est peut-être comme elle, comme Lee, avec son grand rire et ses boucles légères. Elle est drôle.

Elle a envie de rire avec elle. Mais ça ne vient pas. Elle a froid. Plus tard, peut-être. Plus tard, elle rira à ses blagues.

Lee raconte comment *Vogue* et *Life* l'ont accréditée auprès des troupes américaines, parce que c'était une femme, et qu'elle aurait un « regard différent ». Ses chefs pensaient qu'elle resterait à faire des portraits de femmes.

« C'était mal me connaître !... »

Lee raconte ses premières photos. Elles sont crues. Des infirmières, des médecins, des hôpitaux de campagne. Elle sillonne les arrières, les rangées de blessés, les civières, les rescapés du débarquement. Ava connaît. Gary lui a raconté le débarquement.

« Bon, très bien ! » dit-elle et reprend en racontant comment elle a trouvé une jeep pour la conduire au front, les soldats en action, les espoirs, la fatigue, les progressions rapides, les civils qui se cachent, les troupes ennemies qui se rendent, les villes reprises à toute allure. Elle dit qu'ils pouvaient libérer quatre ou cinq villes par jour ! Ava ne parvient pas à se représenter une ville libérée. Elle a vu les canons et les bombes, le feu. Elles changent de main, les villes. Elles passent d'un camp à l'autre. Elles restent prisonnières de l'une ou l'autre armée. Comme elle. Ava est entourée de soldats. Elle n'a pas vraiment le choix. Elle est trop petite pour être libre. Trop petite pour choisir de sauter de cette jeep et de courir là-bas, vers la masse noire des champs. Pour aller où ? Elle sera libre quand elle saura choisir. Le ronronnement de

la jeep la berce. Ses yeux se ferment. Elle entend dis-
traitement le récit de Lee qui dit que la guerre, elle y
a pris goût, qu'elle craint que tout s'arrête, qu'on lui
demande de plier bagage et de rentrer chez elle, à Los
Angeles, dans cette maison dont elle ne veut plus, trop
petite.

« Moi non plus, j'veux pas rentrer », dit-il.

Ava sent sa tête qui ballotte.

Ils se parlent au-dessus d'elle.

Lee dit qu'à son grand lit, elle préfère les campe-
ments de fortune. À son mari, elle préfère les soldats,
comme Gary ; Gary et son grand nez, son accent de
péquenaud, ses histoires sans intérêt de Montana
paumé. Ils rigolent. Ils s'entendent bien. Ils sont
devenus complices à force de s'enfoncer en territoire
ennemi.

Elle dit qu'elle préfère mille vies plutôt que la
sienne devenue trop petite.

Il répond qu'elle est « vraiment pas banale ». Lee
est la mascotte du régiment.

« Et toi, ma chérie ? demande-t-elle tout à trac. Tu
t'es cachée, tout à l'heure. Qu'est-ce que tu voulais me
dissimuler ? »

Ava redresse la tête et se retourne.

« Regarde ! dit-elle. J'ai rangé mes appareils. Je n'ai
plus que mes oreilles. Alors, dis-moi ! »

Ava a froid. Elle a sommeil. Elle a du mal à
remettre de l'ordre dans ce brouhaha.

« Pardon, si je t'ai fait peur », dit-elle avant de dépo-
ser un baiser sur son épaule.

258

Elle sort des photos de sa poche. Dans la pénombre, Ava devine des soldats souriants, la liesse dans les villages. C'est le Nord, en France, et en Belgique. Lee est fière d'un cliché de femme allemande en train d'étendre son linge dans un décor de ruines. Ses vêtements sont d'un blanc parfait. Un grand drap de lit est gonflé de vent. Elle a une chemise pliée au bras. Ava ne l'écoute pas. Elle fixe un détail sur la photo. En bas du cadre à droite, un chaton noir observe la femme aux linges. Elle aime bien ses grands yeux de chat. Elle ne veut pas qu'elle la range. Lee promet de lui en faire cadeau. Ava pense au chaton. Gary doit préciser.

« Elle parle de la photo. »

Ava se moque bien de ces photos. Elle laisse Lee reprendre son paquet.

« Et toi, que transportes-tu de si précieux ? » s'enquiert-elle.

Gary adresse à l'enfant un regard d'encouragement.

Il lui précise que le métier de Lee, c'est de raconter l'histoire des gens.

Mais c'est encore trop tôt. Ava garde son sac collé contre elle. Il lui tient chaud au ventre. Lee n'insiste pas. Elle enfonce son calot et retourne à sa banquette arrière.

La ville qu'ils traversent est morte de peur. Ses rues sont désertes. Les volets fermés. Les éclairages publics sont faiblards. Près d'une place hérissée de panneaux militaires, ils croisent les deux phares d'un camion de leur armée.

«*Hey, beautiful!*» lance le conducteur perché un mètre au-dessus de leur jeep.

Le soldat noir cherche le château d'Isenschnibbe et sa comtesse von Bidule. Lee connaît le château. Elle y a fait des photos avec la *task-force* d'Ozark. Il est vide. La comtesse s'est évaporée, comme ses tableaux, d'ailleurs, et tous les meubles du salon.

«T'es plus très loin, rauque-t-elle pour couvrir le bruit des moteurs. À peine dix kilomètres, suis-nous.»

31

Buchenwald, le 10 avril 1939

Madame,

Votre père, Richard Friedländer, est mort le 12 février dernier. Les médecins vous diront qu'il est mort d'une «malformation du cœur». C'est la formule officielle. Elle s'applique aux détenus qui meurent tous du typhus, de faim ou de mauvais traitements. À la fin, leur cœur s'arrête, c'est vrai. Mais rarement de lui-même. Le cœur de M. Friedländer a été comme les autres : soumis à rude épreuve. Il n'a pas résisté.

Je suis détenu dans le même camp que lui. Je n'ai pas eu la chance de le croiser mais, au poste que j'occupe, j'ai entendu parler de lui. Il était surveillé.

J'ai retrouvé les lettres et les notes qu'il avait cachées. Elles étaient entreposées dans un bureau.

Qui suis-je ? Une suite de chiffres qui n'ont de sens qu'ici, quand nos geôliers font l'appel. Je suis affecté au secrétariat des officiers supérieurs. Mon prédécesseur est mort la semaine dernière... d'une «myopathie cardiaque», lui aussi... Cette tâche ne nécessite aucune condition physique particulière. Tout juste une intelligence aryenne. Il pesait quarante-sept kilos quand il est mort.

J'étais instituteur. Quand ils ont pris le pouvoir, j'ai été renvoyé de toutes les écoles d'Allemagne. Mais ici, dans ce camp, mes compétences sont à nouveau considérées. Paradoxal, n'est-ce pas ? L'officier dont je dépends m'a chargé de sa correspondance. Je passe le plus clair de mon temps à corriger ses textes.

J'étais aussi violoniste. Je jouais pour les mariages, les bar-mitsvas et les anniversaires. Musicien de bal, gratte-cordes de salle des fêtes.

Le petit musicien que je suis se souvient de vous, Madame. J'ai joué au moins deux fois pour vous. J'ai même joué avec vous, des sonates. C'était chez vos amis Viktor et Liza Arlozoroff. Viktor était bel homme. Il avait de l'esprit et un joli brin de voix. Je garde de ces soirées un souvenir très doux. Pour nous, Juifs de Berlin, être invité chez cet homme-là était un grand honneur. C'était il y a longtemps, presque dix ans déjà. Il est devenu Haïm. Et vous l'avez fait tuer, là-bas, en Palestine. Ils sont allés loin pour le tuer. Jusqu'aux plages de Tel-Aviv ou de Haïfa, je ne sais plus.

J'ai dû quitter Berlin et son académie, puis celle de Hambourg. À Cologne, j'ai occupé un dernier poste d'instituteur parce que le directeur de l'école avait un faible pour les Juifs. Un goy compatissant. Il a mal fini.

Vous étiez une bonne pianiste mais, comme comédienne, vous êtes sans conteste la meilleure ! J'ai lu toutes les lettres de Friedländer. J'ai recopié dans un carnet ses appels, ses suppliques. J'ai vu son histoire défiler. Comment avez-vous pu fermer les yeux ? Comment avez-vous pu garder le silence ? Je sais que je vais mourir. Non pas à cause de cette lettre, ni de celles que j'ai recopiées, ni des fautes d'orthographe que j'ai laissées dans la correspondance de ce cochon d'officier allemand, ni pour la tache d'encre que j'ai faite ce matin sur mon pupitre, ni pour tout ce que je pourrai faire, non. Je vais mourir parce que je suis un homme né d'un homme et d'une femme qui priaient un autre Dieu que le leur, d'une mère qui pétrissait le pain autrement qu'eux.

Je vais mourir. Et beaucoup d'autres mourront comme moi. Vous avez laissé faire. Je jure que je crèverai le voile de vos mystères, de vos hontes cachées, de votre ignominie. Je m'appelle Markus Katz. C'est le nom que mes parents m'ont offert quand je suis né. Je porte le nom de mon peuple. Je suis le Juif Markus Katz. Et je serai votre chat noir, celui qui hantera le reste de vos nuits, puisque vous possédez le jour. Ce serment, je le fais par mon sang dont j'ai trempé cette plume. Vous lirez ces lettres que vous n'avez pas voulu lire. Vous n'effacerez jamais la mémoire de nos pères.

La dernière chose que nous possédons, c'est notre histoire. Il y a deux mille ans, nous avons dû quitter notre terre, notre Jérusalem, nos temples, nos rois et nos armées. Nous avons été riches, pauvres, puissants, chassés, recherchés, pourchassés. Nous avons construit des temples en bois, en pierre. Ils ont été brûlés. Nous en avons construit d'autres. Vous les avez fait fermer. Mais notre histoire, personne ne nous la volera. Elle est inaliénable. On essaiera de nous tuer, jusqu'au dernier. On essaiera de trahir, de falsifier, d'effacer… Mais il y aura toujours un scribe pour recopier, un homme pour lire, un écrit quelque part. Vous êtes l'incarnation de notre pire ennemi : l'oubli. L'effacement par le feu. La mort programmée. Vous êtes la négation de ce qui a été par le verbe et par le ventre. Mais vous ne volerez pas notre histoire.

« Le Juste tombe sept fois, et il se relève », disait le grand roi Salomon. Richard Friedländer a été. Il a lié son destin à celui de votre famille. Je suis Markus Yehuda Katz, fils de Salman et d'Olga Sternell. Et cette chaîne de mots, de moi, de nous, de noms infalsifiables, vous rattrapera, où que vous soyez. Il n'y aura pas d'oubli. Nous sommes le peuple qui doit durer, celui qu'on ne peut pas éteindre… Un jour, on se souviendra de lui comme de tous ceux qu'on a voulu faire disparaître, en vain.

M.Y.K.

32

« Vite ! Vite, maman ! »

Helga lui a mis le grappin dessus.

« Le docteur va le tuer ! Il n'a pas le droit. Dis-lui d'arrêter ! »

Magda tire à contre-poil sur la manche de sa veste, faite d'une pièce de guipure. Des fleurs noires brodées d'or. Celle qu'elle portait à Nuremberg, pour le dernier congrès du parti, celui de « La Grande Allemagne », six mois après l'Anschluss. Une foule immense s'était massée dans les gradins. Une belle fête, très réussie, avec un temps splendide qui faisait briller sa broche en or et sa teinture platine. Elle était très en beauté ce jour-là, avec cette veste d'Italie.

« Mais viens ! s'entête Helga, agrippée comme une teigne à la jolie dentelle.

— C'est précieux, lâche ça ! »

Sa fille desserre ses doigts. Elle a peur pour le chiot. Les soldats vont le tuer.

Magda tire sur la maille, redresse la guipure.

Cadeau du Duce. Le pauvre, se dit-elle. Elle a vu sa photo. Mussolini, pendu par les pieds, breloque lamentable retenue au-dessus d'une place bondée. Ils étaient quatre, en tout, pendus comme lui, cul par-dessus tête. «Claretta», sa maîtresse. Son crétin de ministre de la Culture populaire. Ainsi qu'un inconnu. Magda a jeté le journal. Elle aimait bien Clara. «La Petacci». Son amie italienne. Son homologue de fait. Ainsi finissent les grandes dames, même celles qu'on cache. Elles avaient dîné plusieurs fois à Rome, en marge des visites officielles. Magda pouvait soutenir de longues conversations avec elle en italien. Magda et Clara Petacci avaient leurs habitudes dans un bistrot du côté du palais Bernin. On y servait une excellente viande, un *vitello* en sauce. Elle a l'eau à la bouche rien que d'y penser. Tant de jours sans un morceau de viande, sans rien de carné, que du thé et des graines et des légumes de saison… Lui reviennent en mémoire les fanfaronnades du restaurateur, capable de ficher ses clients dehors quand les deux débarquaient, pour qu'elles soient plus tranquilles, pour qu'elles aient toute la place, pour qu'on se taise, pas de brouhaha, de bruit de fond, de paroles parasites.

«Les grandes dames du régime ont de grandes choses à se dire. Il leur faut le meilleur», flagornait-il. Tout ça, c'était de l'esbroufe ! De la braverie de paillasse ! De l'épate. Il ne virait jamais personne. Mais elles y revenaient, chaque fois. Elles avaient leur table. Celle du coin, près de la baie vitrée. Et Claretta se livrait. Elle revenait sur les tendresses du Duce, ses cadeaux, ses attentions accortes, ses mots aimables… tant qu'il était vertical, et son changement d'humeur une fois horizontal. Il devenait fauve, bourru. Elle l'aimait, lui, pas ses manières.

«Il est tellement étrange, disait-elle. Dès que je lui tourne le dos, qu'il sait que je ne le regarde plus, on dirait qu'il se métamorphose avec plein de bruits de brousse, ou de savane, je ne sais pas. Des gestes brusques, parfois pataud. Un vrai sauvage ! On dirait le Négus ! »

Elles riaient.

Ils sont tous morts maintenant. Tête en bas.

Cela faisait belle lurette que Magda s'était forgé sa vérité sur la constance du vice chez les hommes de pouvoir. Comme s'ils s'arrogeaient le droit exclusif de libérer leurs instincts les plus primaires. Comme s'ils éprouvaient le besoin d'en tester les limites, sur leurs rivaux, d'une part, à force d'humiliations, mais aussi sur leurs proches. Ils avaient le pouvoir. Personne ne les jugerait. L'impunité du vice était irrésistible. Les lieutenants et les ministres étaient maintenus sur le fil, précaire, labile, entre fortune et agonie. Ainsi valait pour l'être aimé.

Le gauleiter avait ses habitudes aux studios de l'UFA où il avait national-sodomisé les actrices en quête de gloire et d'affiches. Adolf recevait les visites de son «gang des bas à varices», des vieilles qui venaient le voir à Munich, qui lui tendaient l'épaule, lui caressaient le crâne avant de se mettre à l'humilier, lui, le Maître, à quatre pattes dans le salon, bastonné du bout des bas des vieilles qui le traitaient d'idiot, de zéro, de bouffe-merde, d'âne bâté, de crétin. Adolf en redemandait. Pas trop de coups. Juste les insultes. Oui, les insultes. Elles ne laissent pas de trace. Lui, ça lui faisait du bien... Magda était la plus habile. Elle n'allait jamais jusqu'au sang. Elle avait sa technique. L'humiliation se mesure, elle se distille, pondérément. C'est un art. Puis cette Eva se pointe, la danseuse, la gamine. Elle chasse d'un roulement de hanches toutes ces vieilles phlébitiques. Et Magda. C'était à quelques semaines du plan Barbarossa, le retournement d'alliance. Il allait le regretter, et avec lui des millions de soldats et de civils allemands.

Magda se retrouve dans le bunker, sourire crispé en coin.

« Maman, il vient de tuer la chienne ! » gémit Helga.

Magda rectifie : sa fille pleure la chienne ; l'autre, Eva, n'est pas encore donnée pour morte. Mais ça ne saurait tarder.

Magda découvre une tête blonde dans sa chambre, pas coiffée, pas lavée, vêtue d'un simple peignoir, sans chaussons comme l'aînée. Helga vient de sonner l'alarme. Les uns après les autres, ses enfants débarquent. Trois d'entre eux font corps pour sauver le chiot, le dernier de la portée. Magda se laisse conduire. En descendant les marches, Helga et sa petite sœur se coupent la parole pour relater l'affaire.

« Le docteur lui a craqué du poison dans la gueule.

C'est comme ça qu'il l'a tué, et oncle Adolf l'a laissé faire.»

Deux soldats emmaillotent l'animal. Son chiot jappe à côté.

«Wolfie», s'écrie Helga en s'agenouillant, claquant des doigts pour l'éloigner des soldats. Le chiot pataud se jette sur elle.

«Sa propre chienne!» rumine Magda, plantée au milieu du couloir, une main sur la base de son cou.

Ses enfants disparaissent pendant que les soldats emportent la chienne. Magda se projette. Elle se voit comme l'animal, dans cette couverture, entre les mains de ces deux soldats qui vont la jeter dehors. C'est lourd. Ils peinent. Ils se plaignent d'être obligés de creuser dehors, de prendre autant de risques pour rien. Prendre une balle pour un clebs, quelle fin absurde!

Un obus explose.

«Helga! hurle Magda.

— Oui, maman?

— Interdiction de sortir!

— Oui, maman.»

Dehors, les soldats se déploient autour du cratère formé par un obus. Ils pellettent des débris de terre, de la limaille et balancent cette chienne qui ne s'est pas gênée pour empuantir leur refuge. Ils n'ont pas d'autre consigne que de faire disparaître la carcasse.

Ils sont impatients. Que leur maître se rende ou se tue, peu leur chaut! Les soldats meurent au combat.

C'est dans l'ordre des choses. Et quand l'ordre s'inverse, quand l'encre de l'armistice est sèche, ce sont les chefs qui meurent. Les soldats, eux, rentrent chez eux. Pourvu que l'encre sèche vite.

33

Ava plonge dans un étrange carré de nuit, plein de clartés, d'éclats de voix, d'agitation. Le camp de base de Gary et Lee. Des cailloux répandus pour déjouer les ornières crissent sous les pneus. Gary se gare près d'un poteau planté dans un bloc de ciment. Ava devine des tanks sous les bâches et des motos alignées. Elle découvre un camp de toiles. Des câbles partout, qui tendent les tentes et qu'il faut enjamber, qui serpentent le long des allées, s'enroulent, repartent. Elle devine des lits de camp. Parfois quatre. Certains superposés. Elle voit des couvertures roulées en boule sur les lits. Il n'y a personne pour surveiller toutes ces couvertures et toutes ces paires de bottes en cuir, et ces gourdes, et ces lampes-tempête qui brûlent pour rien à l'entrée de toutes ces toiles kaki. Il n'y a même pas de chiens.

Elle passe devant des tables en fer, des couverts et des assiettes. Elle passe près d'un couteau. Il suffirait de tendre le bras. Elle connaît ce geste de rapine légitime. Elle l'a déjà vu faire. Elle hésite, perd du temps, se laisse porter plus loin. Trop tard. Et passe devant un mur de caisses couvertes de chiffres, de lettres. Des munitions, leur poids, leur calibre et leur nombre. Tout est peint au pochoir sur leurs flancs en bois brut, gardé par deux soldats assis, jambes écartées, fusils aux genoux, qui suivent des yeux le passage de Lee.

D'autres tentes, plus petites, plus sombres. Opaques.

« Ils dorment », commente Gary.

Ava fait le moins de bruit possible. Mais les graviers crissent sous ses pieds. Leurs semelles sont en caoutchouc. Le bois des siennes brise les pétales d'ardoises, concasse les coins de calcaire disséminés dans les allées. Ava veut se déchausser.

« Qu'est-ce que tu fais ? s'étonne Lee. C'est inutile ! Allez, viens ! »

Ava rattrape la main de Lee, sent la douceur fortuite de sa paume, la longueur de ses doigts qui enveloppent la sienne, puis se ravise, pour chercher celle de Gary, avec ses cales et ses griffures.

« Mais non, corrige Lee Meyer. J'aime bien tenir ta main. »

Ava sent le regard de Lee sur ses grolles faites de bouts de cuir et de semelles en bois. Des pompes de camp. La petite n'est pas dupe. Elle sait d'où viennent ces bouts de cuir. Elle a vu une fillette les porter avant elle, dans le train sous la neige. Et puis à l'arrivée dans le camp, plus de petite, juste cette paire qui sentait le déjà-porté. Des semelles lisses, glissantes.

272

Gary fait de grandes enjambées. Pour un pas de lui, Ava en fait trois, dans cette nouvelle allée, plus animée, mieux éclairée, avec des projecteurs qui obnubilent des nuées de mouches et de coléoptères, de sphinx, de tipules et de moustiques qui finiront brûlés vifs, eux aussi, ou d'épuisement, eux aussi.

L'odeur piquante du tabac crispe sa respiration. Puis vient celle du graillon. Ronde. Pleine. La pointe du poivre noir. L'âpreté du cumin. Ava devine les baumes fleuris du thym que les femmes du block faisaient brûler pour purifier l'air. Il est tard. La fumée brune du gril colore la nuit entre deux cônes de lumière. Ava salive, malgré elle, même si elle sait tenir sa faim à distance. On fait braiser de la viande. Des rires gras retentissent. Ce camp est une kermesse. Des blocks en toiles ouvertes, sans barbelés, aucune barrière, pas de frontières. Aucun détenu. Elle voit des sourires et des blagues échangées du bout du coude d'un soldat à l'autre. Une musique s'en mêle, nerveuse et syncopée.

« C'est du Dizzy. Je connais par cœur ! » dit Gary.

Ava ne connaît que le chant des femmes quand elles répétaient sans entrain leur numéro de *chorus girls*. Pour épater les hommes et faire claquer leurs talons, elles avaient trouvé le truc : elles rencognaient des cailloux sous leurs talons ou leurs semelles. « Pour faire bander les soldats ! » disaient-elles.

Ava a connu les polkas et les marches de l'orchestre dans son camp de naissance. Des musiciens zébrés, comme elle, qui jouaient juste. Sans fausses notes, mais sans vraies notes non plus. Une musique pour de faux. Pour ne pas mourir. Assurée par des bouches et des mains pétries de trouille. Un peloton d'orchestre en attendant l'exécution. Ne lui en reste qu'un très vague souvenir. Brumeux, comme tout le reste.

La musique « du Dizzy » est foutraque. Elle est jouée sans cailloux aux talons, sans crainte, sans contrition. Une musique joyeuse et rhapsodique.

Une masse de dos d'hommes l'entoure. Une table. Un transistor. On écoute « Dizzy », trompette en l'air. Gary passe en claquant des doigts. Ava se tord pour écouter encore cette musique frondeuse. La polka des Allemands est une assiette de plomb, lourde, creuse, qu'on ne remplit jamais. Ce jazz est un bouquet garni.

Deux officiers font les malins. Les jambes croisées sur la table, le cul au fond de leurs chaises, ils se balancent en rythme. Quand Lee passe, ils l'apostrophent.

« Hey, beautiful ! »

Gary a droit à un bref signe. Ava n'existe pas.

Ils font les fiers pour Lee. Ils blaguent. Ils prennent beaucoup de place et tentent tout pour la retenir. Trois chaises libres surgissent de nulle part. Trois. Ils l'ont vue. Ils insistent. Sur le côté de la grande tente qui abrite le mess des officiers, des hommes vêtus de blanc attisent les braises d'un gril en attendant d'autres viandes.

« Le chef fait un barbecue ce soir. On va se régaler. Bonnes photos, j'espère ! »

274

Ava sent la main de Lee qui l'entraîne. Un homme dépose trois assiettes et d'autres verres.

«Bières ? lance l'un d'eux.

— Volontiers.»

D'autres soldats les rejoignent. Ils dînent au coude à coude, déployant leurs couteaux. Ils parlent à Lee, la bouche pleine. Ils pointent leurs lames vers elle et demandent d'où vient cette gosse qui l'accompagne.

En reposant leurs bières, ils tracent d'étranges destins pour elle. Un premier mentionne l'UNRAA. Un autre explique que le CICR a monté un service pour les orphelins de guerre. Ava devine qu'on parle d'elle et se noue de l'intérieur. Un autre évoque une autre série d'acronymes, rugueux, sans importance. L'enfant décroche. Ils parlent trop vite. Il est trop tard. Elle se demande si un officier emmènera Lee ce soir. Ava ne veut pas qu'elle parte. Qu'on la laisse seule, comme au temps de sa mère, quand elle restait des nuits toute seule à scruter les clous de la porte. Face à elle, le plus gros de la tablée la dégoûte à se goinfrer. C'est lui le chef de troupe. Ava craint qu'elle n'aille sous sa tente. Il la débecte avec sa fourchette pleine de viande. Ava s'affale sur les genoux de Lee. Elle est triste. Elle s'agrippe.

«Changeons de sujet, messieurs !»

Lee a compris. Elle se tient coite. Elle laisse Ava s'enfouir dans la toile de son uniforme. Lee interpose ses bras entre elle et la tablée pour faire rempart à «l-u-n-r-r-a» et aux camions à croix rouge.

Les yeux d'Ava sont prêts à fondre. Son nez s'est

rempli d'amertume. Mais ses larmes ont disparu. Pourquoi ne coulent-elles pas ? Sont-elles mortes, elles aussi ? Et dedans, c'est tout sec. Les muscles de ses jambes sont comme des feuilles d'automne. Elle rêve de s'envoler.

« Tu es fatiguée ? Tu veux aller te coucher ? » lui glisse Lee.

Ava fait non de la tête. Elle ne veut pas rester seule ! Elle exècre ce soldat, le gros, le barbu, celui qui parle avec voracité de la percée des troupes, du front allemand coupé de ses arrières, haché, réduit, et de leur capitale, Berlin, dont ils ne feront qu'une bouchée. Il sent la viande et le sang. Il lui fait peur.

Blottie contre son ventre. La peau de Lee est salée, douce et collante. Tout s'efface. La musique, la grosse voix, le graillon. Tout s'efface. Ava s'est endormie.

Elle rêve qu'elle ne rêve pas, qu'elle ne dort pas, qu'elle guette, mais Ava sent une petite tache de salive qui a coulé sur sa joue. Elle sent sa bouche pâteuse. Elle sent que ses lèvres sont encore lourdes. Ses yeux ne piquent plus. Elle a la nuque brumeuse. Elle reconnaît cette musique sous la table. L'accordéon. Mélancolique, qui dit les docks et la marine, qu'elle imagine gris-bleu. Elle reconnaît la voix, profonde comme un puits noir, grave comme le vent des wagons. Ava se redresse. C'est Lee. C'est Gary. C'est le gros barbu. Des officiers ramassent leurs verres entre deux doigts et débarrassent.

Combien de temps a-t-elle dormi ?

« Pas longtemps. Mais tu n'as rien mangé ! »

Elle a soif. Rien qu'un peu d'eau. Un homme pousse un verre devant elle. Au mess des officiers de l'armée des États-Unis d'Amérique, les voix se soumettent au petit transistor qui reprend le refrain de Dietrich.

Tous deux, Lili Marlene. Tous deux, Lili Marlene.

Les mots de ce refrain vont atterrir sur leurs lèvres. Ils vont les murmurer, les mots de Lili Marlene, comme une langueur, les psalmodier comme une prière contagieuse. Certains vont même fermer les yeux. Cette chanson est plus forte que toutes les bières du camp, que les kilos de barbaque, que la beauté de Lee, et le sort à venir d'une «petite fille des camps».

La chanson de Dietrich a franchi toutes les lignes, au-delà des fronts, des crêtes, des cartes, des mers, des langues adverses, des lignes d'adversaires. Une chanson. Une rengaine universelle. Celle d'une femme à solde qui regrette son soldat.

Et dans la nuit sombre,
Nos corps enlacés
Ne faisaient qu'une ombre
Lorsque je t'embrassais.
Nous échangions ingénument
Joue contre joue bien des serments
Tous deux, Lili Marlene,
Tous deux, Lili Marlene.

L'officier supérieur regarde Lee et lui lance qu'elle ferait une bonne mère.

Sous la table, Ava sent une main qui prend la sienne. Elles se devinent, toutes les deux.

« Tu cherches une maman pour te réconforter, *baby* ? » répond Lee pour la forme, pour la galerie et surtout pour cacher la main qui les relie toutes deux.

« Non, non, rétablit l'officier. J'ai la mienne, Dieu merci. Mais toi et moi, si tu vois ce que je veux dire, on pourrait chercher une lanterne… »

Lee se penche vers Ava et dépose un baiser sur son épaule d'enfant. C'est la deuxième fois qu'elle fait ça. Un baiser sur l'épaule. C'est son truc. Puis elle colle les mains sur ses oreilles, serre pour chasser l'air et répond au-dessus de la petite :

« C'est comme ça que t'emballes ? Une nuit, un gosse, une vie… J'ai déjà donné, tu sais. Merci ! Et je ne suis même pas divorcée ! »

La petite fixe Gary qui sourit sans rien dire. Il a des joues bien rondes et un faible pour cette femme. Il en est fier. Ses épaules ou son cou se tendent vers tout ce qui tombe d'elle. Il tend vers elle. C'est gravitationnel. Lee libère ses tympans, se retourne pour ouvrir son havresac, sort son appareil, enclenche et cadre l'officier.

« … Je vais étudier la question ! dit-elle. Si ton portrait sort bien, j'dis pas. »

Gary siffle pour faire bonne figure. Lee pousse Ava sur le côté. C'est le moment de partir.

« *Gentlemen…* »

Elle salue. Ils sont nombreux à se lever pour elle.

L'officier supérieur a un temps de retard. Lee, Gary et elle sont déjà dans l'allée. Elle l'entend rire toute seule.

« Quel cabot ! J'aimerais pas me retrouver dans sa jeep.

— C'est un bon officier, objecte Gary.

— Tu parles. C'est un planqué. Il est quoi, ce gros con ? Major ? Colonel ? Il ne sort jamais de sa tente. Tu sais, comme la murène. Il guette ses proies, les petites infirmières, ses Marjolène, comme l'autre avec sa blouse étriquée. Il chope ce qui passe à portée et doit se traîner de ses trucs. Bah ! Je ne préfère pas savoir ! Pas pour moi, sans façons… Et puis, c'est pas avec lui que je ferai la une de *Life*. N'est-ce pas, mon gars ?

— Tu penses qu'à ça !

— Oui. Et tout le reste, on s'en fout », lâche-t-elle en faisant un large mouvement du bras pour montrer qu'elle est libre et que rien ne la retient.

Ava se rappelle à elle en se glissant plus près. Elle a peur, tente sa chance, la scrute et voit que Lee se reprend. Elle s'arrête et s'agenouille. Plante ses yeux dans les siens, ses mains sur ses épaules. Elle sent l'alcool. Elle a trop bu. Ses yeux sont injectés. Ils brillent malgré l'obscurité. Après cette envolée de sortie de table, ses phrases s'empâtent.

« Pas toi, ma petite chérie ! Pas toi. Toi, tu comptes beaucoup ! »

Ava la croit. Elle le sent. Plus fort que l'alcool qui lui donne de drôles d'airs. Elle cale son pas sur le sien. Elle sent sa main sur son épaule. Plus tard, elles marcheront ensemble. Comme du temps d'hier, celui de

Fela, Fela et sa patte folle. Elles rouleront dans une jeep, loin, loin d'ici et des hommes. Gary poursuit devant. Elles ne sont plus que toutes les deux.

« Voici le carré des femmes », dit Lee.

Une vingtaine de tentes. Leurs toiles forment un camaïeu de nuits. Ici dorment les infirmières, une femme médecin et des opératrices radiotélégraphistes, des sténos, des cantinières, mais aucune femme soldat. Il y a moins de projecteurs, moins de lumière et toutes les tentes sont fermées. Celle de Lee est la dernière.

Elle gratte une allumette, soulève le bec de la lampe à pétrole, réduit la mèche et l'enflamme.

« Entre ! »

La tente mesure trois pas de large et cinq ou six de long. Elle abrite une chaise, deux lits de camp disposés en équerre. Celui du fond est couvert de sacs à dos et de couvertures tenues serrées par des ceintures. Lee pose sa lampe sur un plateau soutenu par deux tréteaux. Son bureau. Dessus, une planche sur laquelle elle a punaisé ce qu'elle appelle des tirages. Ava se demande comment on peut posséder autant d'objets : lits, bocaux, sacs, crayons étalés sur son bureau, boîtes en carton empilées.

« C'est ma maison ! Une maison de toile, mais ici, j'ai tout ce qu'il faut. »

Sur le dessus d'un des lits, Ava remarque des photos éparpillées. Elle s'assied avec précaution, évalue la résistance du tissu, la solidité des pieds de bois croisés, se penche et découvre le travail de Lee. Des infirmières à l'œuvre. Une aviatrice en manteau de lapin blanc qui s'apprête à prendre les airs. La photo d'une autre femme au milieu des décombres, un fichu sur la tête. Elle est assise. Elle semble reprendre ses forces. On dirait qu'elle s'apprête à nettoyer la ville. Elle est sur son tas de ruines. Elle arrangera tout ça. Il y a aussi des photos de « belles de guerre », comme elle dit. Des Françaises qui posent aux terrasses des cafés dont les vitrines sont criblées d'impacts en toiles d'araignée. Des traces de balles plus ou moins perdues.

Le bal, c'est juste après. Ce sont des photos de danses et de chemises impeccables, de lampions de guingois, d'orchestres de vieux croulants. Lee les a prises dans une petite ville du nord de la France. Elle ne sait plus laquelle. Ava connaît la force de ces femmes. Elles sont tristes. C'est la même toile de fond pour tout le monde. Celle de la guerre. Mais elles vont se lancer, se relever, elles portent des bas tout neufs et la fête bat son plein.

Ava cherche la sienne, l'image qu'elle a prise d'elle, un peu plus tôt dans la jeep. Elle pourrait figurer à leurs côtés. Elle est vivante, comme ces femmes en photo. Elle a traversé les champs de morts, les voies ferrées, les forêts. Les morsures et les fouets. Elle voudrait prendre son temps, l'heure, figer l'instant, sourire, comme cette belle en terrasse. Lee reprend son paquet de photos.

« Plus tard. Pas maintenant, c'est pas l'heure… », dit-elle en regardant sa montre.

Ava laisse faire. Au camp, les femmes parlaient tout

le temps du monde autour, de la ville, de la ferme, des autres femmes, de la guerre, des champs lointains, de ce qu'Ava avait vu rapidement, quand le train filait ou dans la jeep de Gary. La nuit, le jour. Il n'y avait jamais assez d'heures. Alors on se dépêchait tout le temps de se raconter des souvenirs, de décrire des paysages, des passages, des détails, d'infimes traces. Pas ici. Pas dans ce camp-là. Ils sont riches. Ils ont du temps, de la viande et des tasses en émail, des montres comme celle qu'elle porte au poignet droit, une malle plate en fer avec les initiales *L.M.* gravées sous la serrure, *L.M.* sur le carnet posé sur son bureau. *L.M.* brodé au coin des draps de fil de lin.

Ava caresse les draps, qui sentent bon la laine et le lin. Elle cache ses chaussures sous le lit et se glisse dans les draps. Doux. Lisses. Elle s'y coule tout entière. Le confort du lit de camp soulage ses côtes, ses coudes et ses épaules bien trop fines pour son âge. Lee lui caresse la nuque, le dos, remonte lentement avec ses doigts sur sa colonne. Ava cale ses mains sous l'oreiller dont la pointe descend bas contre sa poitrine. La toile tendue sous elle fait résonner les battements de son cœur. Un rythme calme, régulier, qui lui rappelle des bruits de pas, comme ceux de la longue marche, à travers bois, à travers champs. Sa mère lui avait raconté qu'il y avait des pays de plaines vertes, de champs hauts, où le ciel ne fume plus, où la terre ne brume plus, mais couve et fonde, germine et emblave comme ce lit qui la requinque ce soir. Sa mère lui avait dit qu'il y poussait des champs entiers de fleurs rouges, avec des pistils noirs. Ava ferme les yeux et plonge dans des étendues de coquelicots géants, de fleurs grosses comme la vie, aussi hautes qu'elle. Ava dort. Elle a lâché sa besace.

34

Magda passe devant la salle radio. L'opérateur tend l'oreille, à l'affût du moindre écho de vie là-haut. Son variateur en main, il fait osciller le curseur d'une fréquence à l'autre. Elles sont brouillées par les Anglais. Il s'accroche à la moindre vibration. Il s'obstine et lutte contre ces illusions, ces hallucinations dont ils sont tous victimes ici, dans ces abysses de cimetière, où le temps colle aux tempes et rend fou. Elle devine que ça mord. Il a pêché un bruit. Un frémissement, suivi d'un autre, une série de sons qui ressemblent à des notes.

Il ôte son casque pour s'assurer qu'il n'y avait pas de bruit alentour. Rien. La salue. Le rajuste. Et retourne à ses ondes. Il reconnaît ces bruits. Elle se rapproche. Elle les entend aussi. Distinctement. Le radio et la grande dame reconnaissent ce tempo suave et mélancolique. Une chanson. Quelques notes d'accordéon. Pas longtemps. Le petit miracle s'échappe, emportant avec lui Lili Marlene et sa ballade, ses notes rembarrées dans un brouillard d'interférences, dans ce bunker aux angles grouillants de scolopendres et de pholques. Misch arrache son casque et râle contre les Yankees et les Soviets qui lui ont volé sa nostalgie.

Il ne capte plus que le vacarme des gosses qui courent derrière le chiot Wolfie en riant de bon cœur. Si seulement ils pouvaient faire moins de bruit !

« Ça suffit ! » grogne-t-il, d'une voix faussée par ces semaines de messes basses de rigueur.

Magda pardonne d'emblée.

« Je vous comprends », dit-elle, sans interrompre le jeu des gosses qui passent devant eux en coursant le chiot de feu Blondi. « Mais ils s'ennuient. Vous avez une mission. Pas eux. Il faut bien qu'ils s'occupent. Ne faites pas attention ! »

Elle s'en va, laissant à Misch le soin de ravaler fissa ses pensées dissidentes.

Adolf ajuste sa veste devenue trop ample. Son pantalon noir d'uniforme tient haut sous sa ceinture percée d'un nouveau cran. Son dos convulse malgré l'injection que vient de lui faire Stumpfegger. Il n'a même plus la force de faire semblant. Tout en lui chute. Magda le suit. Eva, sa femme, l'attend dans le réduit qui fait office de salon. Elle est pimpante, coiffée. Des pâtisseries de boucles blondes qu'elle s'est faites pour lui. Elle est reposée. Alerte. Lui est si bas qu'il tolère cette poudre ambrée dont elle s'est fardé les joues, ce rouge à lèvres carmin qui fait plus femme. Magda la compliment.

Il n'y a pas de discours. Juste une poignée de main, fade, glissante. Eva tient son rôle de première dame d'un jour, en robe bleue cintrée à la taille. Elle a fait disposer un maigre bouquet de roses rouges dans un vase disproportionné. Les tiges cognent aux bords, et s'étalent de leur mieux dans un coin. Les uns après les autres, les généraux, aides de camp, gardes du corps, s'avancent dans l'ordre protocolaire. C'est la dernière convocation de celui pour lequel ils ont juré de se donner jusqu'à la mort. Ils sont soulagés. Adolf a l'œil éteint et sent la pharmacie. Il s'incline avec la souplesse d'un grabataire viennois, sans dévoiler sa nuque, comme d'habitude. Magda lui frôle la joue. Elle est froide, désaffectée et creusée de sillons étiques. La grande gigue de première dame se décale pour fourrer sa main dans la sienne.

Magda a pour elle un mépris souverain, parfaitement détaché de tout le bien qu'il lui arrive de faire, de ses petites bontés, de ses finesses morales. Elle snobe en gros tout de cette gourde de studio, danseuse de chambre à coucher, première dame de personne. La « Petacci » avait du chien, elle ! Eva sonne creux, mais elle est la seule à rester avec lui quand tous les autres sortent.

« Il est quinze heures et dix minutes », pointe l'aide de camp qui se tient devant la porte du Maître. Les autres sont tassés dans le couloir. Ils attendent le suicide. La dernière balle. Le coup de feu qui sifflera la fin de cette partie perdue depuis des mois.

Quinze. Dix. C'était l'adresse de Magda quand elle vivait sur la Hohenzollernstrasse. 1510, Hohenzollernstrasse. Joseph fixe un point de rouille au mur, tend ses mains, compte ses doigts, les rempoche et sifflote.

Les ventilos brassent. Les enfants se sont tus. Des gouttes d'eau claquent dans le vide. L'aide de camp ne cille pas, la main sur son poignet, le cadran sous ses yeux. Son *Volk* voudra savoir. Il faut être précis. Les autres, les membres du dernier cercle, commencent à trouver le temps long. Magda n'éprouve rien. Elle est aussi émue que dans une queue devant des chiottes publiques. Ils sont une dizaine, massés près de cette porte.

« Quinze heures seize », murmure l'aide de camp.

« Qu'est-ce qu'ils foutent ? » se demande-t-elle.

Le talon de Magda dérape et fait grincer le béton. L'aide de camp lâche un instant son cadran. Magda hausse les épaules. Elle n'a rien entendu. Joseph non plus. Impatient, il bouscule l'aide de camp pour frapper à la porte. Pas de réponse. Le boiteux force la porte. Le salon sent la poudre. Il sent un peu l'amande amère, aussi. L'odeur de l'acide prussique.

Le Maître est affalé dans le canapé. Sa tête est retombée sur l'épaule de sa femme. Ses mains sont agitées d'infimes soubresauts, comme s'il vivait encore. À ses pieds gît son Walther 7,65 que le gauleiter ramasse, oriente. Il vise la tempe et tire.

« C'est mieux comme ça ! » dit-il en se tournant vers Magda, avec un sourire crispé, sans lâcher l'arme.

Magda frissonne. Elle n'a plus de rempart. Il pourrait actionner la détente. Il n'a plus besoin d'elle. Mais il finit par se débarrasser de l'arme.

Elle observe le mur derrière le canapé. Il est taché de rouge et de morceaux de cervelle. Ils dégoulinent lentement. Le crâne d'Adolf est comme une souche ouverte sur un amas gluant. Maintenant, Joseph est le chef.

L'aide de camp le salue, comme tous les officiers.

Magda observe ces corps. Elle n'éprouve ni tristesse ni soulagement. Elle prend seulement conscience que sa fin est à portée de main. Elle finira comme eux. Bientôt. Elle est jalouse d'Eva. Comme d'Adolf. C'est fini. Cet homme ne tremblera plus, désormais. Plus personne ne viendra le menacer, lui faire peur, lui faire de mal, lui dire qu'il a tort, qu'il a dû se tromper, qu'il n'a pas de talent, que son père avait peut-être raison quand il le traitait de raté, de zéro, de pédé, de pulmonaire, d'artiste bon à finir dans un camp de Tziganes et de dégénérés, d'impuissant, à coups de pompe et de taloches, que c'est grâce à elles, à cause des jeunes filles d'Ypres, qu'on l'a fait grimper sur des estrades pour que les autres soldats sachent ce que cela coûte d'être syphilitique ; on ne se moquera plus de lui parce qu'il a eu peur des filles, des putes d'Ypres et d'ailleurs, de la chaleur des chattes, des seins, de la faim, de la guerre qui se trame contre lui, de la foule, des inconnus, de l'inconnu, du jour, des insomnies, des microbes qui agaçaient sa bile, de ses nausées, de ses souvenirs. Il n'a plus peur, maintenant. On ne lui fera plus de mal.

Autour, tout va très vite.

Des soldats s'activent. Les jerricans volent de main en main. Le bunker pue l'essence. Ses couloirs, ses murs, son sol, la laine des tapis disposés pour absorber l'humidité sont gavés de cette odeur. L'huile des tableaux accrochés, le bois luisant des faux planchers, chaque anfractuosité de bois, de laine ou de béton abrite cette puanteur prégnante : l'essence du feu purificateur. Les soldats sont rapides. Le temps presse. Ils sont tous remontés, à l'entrée du bunker.

Günsche, l'aide de camp, fait une boule de papier journal qu'il écrase autour d'un bâton, l'enveloppe d'un torchon, le noue serré et l'imbibe d'essence. Des soldats ont jeté les deux cadavres, mari et femme, dans le même trou que la chienne Blondi. L'aide de camp sort du bunker, s'approche de la fosse encore noire du brasier de la veille et enflamme sa torche. Les deux dépouilles sont allongées au fond, épaule contre épaule, face contre terre pour éviter de flancher. Hitler est voûté comme une carpe. Ses paumes luisent vers le ciel, les doigts renflés, ses articulations rendues torves par la morphine et le reste. Une goutte d'essence coule sur sa ligne de vie, bute sur un bourrelet minuscule, et s'y loge. Ses pieds sont rentrés en dedans, les talons de ses bottes dessinent un *V*. Sa veste est détrempée et les cheveux sur sa nuque forment un épi, un puits évasé par tous les litres d'es-

289

sence que les soldats ont versés. Son morceau de face arrachée repose sur les cendres d'une terre qui vient d'être brûlée. Eva Braun a les jambes croisées. Ses bras sont nus et ses nouvelles boucles s'éparpillent en guirlandes tristes tout autour de son crâne. Sa tête est tournée sur le côté et laisse paraître une bouche entrouverte, des lèvres avachies pressées par un sol grumeleux. Sa robe devenue transparente colle à ses jambes. Günsche frotte le sol à ses pieds, évite une flaque. La torche lui brûle les mains. Il la jette. Les flammes s'élèvent à plus de dix mètres de hauteur et chauffent jusqu'à l'entrée du bunker.

Magda envie ce brasier, cet instant suspendu où tous les hommes se taisent. Cette cruche a réussi sa sortie.

Sans prévenir, un soldat la tire en arrière pour la mettre à l'abri. Elle a le visage couvert de suie, comme un masque tragique, des émanations de lui, d'eux, une décomposition chimique de l'air, de l'essence et des chairs. Le soldat insiste pour qu'elle descende. Ils vont se faire repérer.

À l'abri ? Magda n'a plus d'abri et entend le cliquetis du nouveau Führer qui descend l'escalier.

Pourvu que les pourparlers échouent, pense-t-elle.

35

Ava se sent mal dans ce lit. Il tangue pire qu'un wagon. Sa structure oscille et craque au moindre mouvement. Un sommeil en équilibre instable. La fillette préfère le sol dur. Elle y est habituée. Elle se glisse hors du lit. Tire la couverture, l'enroule autour d'elle et s'allonge. Et tant pis si ça lui tasse le dos, si sa cage thoracique s'enfonce et comprime ses poumons, ses reins, les muscles de ses bras. Tant pis si elle sent que son épaule se déboîte, que son cou s'affaisse. Elle s'endort.

Lee lui tourne le dos. Elle n'a rien vu parce qu'elle est dans sa bulle, à l'œuvre. Elle a fait de la place sur son bureau. Elle a posé à terre sa machine à écrire, une Hermès Baby vert jade qu'elle trimballe depuis New York. Celle des *war corr*, comme ils disent : les correspondants de guerre. Elle a rassemblé ses crayons dans un pot en face d'elle. Mines en l'air, bien taillées. Le plateau de son bureau est fait d'un bois épais. Il sonne plein quand elle y pose ses coudes. Le trésor de la petite est devant elle, comme en attente d'être disséqué. Elle est curieuse, Lee, déformation professionnelle. Nature profonde. Quand on lui dit de ne pas aller, elle va, de ne pas dire, elle dit, de ne pas faire, elle fait, de ne pas chercher, elle cherche, ment, charme, triche, prêche, presse sans relâche… jusqu'à ce qu'elle trouve. Elle veut la une. Sa une. Elle veut qu'on parle d'elle, qu'on la lise pour comprendre, qu'on publie ses photos pour sentir, parce qu'elle, au moins, elle y est allée, elle est allée chercher l'information, la réalité sans boniment, sans bouche-trou ni rustine. Elle la mérite, cette une, parce qu'elle ira toujours aux limites, aux confins du possible pour rapporter des réponses.

Cette besace de coton sale, Ava ne l'a pas lâchée. Elle l'a roulée sous elle dans la jeep. Elle l'a enfouie sous la table au mess des officiers. Elle l'a cachée dans son dos quand elle est entrée sous la tente, assez maladroitement, parce qu'elle est aussi grosse qu'elle.

Lee écarte la sangle, défait la boucle en laiton qui cliquette, soulève le rabat, sort un rouleau de cuir et fouille encore. Sa main tâte le fond, le retourne et balaie les rares miettes tombées sur son bureau.

Le rouleau est recouvert d'un morceau de cuir brun, épais, spongieux. Une croûte qui s'offre au premier nez. La sueur. Le feu. Les sous-bois. Rien qu'en fermant les yeux, Lee aurait pu traverser des mondes, des épisodes encapsulés dans les pores de cette peau exhalant le charbon, l'humus, la bile amère.

C'est plus fort qu'elle. Lee sent les objets. Tous. Les

papiers, le kraft imbibé de soude, le bristol composé de colle. Le carton pue l'ammoniaque. Elle distingue les relents alcalins ou terreux des métaux, précieux ou oxydés ; l'odeur de l'argent plus ronde, et celle de l'or, pointue. Le pin blond qui lui rappelle la saveur du miel ; le chêne, plutôt la terre d'hiver ; l'olivier, si compact, imperméable, garde prisonnières des notes de poivre et de curry. Dans sa Californie natale, l'air est chargé d'épices de pins et de genévriers.

Elle effleure le rouleau, saisit le lacet qui l'enserre et le dénoue. Il révèle des dizaines de feuillets, des lettres, des dessins, des notes griffonnées çà et là. Elle jette un coup d'œil à la petite qui dort, au pied du lit. Elle devine aux dessins entraperçus qu'on y décrit les camps. Elle a vu des représentations de ces grilles, des uniformes rayés, des fusils et des chiens. Elle devine que cette nuit sera longue.

Lee tend le bras. Du bout des doigts, elle fait pression sur le bouchon de liège planté dans la bouteille qu'elle tient toujours à portée de main quand elle travaille tard le soir, tous les soirs. C'est le bourbon de rigueur. Lee sait s'y prendre avec cet alcool d'homme. Elle boit comme les soldats. Elle plonge, s'embourbe, se brûle au malt et à la tourbe pour patiner ses nuits. Elle a laissé le champagne et sa vie de modèle courtisé loin derrière, avec les soirées chez Condé Nast à L.A., la villa des Dupont à Malibu, l'immense toit-terrasse des Rockefeller sur Madison à New York, avec leur jardin suspendu et leur noria de chats birmans et le *catman* dédié. Lee buvait sec pour *Vogue*, entre deux poses, une coupe, une séance d'essayage, une autre coupe. Lee buvait pour un bel homme de passage, pour un beau gars du coin, pour tout ce qui lui plaisait.

Le bombardement d'une base de Hawaï a caviardé son rêve. Dans les soirées, on ne parlait plus que de ça, de l'après, de l'armement, des dons, du jour J, des volontaires. En studio, les photographes minaudaient, se plaignant de rester là, enfermés sous ces forêts de lumières artificielles, ces chichis de pacotille, bâclaient les prises de vues, gueulaient sur les mannequins comme si c'était leur faute. Les couturiers perdaient la main, les robes gagnaient des tailles, en large, en long, s'élargissaient, s'allongeaient, par incidence d'ennui. Des femmes jouaient les Cassandre et préparaient le deuil. La mode était noire, ample, longue. Lee s'emmerdait, jusqu'à ce qu'elle passe la rampe. Elle s'était mis en tête qu'elle méritait mieux que ça, chair à studios, beauté posée. Elle fréquenta les seconds couteaux : les assistants. Elle voulait tout savoir sur les optiques, les bi-objectifs Rolleiflex, les boîtiers Hasselblad, sur la lumière, le diaph', les pellicules et les tirages. Elle apprit vite. Plus de raison de traîner. Lee avait vingt-huit ans, une guerre à couvrir, un train à prendre, un sac plein d'appareils, une formation et un paquetage dans un casier de Camp Maxey, près de Paris, au Texas. Dans son premier télex aux rédactions de *Life* et de *Vogue*, la fille au corps de rêve annonçait qu'elle partait et signa «Lee Meyer, *war corr*».

Ce soir, la correspondante de guerre prend du retard. Son programme ne tient plus. Elle avait prévu de rédiger un papier sur la grange. Elle avait disposé sa Hermès Baby, vérifié le ruban d'encre. Son programme a changé.

Il est dix heures passées. Le camp est en latence. Lee se verse une rasade de bourbon. La liqueur achoppe aux bords d'émail, coule en épaisses traînées de contrastes cuivrés, répand son odeur de maïs et de fruits confits. Elle pense tenir de bonnes photos de la petite, sur la jeep, au cimetière. Elle tient une histoire, mais pas le début. Peut-être que ces lettres vont l'aider. Qu'elles vont lui dévoiler le secret de cette gosse, de sa naissance, de sa vie dans les camps. Lee pourrait faire comme d'autres. Inventer. Forger un périple insensé à coups de clavier et de signes, bourrer de caractère, combler le lecteur du Midwest qui demande son content d'aventures et de péripéties. Elle a de quoi faire. Elle en a plein la mémoire, des anecdotes, des bouts d'histoire, des débris de drames portés, traduits, gravés sur les visages des survivants croisés. Pas son genre. Pas elle. Elle veut un prix, pas des sifflets de soldats en rut. Un label, une patente. Lee Meyer, *war corr.*

La première lettre est en allemand. Par chance, depuis qu'elle suit le 102e, elle a acquis des rudiments de cette langue, un dictionnaire réchappé d'une école incendiée, près de Torgau. Elle peut se lancer, débroussailler le tout. Demain, elle demandera de l'aide.

Les premières pages sont longues, pleines de mots qui se défilent. Mais elle pressent l'appel d'un père, devine que ces voyelles couchées expriment une souffrance. Des mots reviennent. Souvent. Lee glisse sur les zones d'ombre, les phrases obscures avec leurs verbes relégués et leurs agrégations. Mais elle se fait au reste. Petit à petit, des images apparaissent. Elle devine la vie de camp et la souffrance d'un homme, les détenus, les blocks, les travaux de forçat, et dans ses lettres qui rapetissent, ses voyelles qui s'amenuisent jusqu'à ne plus former qu'un point, le cri final d'un père à sa fille silencieuse. Puis les lettres se poursuivent, changent d'auteur, comme un témoin passé de l'un à l'autre. Une mémoire prolongée.

Mais qui est cette Magda, cette femme puissante, cette Allemande au bras long ? Les dessinateurs de la presse anglo-saxonne ont croqué sans égards les plus grandes figures de cette clique. Un peintre raté. Un éleveur de poulets en faillite. Un éclopé en mal de reconnaissance. Et une première dame pondeuse. Pleine d'enfants. Femme du nabot boiteux. Est-ce vraiment d'elle qu'il s'agit ?

Il est quatre heures du matin quand Lee relace la couverture en cuir. Elle n'a pas écrit une ligne. Pour la première fois de sa carrière, elle ne sera pas en mesure de livrer sa copie. Mais cela n'a plus d'importance.

Elle se relève. S'étire. Ses bras soulèvent la toile fine de sa tente. Elle joint les coudes en l'air pour se délier le dos. Son père avait raison de lui dire de se tenir droite. Elle a poussé d'un coup. Trop vite. Depuis combien de temps ne lui a-t-elle pas écrit ?

Elle entend un froissement, un gémissement.

« Tu ne dors pas ? »

Ava fait non de la tête.

« Il est trop tôt. Tu dois te rendormir. »

La petite se pointe près de son bureau. Regarde son sac ouvert.

« Ce sont des lettres très importantes. Tu as connu Richard Friedländer ? »

La petite hausse les épaules. Elle a connu beaucoup d'hommes. Elle en a vu des tas au block pour emporter sa mère. Ils avaient des grades, des mots durs et parfois même des petits cadeaux pour elle, mais jamais de nom.

Lee remballe sa question. Absurde. Elle est tellement jeune.

36

Je m'appelle Luis Aze, je suis Allemand. Je suis né le 8 août 1910 à Berlin. J'ai une femme, Linda, et deux enfants, Georg et Cosme, que j'espère revoir bientôt. J'ai été formé au poste de secrétaire par mon prédécesseur, Yehudi Katz, pendu hier pour un accent mal corrigé. À ce poste, je suis mieux nourri que les autres, je ne m'épuise pas dans des travaux de force et j'ai accès à la bibliothèque. Ma vie tient à un dictionnaire. Je les ai suppliés d'en acheter un. Je ne voudrais pas finir comme Katz. Je suis instituteur.

Je m'appelle Jan Steinberg. J'ai trouvé ce tas de lettres enterré près des baraquements des gardiens. En entretenant les massifs de fleurs, je découvre souvent des mots, comme ça, tombés des poches ou enterrés je ne sais pas comment. La terre que je travaille est morte, humiliée par les cendres et le sang des hommes. C'est la terre des damnés et ces roses que les SS y font pousser sont comme eux. Elles puent la mort.

Je m'appelle Léo Wittgenstein. Je suis français. J'étais tailleur à Paris avant de débarquer ici. Hier, j'ai pu dénicher une pièce de cuir et de la ficelle. J'en ai fait un cahier pour ces lettres. Je suis né à Rouen, le 6 avril 1904. Ils m'ont raflé en 1943 parce qu'il était six heures du soir. Je n'avais plus le droit d'être dehors. Je suis magasinier. Je classe les vêtements des nouveaux arrivants. Nous vidons toutes les poches et dégrafons les doublures. Les soldats récupèrent tout. Avec ce qu'on trouve, ils vont être très riches…

Je m'appelle Éliès Artary. Je suis né le 21 février 1882 tout près d'ici, à Saalfeld. Mon ami Léo Wittgenstein m'a fait promettre de reprendre le fil de cette histoire, ces récits. J'ai eu de la chance. J'ai eu le temps de le récupérer sous une pierre près de notre block quand nous avons dû déguerpir vers le camp de Dora. Ce nouveau camp de travail est un cimetière, une mine que nous creusons sans fin. Mes mains sont des enclumes. Je n'ai plus d'ongles aux doigts…

Je m'appelle Hanz Feldman. Je suis né le 15 décembre 1893, à Bzeg, en Silésie. Ma mission, c'est d'assembler des rails dans les couloirs…

Je m'appelle Gregory Szpiner, je suis né en Belgique il y a seize ans. Je suis si las…

Je m'appelle Valery Munz, je suis né en Belgique, moi aussi, comme Gregory…

Je m'appelle Olga Munz, j'étais la femme de Valery…
Je m'appelle Leonie Kiffer, je suis née…
Je m'appelle Adam Pollock, je…
Je m'appelle Helga…
Je m'appelle…
Je…

Judah est mort hier. Il a été tué par ce fumier d'Allemand. Nous avons pu lui échapper, ma fille et moi. Le fermier n'est pas mort. Il repose dans son lit avec sa femme-esclave. Nous nous orientons à l'oreille, de notre mieux, Ava et moi. Je ne sais pas où nous allons. J'ai mal. Je ne sais pas si je vais tenir. Ma fille a un courage immense. Nous porterons ces lettres jusqu'à toi, Magda Goebbels, fille de Friedländer. Nous te tuerons de nos morts.

37

Magda noue ses mèches, tresse, coiffe, lisse et décoiffe, puis se reprend pour faire une natte qu'elle assemble patiemment, boucle après boucle, bien serrées, remarque des cheveux blancs dans sa glace et s'ébouriffe encore pour les noyer dans le blond. Elle tient à sa blondeur façon Lorelei à coups d'oxydes et de crèmes platine. Sur la brosse, elle découvre d'autres cheveux blancs, de pleines touffes, sur les tempes, aux pattes, derrière la nuque. Magda renonce aux tresses, aux nattes, pour un chapeau. Elle portera une petite cloche en feutre. Un chapeau pour cette taupinière. Elle tend le bras vers son panier qui déborde de fichus, d'étoles et de cache-nez, tombe sur un feutre mou verdâtre, l'enfonce sur son crâne et se ravise. Ridicule avec cette cloche sous terre. Pourquoi pas une ombrelle !

Magda range sa brosse, son chapeau, claque son tiroir et se relève.

Les ennemis refusent tout compromis. Il va falloir

rester. Ses gosses cascadent dans l'escalier, rigolent sans retenue, font claquer leurs talons et aboyer le chiot. Leur insouciance l'exaspère.

Elle bondit hors de sa chambre et les rappelle à l'ordre. Elle est si lasse. Qu'ont-ils fait de leurs bonnes manières ? Celles d'avant, celles du château de Lanke, avec leurs souliers brillants et leurs bouilles toujours nettes, leurs cheveux coiffés et leur joie sans débord, discrets, charmants, souriant bien poliment ? On ne les entendait pas, à Lanke. Magda ne les entendait jamais. Des enfants impeccables qu'elle croisait quelquefois, le soir, au coucher.

Elle leur en veut de saccager comme ça tout ce qu'elle a fait d'eux !

Ses enfants se figent, laissent passer Misch, le radio. Magda inspecte ses traits. Elle le renifle. Non. Pas de nouvelles. Pas de prisonniers en vue. Enfin. À quoi bon ? Les dés sont jetés. Quelle importance, maintenant ? L'autre est crevé, brûlé. Ses restes ont été enterrés aux quatre coins du jardin.

Magda s'apprête à retrouver sa chambre, mais elle devine une agitation. Les enfants s'échangent des coups de coude. Ils cherchent un volontaire. Un mouvement s'opère du côté de l'aînée.

Helga n'ose pas.

Hildegarde ? Elle refuse obstinément.

Holdine a reculé d'un pas et se cache derrière sa sœur aînée.

Hedwig fronce les sourcils.

Heidrun, peut-être ? Les grandes se tournent vers

la cadette. Heidrun est un bon choix. Elle a toujours gain de cause. La petite dernière cherche le chiot dans le couloir, impatiente de reprendre leur course. Ses sœurs insistent. Inutile. Heidrun se carapate.

Helmut... Il ne reste plus que lui. Il lève les épaules, tire sur ses bretelles pour réfléchir et accepte leur mission.

« Maman ! Maman ! » lance-t-il, pour voir si ça mord...

Magda a repris sa brosse.

« On est quel jour, maman ?

— Je ne sais pas, pourquoi ?

— On est en mai ! » annonce le garçon.

Les enfants convergent. Mais les aînées semblent dubitatives. Elles le trouvent trop frontal. Holdine suggère un repli stratégique, mais Helmut insiste. Il s'est pris au jeu. C'est lui le porte-parole du jour. Il ressemble tellement à son père.

« On pourrait fêter l'anniversaire de Hedda ? dit-il. Y a rien à faire et on s'ennuie. »

Magda rassemble ses cheveux.

« Hedda va avoir sept ans, poursuit-il. Tu dis toujours que c'est l'âge de raison. C'est important, l'anniversaire de son âge de raison !

— Quelle bonne idée ! » clame Magda qui se dit que son cher Helmut est bien un petit frère parfait, pétri de bienveillance !

Magda a chassé toute sa morosité. Misch peut bien la fixer avec cet air de noyé, incapable de comprendre ce qui l'anime au fond. Magda s'en moque. C'est son droit de grande dame. Si Misch n'est pas satisfait, qu'il sorte… Elle n'a pas besoin de lui. Hedda se colle à elle. Et les autres la rejoignent, en grappe, tous autour d'elle.

Misch s'efface et croise le docteur Stumpfegger, comme dans une mauvaise pièce où les dernières scènes s'enchaînent et dont tout le monde connaît la fin.

«Déjà?» s'étonne Magda. Il n'y a pas d'issue. Et ses enfants! Ses pauvres gosses!

Le docteur Stumpfegger est un soldat de la cause. Il est loyal. Fidèle. Fiable. Pour l'aider, il est suivi par un soldat qui porte à bout de bras un grand plateau d'argent, poli comme pour un jour de cérémonie. Magda compte six verres à pied en cristal de roche, et un pichet rempli d'un jus qui ressemble à de l'orange. Le docteur cherche dans les yeux de Magda des circonstances atténuantes. Les enfants se ruent vers l'homme au jus de fruit et menacent de tout faire tomber.

Le soldat se rattrape. Son plateau brille comme une lame. Magda regarde les visages de fête de ses enfants. Elle les trouve beaux. Ils ne savent pas ce qui les attend. Ils ne le sauront jamais. Magda exerce sur eux son droit de mère. Absolu. Incontestable. Combien ont franchi ce pas dans l'Histoire? Combien de femmes ont osé avant elle? Pourvu que l'Histoire retienne son sacrifice. Qu'on ne parle d'elle que comme de la dernière grande dame. Et que personne, jamais, ne souille cette image-là! Elle voudrait que tout meure en surface. Qu'il ne reste plus rien. Plus de mémoire. Rien.

38

Lee n'a pas mis le nez dehors depuis des heures. Penchée au-dessus de son révélateur, elle poursuit le miracle. Sa série sur la grange sèche sur la corde à linge. Elle est correcte. Il manque la petite. Il lui faut une photo d'elle pour vendre sa *cover* à ce gros con de *Life*. Ça fait trois jours qu'il attend.

« Si j'ai rien, j'te rapatrie d'urgence », menaçait-il, la veille. Lee est traitée comme les autres correspondants de guerre. L'état de grâce est passé, elle fait partie du lot et l'ogre est affamé. Son lectorat se lasse des récits de villes prises, de l'avancée des troupes qui ne font que ça, avancer bravement. Il est si loin du terrain ! Il ne se rend pas compte des risques qu'ils prennent tous pour ramener LA bonne histoire. Il est avare d'encouragements et réserve ses bravos pour le prodige.

Depuis le début de la matinée, Lee ne sort que des photos d'une gamine quelconque, repliée sur elle-même, engoncée dans ses genoux, visage enfoui, endormi ou planqué. Il y en a bien une d'elle relevant un peu la tête, mais elle est floue ! Inexploitable. Pourtant, Lee se souvient d'un regard capté. Une plongée. Une photo prise près du cimetière. Sa mémoire la trompe rarement.

Gary risque une tête. Elle râle. Il s'en va. Elle poursuit.

Dans le fond de son bac, le solvant révèle un coin de cimetière. L'exposition se développe bien. En arrière-plan, elle reconnaît les croix, des tranches de ciel au couchant, la forêt, puis l'étoile de la jeep. La silhouette d'Ava se dessine. L'image est de plus en plus nette, comme son soulagement.

« Celle-là ! »

La petite a un regard thermobarique, du genre à faire le vide et réduire à l'insignifiance ce qui l'entoure. Ses yeux fixent l'objectif. Son visage est couvert d'une pellicule de suie.

Pendant que la photo sèche, Lee trousse une dizaine de lignes sur son projet, file au poste radio et insiste pour joindre Wiener à *Life*. À cette heure, les bureaux du magazine sont peut-être encore ouverts.

L'opérateur a pas mal de dépêches en souffrance sur sa machine, mais comme il l'a à la bonne, il fait vite. Installée sur un pliable de golfeur, Lee s'efforce de rendre son texte vendeur. Elle racole pour la bonne cause et ajoute quelques adverbes « outrageusement », « effroyablement », « rageusement ». D'habitude, elle évite ces mots de poudre aux yeux parce qu'ils sonnent faux et finissent tous par « -ment ». Elle les soumet à l'opérateur. Il dit que c'est très bon et l'envoie par télex. La réponse du bureau de New York ne se fait pas attendre. Comme elle le craignait, l'autre blasé lui demande de retourner dans le camp de concentration pour l'y photographier «en situation» comme il dit. Il veut plus de photos.

« T'as que ça ? »

Lee se garde l'histoire de Friedländer et de Magda. Elle a besoin de temps. Elle n'est pas sûre. Si c'est vrai, c'est un scoop. L'histoire fera du bruit. Si elle se trompe, c'est la fin de ses rêves de carrière.

« Oui. Rien d'autre.

— Un regard dans une jeep, ça ne suffit pas, tranche Wiener.

— OK. Je vois avec Handson », bluffe Lee, qui n'a pas appelé le rédacteur en chef de *Vogue* depuis au moins trois semaines.

Wiener s'adoucit. Il argumente. Rappelle les règles du métier. Il faut plus de photos. Il faut montrer ce camp, mais il est trop tard. Elle n'a pas la photo dont il rêve. Le camp est loin. Et elle refuse de faire comme tant d'autres, de se fourvoyer dans des reconstitutions bidon, de faire des compléments de «shooting» *in situ*, tout ça pour faire plus vrai.

« On ne se baigne jamais deux fois dans le même fleuve. »

Le radio la regarde, incrédule.

Le rédacteur en chef de *Life* laisse un blanc. Il y a de la friture sur la ligne.

« C'est quoi ces conneries, Lee ? »

Elle refuse de mettre en scène. Elle n'a pas traversé l'Atlantique pour ramener de la pose.

Wiener lui commande deux pages pleines et trente mille signes. Un enfant, c'est vendeur. Toutefois, il se réserve pour la *cover*. Lee accepte.

« La photo est si bonne que ça ? demande Wiener.

— Oui !

— Comment dis-tu qu'elle s'appelle ?

— Stanislava, mais on l'appelle Ava.

— OK, j'ai bien compris, mon chou, mais son nom de famille, c'est quoi ?

— Je cherche. Pour l'instant, y en a pas.

— L'enfant sans nom ? lâche-t-il.

— Trop facile !

— T'as raison. Et cette histoire de lettres ? Ça donne quoi ? » Wiener touche dans le mille.

« Je creuse.

— Elle n'est pas là, ta *story*, ma belle ? »

Quand Lee regagne sa tente, elle a remis son compte en banque à flot. Neuf cent cinquante dollars. Une jolie somme après des semaines de vaches maigres. Elle vient surtout de se faire assez de fric pour poursuivre son enquête.

Elle rassemble ses notes. Elle dispose d'une vingtaine de feuillets. Beaucoup de traductions, quelques informations glanées parmi les rescapés de la grange et les civils à Mieste. Restent les premières lettres de Friedländer. Elle attend Sam, l'officier chargé des relations avec la population civile. Depuis deux jours, c'est lui qui l'aide pour décrypter ces lettres. Sam est un grand échalas qui cogne un peu partout son mètre quatre-vingt-dix. Il a poussé d'un coup. Il est patient et surtout très discret. Toujours le même ton de voix.

Il remarque tout de suite le tirage sur la tringle.

«Elle est parfaite ! dit-il.

— Tu trouves ?

— C'est la photo que tu me décrivais. Je suis heureux pour toi.»

Il est poli, un brin vicaire aussi... Pas vraiment son type d'homme. Lee préfère ceux qui la sifflent et la guignent, la matent à coups de formules, essayent, échouent, mais jouent franc jeu.

Lee et Sam se tassent devant le petit bureau et reprennent le déchiffrage.

Les lettres du père ont subi des avaries. Ce sont les plus anciennes. Certains passages sont criblés de spores germées, de tavelures. La touffeur des mois d'été a fait le bonheur des insectes papivores, des vrillettes, des blattes décérébrées, mais dévoreuses avides. L'humidité s'est immiscée dans leurs trames, délitant certains mots, confondant l'encre du recto avec celle du verso, créant une nouvelle langue aux phrases croisées, comme rayées ou reprises dans un sens, puis dans l'autre. Certains passages sont indéchiffrables. Fort heureusement, le vieil homme était prolixe, accroché à sa plume comme à un radeau d'infortune, acharné, coriace, souvent répétitif. Avec d'infinies précautions, Sam parvient à séparer deux papiers englués l'un à l'autre. Le texte est à peine entamé. Il risque une première traduction. Se reprend. Affine sa lecture et le dicte lentement. Friedländer parle de sa fille, Magda. D'autres mots répétés, dont la beauté tragique tient dans une simple clausule.

Toi qui es née bâtarde parce que ta mère avait honte.

Toi qui es née loin de moi parce qu'elle n'était pas sûre, confondant les semences, la mienne et celle de l'autre, celle de son employeur allemand, je te le dis, encore…

Tu as porté mon nom.

Tu portes aussi mon sang.

Quoi que tu fasses, quoi que tu dises, quels que soient tes amis, tes discours, tes postures et tes choix, tu es née de moi.

Tes organes, tes poumons, tes intestins, ton cerveau et ton cœur sont liés à moi, autant qu'à tous ceux que tu t'es mise à haïr.

Et cette disparition, ce monde que tu veux faire disparaître, c'est le nôtre et c'est le tien. Tu es le pire mensonge du siècle.

Ava est allée faire un tour avec Gary. Ils font des « excursions » en jeep dans le parking, slalomant entre les motos et les camions, et parfois poussent jusqu'aux limites du campement.

Quand ils reviennent, Lee s'escrime sur son clavier. Elle a bien avancé malgré les deux marteaux du *z* et du *t* qui se chevauchent sans cesse. Son article avance. Elle a déjà tapé trois mille signes. Ava passe devant la photo d'elle suspendue à la corde à linge. Elle ne la regarde pas. Elle s'allonge sur son lit. Elle s'y est habituée.

Gary reste à l'entrée. Il a hâte de reprendre la route, de quitter ce campement dans lequel il a l'impression de tourner en rond. Lee devine ses pensées. Elle pratique son *jeepmate* depuis des mois. La route les a liés. Les heures passées à regarder droit devant ont fait naître des sentiments forts. Mais elle sent bien que Gary gamberge. Il pense presque à voix haute. Trois jours qu'ils n'ont pas fait de jeep ensemble. Trois jours qu'il n'a pas pu rouler pour elle. Il est en manque, en mal de connivence. Il voudrait la faire rire, trouver le moyen de déclencher ses éclats joyeux, les ramasser ou les choper au vol, mais ce n'est pas le moment. Lee tape, frappe le clavier de sa machine vert drap-de-lit-d'hosto. Elle sait qu'il est toqué d'elle. Il est à cœur ouvert. Franc, comme elle les aime. Ce brave Gary.

« Tu m'excuseras, dit-elle, mais je…

— Ça avance, au moins ?

— Oui. Si tout se passe comme je le crois, on va bientôt repartir.

— Vrai ?

— Remplis les jerricans.

— Vrai ?

— Gary…, tacle-t-elle en montrant la feuille embobinée dans le cylindre de sa machine.

— OK, je te laisse ! Je te laisse ! » dit-il, trop heureux de savoir qu'ils vont se relancer.

Elle peut compter sur lui. Gary est un chic type,

mais l'homme qu'il est laisse ses capteurs en rade, ni la vue, ni le toucher, ni l'esprit ou la peur de manquer, l'envie d'être prise ou le besoin de sentir, pas d'alarme. Rien. RAS.

La seule chose qui l'anime est tapie dans ces lettres. Elle veut savoir. Elle va bientôt savoir…

« Bon. Où en étions-nous ?

— À Judah dans la grange, dit Sam.

— Euh…

— *Certains pans de murs étaient couverts de marques, de griffures, de striures, de traces de résistance. D'autres étaient vierges à l'intérieur. Il n'y avait pas…*

— Ah oui ! fait-elle, puis reprend la frappe.

— *C'était comme si une partie des otages n'avaient rien fait pour tenter de s'en sortir. Comme si certains d'entre eux n'avaient pas tenté de fuir. Très peu ont tenté de fuir. Très peu concevaient qu'ils pouvaient s'en sortir.* »

39

«Qui veut une orangeade? lance le docteur Stumpfegger.

— Moi, moi!» répondent les enfants avec des égosillements de mouettes. «Moi! Moi! Moi!» Ils migrent vers le plateau qui lance une drôle de fête.

«Doucement, les enfants», tempère Magda, de peur que le jus se renverse, que le soldat se fasse déborder, que le stock de poison disponible ne permette pas une seconde tentative. Elle recompte les six verres et se proclame seule apte à servir. Le pichet contient une orangeade fraîchement pressée avec un zeste de pamplemousse.

Sur ce plateau rectangulaire aux poignées ouvragées, il n'y a pas de verre pour elle. Pas de vin. Pas de champagne. Pas de bougies non plus. Ni de gâteau ou de prénom en pâte d'amande. La cuisinière a roulé son tablier, rengainé son insigne et foutu le camp la veille. Magda n'a jamais été douée pour les génoises, les enrobés, pour aucune pâtisserie. Derrière le pichet, elle remarque un sucrier plein de morceaux de chocolat. Du chocolat vitaminé, celui de feu oncle Adolf. L'une des spécialités de Morell. Theodor Morell, surnommé «docteur crâne d'œuf pourri» avec son goitre, son grand front boursouflé et ses relents fétides.

«Cette ordure de Morell», pense-t-elle, qui lui prescrivit du sel de lithium et des œufs quand elle avait perdu l'appétit, l'hiver de Stalingrad. Ses mains s'étaient mises à trembler. Quand elle eut des vertiges, elle renonça aux prescriptions du médecin. Pas Adolf. Pas le Maître. Il avait payé le prix fort, à force de cocktails improbables de bromure de potassium, de noix vomique, d'atropine, de barbital sodique, de tartrate d'oxédrine, de prophénazone et de belladone, de dihydrocodéine, d'amphétamines et de barbituriques. Il était mort, maintenant, et son corps en brûlant avait dégagé l'odeur infecte de ces mélanges.

«Pas le chocolat! dit-elle au soldat.

— Mais, maman, c'est pour la fête. Il faut bien des bonbons ou un peu de chocolat!»

Magda sent leur odeur sucrée, parfumée de griottes. Elle hésite. Et accepte.

«Merci, merci, t'es la meilleure des mamans, la meilleure mère du monde! clament les six mouettes rassemblées.

— Moi. Moi. Moi.»

Magda affiche son sourire d'anniversaire. Le docteur Stumpfegger fuit son regard. Le soldat esquive leurs regards. Les enfants sont à leur fête. Les adultes s'évitent. Magda est consciente de ce qui se joue.

« Maman ?

— Oui ?

— Le chocolat, tu le gardes pour toi ?

— Non, non, bien sûr ! Mais pas ici. »

Les enfants suivent le plateau jusqu'à leur chambre. Les six lits sont faits. Leurs valises sont assemblées, posées à leurs pieds. Helmut grimpe sur le sien, au-dessus de celui de Hedwig. Un morceau de chocolat en main, il s'amuse à balancer ses jambes dans le vide.

Hedda s'est assise près de l'aînée, Helga. Le plateau fait le tour. Chacun a droit à deux morceaux et un verre de jus épais.

Le jus est âpre, aigret, un peu salé, même, comme si quelqu'un y avait ajouté du bicarbonate. La grimace de Helmut n'échappe pas au docteur Stumpfegger.

« C'est quoi cette tête, Helmut ? Il n'est pas bon, mon jus ?

— Il a un goût bizarre.

— Moi, j'le trouve pas mauvais », intervient Hedda, dont le palais a la subtilité d'une grotte préhistorique. La petite dont on célèbre l'anniversaire se gave de tout, sans jamais y regarder tant que cela remplit sa bouche. Du poisson comme du lard. Des viandes à toutes les sauces. Des fruits confits ou décatis, des légumes hors saison, sans manière d'assaisonnement, tant qu'elle avale de la matière, du liquide, quelque chose. À l'approche de ses sept ans, cette gosse a des prédispositions pour la goinfrerie.

«Non, pas mauvais», confirme son frère.

Pour eux, c'est le début.

*

Life a refusé. *Vogue* aussi. Son article ne passe pas. Sûrement un problème avec les ciseaux de l'OOC, l'Office of Censorship. La censure a dû tiquer. Ces paranos de l'OOC ont tout bloqué. Le colonel n'a pas la réponse. Lee ne renonce pas et remonte sans tarder au général Nuisance. Depuis qu'elle a embarqué avec ses troupes, c'est lui qui relit ses articles. Il est le premier filtre. Inflexible, rapide. Ses jugements sont sans appel. Il est râleur aussi. Chaque fois qu'elle s'est pointée devant lui, il lui a fait comprendre qu'elle était tolérée, juste tolérée. Il lui fait payer cher le fait qu'on la lui ait imposée. Sa machine à écrire et son papier sont peut-être fournis par les amis de Patton, mais pour l'essence, et la bouffe, le couchage et l'usage du poste radio, tout est à sa charge, payable comptant. Il n'est pas homme à lui faire des cadeaux.

Sobre, calme, les cheveux rangés sous sa casquette US, Lee tient ses hanches bien droites et ses bras le long du corps. Nuisance ne lève pas le menton. Il a les mains collées à plat sur ses dossiers et accepte qu'elle s'avance en rappelant ses conditions :

«Deux minutes !»

Sans la regarder, il la laisse présenter la situation,

316

la censure, l'histoire de la petite, les lettres des détenus. Il joue avec la mine de son crayon. Du bout des
ongles, il en teste la pointe dans un bruit sec, qui se
répète, nerveusement. Puis la coupe en levant les
yeux. Cela ne fait pas encore une minute. Lee se tait,
elle a remarqué son air. Il semble embarrassé, dit qu'il
connaît le problème. On vient de lui en faire part,
juste avant qu'elle déboule.

« L'article est bon », dit-il.

Son papier est remonté jusqu'aux huiles de l'OWI,
l'Office of War Information, à Washington.

« C'est là qu'il est resté bloqué. »

Lee demande si l'histoire des camps pose problème.

« Non. J'ai vu, comme vous. J'ai vu la grange et le
cimetière. C'est à gerber. Vous avez trouvé les mots
justes ! Le problème est ailleurs. »

Trois minutes se sont écoulées.

Nuisance contourne son bureau et se colle à la
fenêtre. Il est de dos, les bras croisés. Massif. Ramassé,
comme s'il allait se confier.

« C'est à cause de l'histoire de Friedländer ?
demande Lee.

— Peut-être… »

Le colonel Truth se glisse dans la tente.

« Quoi ?

— Les Soviétiques viennent de recevoir un appel
de reddition. C'est une demande officielle. Les Allemands veulent négocier. »

Lee tente de se fondre dans le décor. Elle comprend que Truth et Nuisance sont sur la même longueur d'onde qu'elle. Oui, le dernier carré du Reich est localisé. Et la fameuse Magda en fait partie. Elle est en vie. Le général se tourne vers elle.

« Votre papier ne tombe pas au bon moment, on dirait.

— Ça dépend pour qui », répond-elle. Elle flaire une brèche, comme une invite à tenter sa chance. Ce Nuisance est un homme de pouvoir. Il la juge. Il attend quelque chose d'elle. « Vas-y, Lee, se dit-elle. Mais en crabe. Pas frontale. Avance ton pion. »

« Et vous ? » risque-t-elle.

Le général retourne à la trouée qui lui sert de fenêtre, un petit carré de trente centimètres de côté surmonté d'un rabat. Avec vue sur la tente dressée juste en face. Son ventre pèse sur une ceinture déformée. Il est très court sur pattes. Ses bottes sont rassemblées, chevilles collées, sur un tapis de coton.

« Il paraît que ses lettres sont touchantes.

— Oui, général.

— Plus sincères que tous les écrits de cette barrique à deux pattes de Hemingway.

— Certainement, général.

— Ma fille est morte. Un accident de cheval. Vous vous y connaissez en chevaux ? Non ? Ma fille est une excellente cavalière.

— Je suis navrée, général.

— Elle était une excellente cavalière. Elle me ressemblait, paraît-il. Oui. La pauvre. Il paraît qu'elle avait mes traits. Son cheval s'est emballé. Rupture

318

des cervicales, dit-il avant de désigner un coin de son bureau. J'avais cette lettre pour elle…

— Je comprends.

— C'était vraiment son père ? »

Lee attend la suite. Elle ne vient pas. Un signe, alors ? Rien. Elle prend les devants. Salue. Sourit.

« Je veux savoir », dit-il.

Cinq minutes sont passées. Reste à trouver un moyen de gagner Berlin.

*

Helmut finit d'un trait son verre de jus d'orange avec un bruit de glotte qui fait rire ses sœurs. Il est le clown de la fratrie. Intrépide. Rouleur de mécaniques. Hissé sur la pointe des pieds pour faire plus que son âge.

Magda se mêle à cette joyeuse troupe. Impatiente d'en finir. Hedda sur ses genoux. Helmut assis par terre et Helga juste en face. Les trois autres se pressent contre elle. Magda n'a pas assez de bras. Elle a tellement d'enfants… Trop d'enfants. C'est ce qu'elle pense à cet instant. Trop d'enfants nés pour rien…

Tous attendent. C'est le rituel. À chaque anniversaire, Magda leur sert une histoire. Même si, cette fois, il n'y a ni caméra, ni script, ni ingénieur du son. Ils sont tous les sept, avec Stumpfegger dans un coin. Il n'y aura pas de trace de cet anniversaire.

Magda a des prédispositions nostalgiques. Elle opte pour celle de Marie de Magdala, l'Apôtre des

Apôtres, restée auprès de son demi-dieu de Jésus tout le long de son calvaire. C'est le bon choix à ses yeux. Dans ce réduit de béton, son récit fait émerger des tas d'images exotiques, du lac de Tibériade, de Palestine et de pêcheurs bibliques qui jetaient leurs filets tout autour de leurs barques.

« Elle a un peu le même nom que toi, remarque Hedda.

— Oui, fait-elle. Nous portons le même prénom.

— Mais toi, alors, c'est qui ton Christ ?

— C'est le Reich, ma chérie. Le Reich a fait de nous des reines, des princes et des princesses.

— Ah ouais ? ironise Helmut. Des princes ! T'es sûre ? Ben, pas ici, alors !

— Chuuut ! Doucement. On parle doucement, ici ! » rappelle sa sœur aînée.

Le petit garçon jette un mauvais regard au docteur, celui qui était dans la chambre quand ils ont tué Blondi. Stumpfegger n'y fait pas attention. Il est trop concentré sur la trotteuse de sa montre. Il compte. Il calcule. Plus que quelques secondes.

*

Ils roulent à fond de train quand Lee lui fait signe de ralentir.

« Que se passe-t-il ?

— Gare-toi ! ordonne-t-elle en se retournant.

— Mais on va les rater… »

Gary finit sa phrase dans le vent.

«Je crois qu'on a un problème…» dit-elle.

Ava s'est cachée à l'arrière, entre deux caisses en bois, ramassée sous le petit banc d'appoint. Ils ont déjà parcouru une soixantaine de kilomètres et elle n'a pas bronché, malgré l'arête d'une caisse, sans doute de munitions, qui lui éreintait le dos.

«Bon ben, on va pas y rester deux heures!» clame Gary, incapable de déchiffrer les messages qu'elles s'adressent, en silence, à travers ce canal invisible qui les relie l'une à l'autre : des promesses de retour, la peur des infirmières, les bienveillances de l'UNRAA, l'impatience, des excuses, une angoisse d'abandon qui ne sait pas se dire, le danger de Berlin, le rouleau de lettres…

«Je te le rapporterai, dit Lee. C'est juré!»

Ava tremble. Lee l'enveloppe dans un gros pull et l'installe sur le petit banc derrière.

«On peut y aller? C'est bon?»

Gary laisse tourner le moteur. Elle n'a pas terminé.

«Tu sais, ce récit, dit-elle encore à Ava, j'en fais partie. Hier soir, j'ai écrit les dernières lignes de Fela et celles de notre rencontre. Je te les lirai plus tard. En attendant, tout est là, là-dedans. J'en prendrai soin, comme je prendrai soin de toi à notre retour.»

Gary redémarre et lui demande comment elle compte s'y prendre avec la petite dans les pattes. Elle hausse les épaules. Elle n'en sait rien. Berlin n'est plus qu'à une centaine de bornes et elle espère bien y arriver avant qu'il ne soit trop tard.

«Je te signale que je te laisserai te démerder avec les Ruskofs», râle Gary.

Les cinquante kilomètres suivants, Gary conduit contrarié. Ils prennent des risques. Pas sûr qu'ils rattrapent la tête de pont russe.

«Gary?

— ...

— Gary?

— Putain, quoi? craque-t-il.

— Je suis fière de nous.»

*

Helga est la première à se plaindre. Une boule d'aigreur gravite dans sa gorge. C'est de pire en pire. Magda s'approche. De l'autre côté, Heidrun se met à pleurer. Elle a envie de vomir et très mal à la tête. Helmut s'y met aussi, lui qui ne pleure jamais. Hildegarde se plaint d'avoir le crâne qui cogne. Comme si quelqu'un tapait dedans. Les uns après les autres, ils râlent et se plaignent. Magda est une gorgone qui vient de perdre son sang-froid. Elle se tourne dans tous les sens. Tout va trop vite, ça la dépasse.

«Vous m'aviez dit qu'ils ne sentiraient rien!» s'indigne-t-elle.

Le docteur décroche de sa trotteuse. Tout se passe bien. C'est normal.

Elle laisse l'aînée se tordre pour repêcher la petite qui manque de tomber. Les larmes de Heidrun ne sont pas encore sèches qu'elle sombre dans un sommeil de pierre. Helmut tombe de fatigue. Sa tête vacille. Les uns après les autres, tous ses enfants s'allongent.

«Encore quelques secondes», commente le docteur tout à son expérience. C'est la première fois qu'il teste ce produit sur des enfants. «C'est bon.»

Ils dorment tous. Profondément. Magda improvise des gestes de mère. Elle les recoiffe et rassemble leurs vêtements. Elle les retrouvera bientôt. À l'abri, loin d'ici, loin de l'horreur des Russes, l'horreur des Slaves, la vilenie des barbares qui ne vont plus tarder. Ici, personne n'est dupe. Les derniers Berlinois sont conscients de ce qui les attend. Cela fait des mois que ces diables de rouges prennent, volent, pillent, et violent, et torturent ceux qui tombent entre leurs mains. Pourquoi épargneraient-ils les derniers habitants de la capitale? Elle aussi, ses enfants aussi, ses ravissantes petites filles qui forcent l'admiration de tout un peuple, de tout un continent! Ses mains tremblent, ses jambes flageolent, elle a des fourmillements dans le cœur. Et ce sinistre docteur qui observe le processus.

«Sortez, maintenant, commande-t-elle. Laissez-moi un instant!»

Tandis qu'il quitte la chambre, elle commence à ôter les chaussures de ses enfants et les ordonne au bord du mur. Dix escarpins vernis et une paire de souliers. Elle pense à son grand gaillard de Harald. Elle prie pour qu'il s'en tire, qu'on ne lui fasse pas de mal. Les autres ne comptent déjà plus. Ses yeux sont secs. Ses gestes à peine tremblés sont surtout résolus. Harald sera fier d'elle. Bien sûr qu'il sera fier d'elle. C'est sa mère après tout.

Magda contemple les douze souliers bien alignés. Elle parle à voix haute. Commente la scène.

«Les filles dorment. Elles sont paisibles. Elles sont splendides. Bientôt, tout sera prêt.»

Elle parle comme une Médée moderne, celle du tout dernier acte. Elle accomplit son sort, se confond dans l'Histoire. Elle est debout, va d'un lit à l'autre, peaufinant les détails. «Voilà!» Les cheveux bien coiffés. Pas de chaussettes. Pas de couleurs tonitruantes. Les valises inutiles. Elle balaie. Il faut que tout soit parfait. Pur.

«Délivrez-nous du mal, mon Dieu», lâche-t-elle, quand un soupçon la prend de court. Une amertume qui se joue de ses entrailles. Magda se plie et se prend la tête entre les mains… Elle voit l'enfer et le diable. Elle laisse la porte ouverte au regard des autres mères qui viendront. L'espace vertigineux du doute se développe.

Magda s'accroche au souvenir des capsules distillées par son ami Albert. Combien? Trois cents? Cinq cents? Combien de dignitaires finiront en beauté comme eux? Combien oseront franchir le pas, le grand suicide, le sacrifice suprême?

Le médecin est de retour.

«Tout va bien?»

Elle se déplie, accrochée au barreau d'un lit.

«Rien de grave, répond-elle. Juste un léger vertige.»

Magda est habituée. Cela fait des années qu'elle se tient tout au bord, coupée de tout. Bientôt, ce sera son tour. Adolf est mort. Il n'y a plus de rempart. Joseph n'attendra pas. Il ira jusqu'au bout. On ne saura jamais qu'il y avait une tache, une tache originelle pour dégénérer le tableau. Comment s'y prendra-t-il? Du poison? Le feu? Une balle pour elle?

«Nous n'avons plus qu'une heure», dit le médecin.

Magda acquiesce. Dans son dos, elle voit passer Joseph. Il s'arrête. La méprise. Plus rien ne retient sa haine.

«Harald?» lance-t-elle, devant le dortoir de ses gosses.

Il fait semblant de ne pas entendre.

«Harald? Tu as des nouvelles de…»

Il s'arrête dans le couloir. Tourne à peine la tête et laisse tomber:

«En vie.»

*

Vert au galop, marée jaune, éclats de rouge, comme dans les rêves, et le bleu du ciel déroulé au-dessus d'eux, pendant qu'ils filent vers Berlin.

Au sommet d'une colline, une embardée les réveille. Gary a évité un amas de pneus en travers de la route. Un check-point. Rapide coup d'œil dans le rétroviseur. La petite est bien planquée. Lee découvre de nouveaux uniformes, des camions soviétiques aux calandres géantes et un essaim de soldats qui parlent tous en même temps, se concertent, jusqu'à ce qu'un chef émerge. Les fusils se dressent, les tiennent en joue, et celui qui fait le chef se met à balancer des tonnes d'ordres étrangers. Gary réserve les paquets de clopes qu'il avait mis de côté pour détendre l'atmosphère. Ce sera pour plus tard. Quand il pourra baisser les mains. Lee se tait. Tout peut vite basculer. Eux sont trois dans la jeep, dont une môme, avec deux fusils, des pistolets. Ils sont une cinquantaine en face. Russes. Elle compte deux nids de mitrailleuses sur les bas-côtés. Un nombre incalculable de grenades et d'obus dans le dernier camion. Le chef passe un appel radio en les gardant à l'œil. Ses soldats ne mouftent plus. On n'entend que le bruit de leur jeep qui cadence le moment de vérité.

Un ordre passe, et les fusils s'abaissent. Ils étaient attendus.

Pendant que Gary et l'officier s'efforcent de s'accorder à coups de gesticulations, de soupirs, de croquis et de tapes amicales, Lee sort son appareil. Les soldats prennent la pose, cigarette au bec, des chicots plein la bouche. Elle parle anglais. Ils répondent en russe. Mais devant l'appareil, pas besoin de cargaisons de gestes pour préciser les choses.

L'officier russe accepte le whisky, les cigarettes, les écussons d'Ozark et une demi-douzaine de rations de survie qu'il ouvrira plus tard et fait disparaître le tout à l'avant du camion.

Lee note ce qui pourrait bien être son adresse, à Rostov, et promet de lui envoyer sa photo, ainsi que celle de ses soldats.

«Non. Non», répond l'officier dont le nom n'est qu'une suite d'onomatopées douloureuses, de *aïe*, de *grrr* et de *ouille*. Le Russe se moque des camarades. Ce qu'il veut, c'est sa trogne. Il encadrera la photo dans sa datcha. Sa femme sera contente d'avoir un souvenir de ses gloires. Lee découvre les limites de la camaraderie russe.

Le camion de tête soviétique crache d'un coup. Une épaisse fumée noire marque le moment du départ. La carrosserie tremble de toutes ses pièces. Il faut partir avant que ce camion ne se délite, qu'il se répande en portes, ailes, pare-brise et garde-boue parmi des milliers d'écrous et de vis mal serrés. Cet officier et ses hommes en sont l'incarnation. Ils sont bien plus robustes que leurs machines. Capables de parcourir des centaines de kilomètres à pied. Improvisant à chaque panne de réseau. Eux ne tombent jamais en rade.

Gary rassemble ses affaires, mais l'officier l'épingle.

«La jeep ? s'ébaubit Gary.

— Pas jeep.»

Gary fait mine de ne pas saisir. L'officier se lance dans une tirade imbitable…

«Pas jeep !»

Il doit la laisser là. C'est la condition de l'officier. Irrecevable pour Gary. Il risque la cour martiale pour abandon de matériel de guerre. Il est enchaîné à sa voiture.

La tête de colonne s'ébroue. L'officier saute à l'avant de son camion.

« T'inquiète pas », dit Lee près de la bâche qui pendouille. Les soldats s'accrochent déjà à leurs dossiers. « Regarde : eux et moi, on est déjà potes ! »

Dans le camion de tête, Lee siffle bruyamment. Gary adore quand elle fait ça. Elle cherche à saluer la petite qui ne s'est pas montrée. Un signe. Quelque chose. Une ombre sous le camion.

« Oh non ! »

Lee saute du hayon :

« Stop ! » crie-t-elle.

C'est elle. C'est Ava. La petite se relève. Elle était bien sous le camion. Elle a les mains pleines d'huile et de gravillons collés. Elle a des yeux qui la supplient de ne pas partir sans elle.

« Tu retournes à la jeep ! Tu restes avec Gary ! »

Les soldats commentent la scène. Leur regard est plus froid. Lee est une autre, une mère. Comme si ça changeait tout. Ils sourient moins large.

Ava se jette dans ses bras. Toutes les deux prennent des forces.

« Vous m'attendez, dit-elle. J'en ai pour quelques jours, et je reviens, d'accord ? »

Le moteur de son camion rugit. C'est le moment. L'embrayage est fragile. En équilibre sur sa portière, l'officier gueule des ordres.

La chancellerie va tomber.

La veille, les hommes chargés de prendre Berlin ont cru qu'ils avaient gagné. Dans les décombres d'un immeuble du centre-ville, ils ont découvert le parfait sosie d'Adolf, ses insignes, sa mèche, même la moustache. La méprise a duré jusqu'à ce qu'un légiste des services secrets soviétiques s'en mêle. Le cadavre était plus petit de trois centimètres que le vrai. Un peu plus jeune aussi. Et surtout, l'analyse de sa mâchoire ne correspondait pas aux informations figurant dans le dossier médical qu'ils s'étaient procuré. Les officiers allemands avaient sacrifié ce sosie pour gagner quelques heures. Une poignée. La traque recommence. Cette fois, ils ne se tromperont pas de cible.

*

« Venez m'aider, s'il vous plaît. Toute seule, je n'y arrive pas ! » Magda s'est mis en tête de les vêtir de robes de chambre blanches, comme la sienne. Helmut porterait une chemise blanche.

Elle commence par l'aînée. Mais elle peine à la redresser. Stumpfegger ramasse un tabouret et se juche dessus pour l'aider. Magda ôte sa chemise, puis fait glisser sa jupe. À douze ans, Helga a encore des genoux de gosse, saillants, mais ses seins pointent déjà. Sa taille se proportionne. Stumpfegger remarque qu'elle a encore une jambe plus courte que l'autre. Il a l'œil pour ces choses-là. Il a de l'expérience. Un peu de kinésithérapie, et le tour était joué…

« Vous rêvez ? » s'agace-t-elle.

Le docteur détourne les yeux et Magda fouille la valise poussée au bout du lit. La robe de chambre qu'elle cherchait est une boule tassée dans le fond. Magda la sort, prend la place du docteur et lève les bras de sa fille. Au deuxième bras qu'elle passe, elle sent une résistance. Helga émet des bruits de succion.

« Elle se réveille ?

— Ce n'est rien, assure Stumpfegger. Elle n'est pas consciente. Elle dort. »

Il soulève ses paupières. Ses yeux sont révulsés.

« On peut continuer », dit-il.

Helga est la petite géographe de la famille. Elle dessine des cartes très détaillées de l'Europe et même du continent noir. Chose rare pour une fille de son âge, elle connaît tous les pays d'Afrique, leur emplacement, les grands fleuves qui les traversent, le Congo et le Niger… Elle est prête, maintenant.

Magda passe à Hedda. Elle sort un petit écrin de sa poche. Son cadeau d'anniversaire. Elle y a pensé. C'est une gourmette en or qu'elle a fait graver juste avant de descendre dans le bunker. Magda l'accroche à son poignet. La taille est parfaite. Elle passe ses doigts sur ses anneaux finement enchâssés, fait rouler le bracelet. Hedda a passé l'hiver à lui réclamer un petit bijou pour son âge de raison. Elle possède désormais la même gourmette en or que ses sœurs.

« Voilà », dit-elle en contemplant son œuvre.

Magda et Stumpfegger attifent les enfants les uns après les autres comme de précieuses poupées. Ils les vêtent, les coiffent, les manucurent, et alignent leurs membres, les bras le long du corps, la nuque à pic sur l'oreiller, et les jambes serrées, pieds nus.

«C'est bon?» demande-t-il.

Magda opine. Il peut aller chercher les capsules de poison. La veille, il a préparé les dosages pour ces enfants. Puis il les a rangées dans une trousse au fond du placard de l'infirmerie. Le test effectué sur la chienne a été concluant. Celui sur oncle Adolf et son Eva a prouvé que la dose d'acide prussique n'était pas assez élevée. Il en ajoute quelques milligrammes, dispose les six capsules dans une petite boîte en fer-blanc. C'est rudimentaire, clinique, mais son art n'est pas à la présentation. Ni même à la chimie, du reste. Il est chirurgien, un très bon chirurgien, avec deux ans de pratique intensive en camps. Sa compétence est reconnue par ses pairs. Il a fait de son mieux. Les enfants ne sentiront rien.

*

Les bâches du camion russe sont si opaques qu'on ne voit rien de l'extérieur, mais comme il ralentit et slalome à force de chicanes, Lee devine qu'ils approchent. Des coups de feu retentissent. Pas grand-chose. Ces échanges sont lointains. Depuis un bon quart d'heure, le monstrueux moteur est en sous-régime, à moins de trois mille tours par minute. Les freins crissent, les arceaux du toit de toile valdinguent et les soldats s'accrochent comme ils peuvent en maudissant tous les saints de l'ancien Empire.

La bâche arrière se soulève et régénère l'air huileux dans lequel ils trempaient.

«Berlin!» dit un soldat.

L'officier tend à Lee une veste militaire. Elle hésite. Elle pense par bribes.

Si les choses tournent mal…

Se faire descendre avec un uniforme étranger…

Désertion…

Puis se rassure. Rien n'interdit à un reporter de revêtir un uniforme étranger, tant que ce n'est pas celui de l'ennemi. Il insiste. Si elle veut faire ses photos, il faut qu'elle porte cette veste militaire.

Pas de veste, pas de photo! C'est une zone soviétique.

Les trois camions sont à l'arrêt. Lee descend, prend la veste, noue ses cheveux au-dessus du col cassé orné d'un pentagramme rouge, symbole de l'unité des travailleurs des cinq continents, et la boutonne.

«*Krassiva*[1]», lance un soldat.

Pendant le trajet, elle a eu le temps d'apprendre des rudiments de russe. Et celui-là, *krassiva*, est venu en premier.

«*Krassiva! Krassiva! Da! Da! Ty otchen krassivaya*[2]!» clament-ils en frappant la crosse de leurs fusils par terre.

_____
1. «Jolie».
2. «Jolie! Jolie! Oui! Oui! Tu es vraiment très jolie!»

Elle éclate de son rire lumineux et les honore d'une révérence. La mère qui les avait refroidis a retrouvé son lustre. Tous veulent leur photo avec elle.

« C'est bon maintenant ? » L'officier lui fait signe d'attendre.

Elle vérifie que ses appareils sont bien chargés, endosse son havresac et s'engouffre dans une sorte de scarabée monté sur de robustes chenilles qui s'ouvre par l'avant. Un blindé façon Kremlin, mastoc, robuste à faire peur.

*

« Le garçon. D'abord lui. Le garçon en premier parce qu'il est le plus fort. C'est fort un homme, n'est-ce pas ? »

Magda soliloque en brisant la capsule juste au-dessus de la bouche ouverte de son fils. La solution dégage une odeur d'amertume, presque palpable, chuintante, qu'elle évite de faire couler sur ses doigts protégés par les gants de chirurgien de Stumpfegger. Le liquide rebondit sur sa langue qui se rencogne, s'écoule au fond de sa gorge étroite. Son garçon ne cille pas.

« Comme ça ! Très bien. Bonne nuit, mon ange. »

Magda a raison. Helmut est intrépide, un bon petit garçon loué par ses éducateurs, et poussé par ses sœurs comme un chien dans un jeu de quilles parce qu'il n'a pas peur, parce qu'il faut bien jouer les mecs dans cet étroit sérail, ce gynécée miniature. Helmut est exemplaire. Quand on lui ferme la bouche, il ne convulse pas. Le plastron de sa chemise tremblote. C'est son cœur qui déraisonne, bat une chamade infernale, puis se fige.

Le dosage est parfait.

« Hedda, maintenant. »

Sa fille est stoïque. Ses doigts sont lâches. Son ventre flaccide. Et ses paupières signalent une quiétude retrouvée.

Poc !

Magda brise l'extrémité d'une nouvelle capsule, embrasse sa fille sur le front et place le poison au-dessus de sa bouche.

Poc !

Les mâchoires de Holdine sont compactes. Comme si son inconscient se méfiait, résistait une dernière fois, avec ses armes d'enfant, mâchoires serrées devant un plat détesté, qui dégoûte. Le docteur glisse son doigt ganté entre ses lèvres. Il longe sa gencive dans un bruit de plastique, crochète l'index juste derrière les molaires, et glisse son pouce devant, pour lui ouvrir la bouche. La langue de Holdine se débat un instant, puis se tasse.

« Maintenant », dit-il.

Au-dessus, Magda sent qu'on s'agite. C'est Helga. Sa fille s'éveille en balbutiant des mots bêtabloqués, sans rime ni raison. Elle se dresse comme une morte-vivante, les yeux enfermés dans cette camisole chimique, agités de tourments. Magda s'affole. Elle a peur d'être vue. Pas maintenant. Pas fini. Helga va

334

tout faire capoter. Elle se presse de vider la capsule dans le gosier de Holdine et se jette sur le lit au-dessus pour repousser Helga, comme si elle dormait encore, comme si de rien n'était, comme elle l'avait prévu…

Stumpfegger prétend qu'il ne faut pas s'y fier, qu'elle cauchemarde.

Magda a l'impression de perdre la tête, qu'elle tombe dans un puits de non-sens et qu'elle n'a plus de prise. Sa fille se redresse, la repousse. Magda lui tient le bras, serre, fermement. Le docteur veut s'en mêler et lui demande de ne pas crier. Magda ne respire plus. Ses organes vitaux sont figés. C'est tout qui l'empoisonne, le cyanure, les chuchotements, les talons levés pour éviter de faire claquer le béton, la puanteur des chiens et sa fille qui la regarde.

« Maman ?

— Qu'elle se taise ! hurle Magda.

— Calmez-vous. Ne criez pas, l'adjure le docteur.

— Maman ? Maman ? »

Magda se couche sur elle. Elle pèse de tout son poids, mais sa fille se débat. Ses yeux sont grands ouverts et s'affolent.

« Mais quoi, maman… Qu'est-ce que tu fais ?

— Je nous protège, explose-t-elle en libérant son souffle, affalée sur sa fille, tenant ses poignets dans ses mains, ses jambes coincées sous les siennes.

— Mais tu me fais mal ! Maman !

— Vite ! » supplie-t-elle.

Le docteur se glisse entre elles, serre la gorge de la

petite qui happe l'air de son mieux, craque l'ampoule, desserre sa gorge, et lui colle le menton vers le haut.

« C'est fini ! »

Magda a épuisé son rôle.

*

Lee descend la première. Le nuage de fumée vient de ce jardin dévasté. Celui de la chancellerie. Sur le côté, des soldats tiennent en respect une dizaine de prisonniers allemands. Désarmés. Face au mur. Les mains ramenées sur la tête. L'un d'entre eux, le plus petit, fait mine de se retourner, quand un soldat lui hurle dessus. Lee a pris le temps de cadrer, à peine. Photo réflexe.

« Surexposée ! » pense-t-elle.

L'officier russe l'entraîne vers l'entrée du bunker. Des soldats soviétiques vont et viennent. Ils sortent des armes, des dizaines de fusils, des caisses en bois chargées de munitions et de dossiers, du matériel électrique, une radio désossée, des câbles, des casques, des bouteilles et deux grands draps pleins qu'ils étalent devant elle. Ils dévoilent une série de cadavres. Lee compte six petits corps. Des enfants. Cinq fillettes et un garçon de blanc vêtus. La plus grande porte des marques aux bras. Les autres semblent endormis. Les soldats mettent en scène leur macabre découverte et les alignent dans l'ordre, de la plus grande à la plus petite. À côté, deux autres corps noirs de suie, calcinés, la peau et les muscles rongés par le feu. Le premier a les cuisses écartées dans une posture obscène. Les genoux relevés. Une prothèse. Le ventre creux. Les vestiges d'un sexe d'homme. L'autre est une femme, avec des bouts de tissus collés aux os. Un escarpin, aucun bijou. Les soldats ont déjà tout volé.

« Magdalena Goebbels », confirme un rescapé.

Celle dont parlent toutes ces lettres est étendue sur le dos, les jambes ramenées l'une sur l'autre.

Lee prend beaucoup de photos. Elle tente de capter quelque chose qui n'est plus.

« Et les enfants ? demande-t-elle, l'œil enfoui derrière son boîtier.

— Les enfants de Magda », confirme le rescapé.

Lee ferme les yeux sous son boîtier. Son doigt appuie sur le déclencheur, mais elle ne regarde plus. Elle en a vu assez.

Postface

Des victimes de ce bunker, beaucoup de photos sont parues. Celles des enfants. Celles des époux Goebbels. Un film existe aussi. Quelques secondes tressautantes autour de ces dépouilles sinistres et de leur inventaire par les généraux rouges. Des témoignages des rescapés du bunker. L'Histoire a archivé tout cela.

Mais il m'a fallu des années de recherches pour collecter de rares indices sur la vie de Richard Friedländer. Il reste tant de zones d'ombre. J'ai valsé avec les faits, dans une danse à deux, collés, main dans la main. Flirter du mieux possible avec le vraisemblable pour imaginer le reste, tout ce que l'Histoire néglige, tout ce à quoi n'étaient pas destinés les milliards de mots publiés, gratter sous les décombres, astiquer les consciences pour tenter de faire jaillir quelques mauvais génies, certaines arrière-pensées, vraisemblables, toujours vraisemblables. *It takes two to tango.*

Un film a été réalisé[1]. Une histoire de la famille

---

1. Eric Friedler et Barbara Siebert, *Le Silence des Quandt*, 2007.

Quandt, par deux journalistes allemands. Il montre comment les descendants de Harald sont devenus riches, immensément riches. Ses enfants et petits-enfants détiennent, aujourd'hui encore, la plupart des actions du constructeur automobile BMW. Mais ce sont les piles Varta qui ont d'abord fait leur fortune. Des millions de batteries produites pour l'armée du Führer, pour les *U-Boot*, ou les fameux missiles V2 censés inverser le cours de la guerre quand on donnait l'Allemagne vaincue. Leur fortune repose sur les matières premières extraites des monts du Hartz par une main-d'œuvre condamnée d'avance. Les morts brûlés de la grange de Gardelegen venaient de ces boyaux-là. Ils faisaient partie de la grande marche, fuyaient le camp de Stöcken, comme Aimé et Judah, encadrés par le soldat Rose, et le kapo Ebender. Leur sacrifice a fait la richesse de cette famille.

Des historiens ont consacré leur vie à restituer l'histoire des survivants des camps, leur longue marche. Là encore, tout est vrai. L'histoire de la grange de Gardelegen, la brigade Rabauken chargée de poursuivre les survivants, les corps enterrés par les paysans locaux, la découverte du massacre par les troupes américaines, la réquisition des villageois, les croix, les étoiles de David, les corps enterrés dans le cimetière local : tout est documenté, témoignages à l'appui[1]. Parmi eux,

---

1. Daniel Blatman, *Les Marches de la mort : la dernière étape du génocide nazi, été 1944 – printemps 1945*, Fayard, 2009. Voir aussi l'*Atlas de la Shoah*, de Georges Bensoussan, Autrement, 2014.

combien d'enfants comme la petite Ava ? Des dizaines. Des centaines selon les historiens. À Auschwitz, il y eut près de trois mille grossesses. Presque toutes avortées, souvent avant le terme, parfois juste après la naissance. Parmi les survivants, les filles sont prénommées en souvenir de Stanislava Leszczynska. En 1970, Stanislava Leszczynska reçut la visite de rescapées. Ils étaient des dizaines à avoir fait le voyage, à Varsovie. La sage-femme mourut quatre ans plus tard. Des maternités et des rues portent son nom. Sa canonisation a été proposée au Vatican.

Dans ce roman, l'histoire de Magda Goebbels est certainement la plus connue. Son mariage avec l'âme damnée de Hitler, leurs enfants, leur mise en scène pour les besoins de la propagande nazie et leur fin monstrueuse. On ignore peut-être davantage sa fragilité, ses séjours en clinique, ses cures de sommeil, de grand air, mais aussi son enfance en pensionnat, l'amour qu'elle éprouvait pour Haïm Viktor Arlozoroff, grande figure du sionisme assassinée… Bref, l'essentiel. C'est ce qu'a révélé sa biographe, Anja Klabunde[1].

Le suicide de cette Médée moderne demeure un mystère. Nombre d'historiens ont tenté de l'éclaircir[2]. Des

---

1. Anja Klabunde, *Magda Goebbels : approche d'une vie*, Tallandier, 2006.

2. François Kersaudy, *Les Secrets du IIIe Reich*, Perrin, 2013 ; Peter Longerich, *Goebbels*, Héloïse d'Ormesson, 2010 ; Patrick Clervoy, *L'Effet Lucifer : des bourreaux ordinaires*, CNRS Éditions, 2013.

psychiatres se sont penchés sur des actes semblables[1]. Névrose ? Psychose ? Dépression. Drame social ? Pulsion de mort ? Comment Magda Goebbels a-t-elle pu tuer ses enfants ? Je suis incapable de me représenter ce geste sans retour, froid, calculé, non subi. Je l'ai décrit aussi méthodiquement que le récit des historiens le permet. Mais un voile reste dressé entre le geste et son moteur intime.

Pour se figurer Joseph Goebbels, sa passion pour son « Maître », ses frasques, ses conquêtes comptabilisées, il suffit de feuilleter son *Journal*[2]. Tout y est. Les notes, les parenthèses, les noms, mais aussi des silences plus épais que les trois mille pages de ses mémoires.

Les récits de la découverte des camps par les troupes américaines et le travail des reporters qui révélèrent au monde leur existence[3] m'ont permis de construire les personnages de Gary et de Lee Meyer, inspirée de Lee Miller – un changement de quelques lettres pour me permettre des entorses à la vérité de cette femme. Lee Miller était mannequin, amie intime de Picasso. Engagée comme photographe de guerre,

---

1. Voir notamment la passionnante thèse d'Anne-Sophie Chocard, intitulée «L'acte homicide-suicide – 14 observations cliniques», soutenue le 23 octobre 2002 devant les doyens de la faculté de médecine d'Amiens.

2. Joseph Goebbels, *Journal, 1923-1933*, vol. 1, *Journal, 1933-1939*, vol. 2, *Journal, 1939-1942*, vol. 3, et *Journal, 1943-1945*, vol. 4, Tallandier.

3. Annette Wieworka, *1945 : la découverte*, Le Seuil, 2015.

elle était présente quand les Alliés ont découvert le camp de Dachau, en avril 1945[1]. Ses photos ont été exposées dans le monde entier. Certaines figurent au Mémorial de Caen. Ses portraits sont célèbres. L'un de mes préférés la représente dans une baignoire. Elle se tient de trois-quarts. On la devine nue. Elle a les cheveux en chignon et se passe un gant dans le dos. Ses bottes crottées sont alignées au pied de la baignoire. Un portrait de Hitler est présent sur le côté, près du porte-savon. Cette photo a été prise par son ami, le photographe Dave Scherman, 27 Prinzeregenplatz, à Munich, dans les appartements de Hitler. Elle date d'avril-mai 1945.

Richard Friedländer, le père « adoptif » de Magda, est mort comme il a vécu. Sans laisser de traces. Il dispose d'une fiche sur Wikipedia. Les biographes des Goebbels, Anja Klabunde et Peter Longerich, lui consacrent quelques lignes. Guère plus. Pour en faire le héros en creux de ce livre, il a fallu l'aide précieuse d'Ariel Sion au Mémorial de la Shoah et de Stefanie Delleman, archiviste auprès du Mémorial de Buchenwald. Elles m'ont permis de lui construire cette histoire. Les lettres à sa fille sont inventées. Toutes. Je le confesse. Mais ce qu'elles décrivent est vrai. Tout. Le quotidien d'un Juif à Berlin dans les

---

1. Son fils, Antony Penrose, lui a consacré plusieurs biographies. L'une d'elles s'intitule *The Lives of Lee Miller*, Thames and Hudson, 2007.

années 1930[1]. Le quartier des Granges, où même les prostituées levaient plus haut la jambe quand le shabbat venait, pour éviter de faire claquer leurs talons, ou de courser un mauvais payeur de passage. La gargote dans laquelle se réfugie Friedländer, aussi, ainsi que le souvenir de cette reproduction du temple de Salomon.

Tout est là. Contenu en filigrane. Les récits, les témoignages, les travaux d'historiens sont présents à chaque mot, à chaque ligne. Discrets. Mais là, comme autant de garde-fous.

1. Voir Saul Friedländer, *L'Allemagne nazie et les Juifs, Les Années de persécution : 1933-1939*, et *Les Années d'extermination : 1939-1945*, Le Seuil ; Joseph Roth, *À Berlin*, Les Belles Lettres, « Domaine étranger », 2013, et *Fraises*, L'Herne, « Carnets », 2016.

REMERCIEMENTS

À mes filles, Nina et Violette, si patientes, si bienveil-
lantes, si formidables en tout. Pardon, mes filles chéries,
pour ces vacances réduites. Il fallait bien l'écrire, ce livre.
Promis, on retournera à New York ou en Californie.

À Mathilde, ma «mouflette» bien-aimée, qui prétend
n'avoir jamais trouvé le temps long à voir son mec plongé
des mois durant, soir et matin, week-ends compris, dans
toute l'histoire de ces tordus de nazis. C'est mon premier
roman. J'espère qu'il y en aura beaucoup d'autres entre
nous, ma chérie.

À Ariel Sion, du Mémorial de la Shoah, qui m'a tellement
aidé, orientant mes recherches, glissant tel ou tel livre sur
mon bureau dans la salle de lectures, en français, en allemand, en yiddish ; précieuse initiatrice de Roth, pas Philip,
l'autre, le Berlinois, Joseph Roth, le journaliste. On les garde,
Ariel, nos ronds de serviette chez Korcarz et Pitzman !

À Aurore Blaise, première lectrice, si subtile. Merci
pour tes critiques. À Gilbert Sibony et Myriam, de la librairie du Mémorial. Merci de m'avoir fait presque oublier qu'il
en existait déjà beaucoup, des livres, sur cette époque mau-
dite.

Merci à Lisa Liautaud, mon éditrice, plus ou moins punk et très sûrement mutante, capable de se fondre dans cette histoire, d'en reprendre le rythme, d'en défendre le style tout en gardant un œil critique. Merci pour ta patience, tes relectures, tes suggestions pertinentes. Merci d'avoir si bien fait «ça»... «Ça?» Oui, cette bouteille à la mer, adressée par la poste, et de l'avoir rendue plus lisible, plus intelligible. Chapeau, Lisa.

À ceux de mon hélice intime, ma double hélice comme disent les généticiens, Muriel, Romain, Maté, Marraine, Prudence, Laure aussi bien sûr, Zac et Liloune, Pascale, Sandra, Cyril, Elsa, Karine, Stéphane, Stanloche, mon frère à part entière, réduit à un demi par l'administration, mais maillon essentiel du tiercé gagnant: 13-9-1, joué immuablement, tous les jours de PMU ouvert, par notre Billy de père.

Une fraternelle pensée à «ma stache», Bertrand Deveaud, qui, entre deux foulées, m'a mis la puce à l'oreille.

Le Livre de Poche s'engage pour
l'environnement en réduisant
l'empreinte carbone de ses livres.
Celle de cet exemplaire est de :
350 g éq. CO_2
Rendez-vous sur
www.livredepoche-durable.fr

PAPIER À BASE DE
FIBRES CERTIFIÉES

Composition réalisée par MAURY IMPRIMEUR

Achevé d'imprimer en décembre 2018, en France sur Presse Offset par
Maury Imprimeur – 45330 Malesherbes
N° d'imprimeur : 232377
Dépôt légal 1ʳᵉ publication : janvier 2019
LIBRAIRIE GÉNÉRALE FRANÇAISE – 21, rue du Montparnasse – 75298 Paris Cedex 06